明清以來
民間生活知識的建構與傳遞

吳蕙芳 著

臺灣 學生書局 印行

王序

門人吳蕙芳博士要刊印其第三種專著了，我十分欣慰，自應向其祝賀。

我在政治大學教過三個博士，兩個出於政治研究所，只有蕙芳出於歷史研究所，說來蕙芳是曾在政大選讀過我的課程，而其指導老師是戴玄之教授，由戴教授帶領研究社會史，並取得碩士學位。然不久戴教授病逝，使她頓然失去嚮導。進入博士班後她來找我，我與戴教授交契至深，豈可令她失望徬徨？就決定收為門下，如是一段來歷，定要交代明白。

蕙芳追隨戴教授已具有社會史研究基礎，但是要走其舊路，我願負責代她在社會史方面思考較重要的論題。於是帶領她研究《萬寶全書》，這對她而言，自然要完全從頭做起；我是能督導，但路要她自已走出來。後來蕙芳承此指示方向，努力寫成了博士論文，在內外名家學者口試下，獲得高分，完成學業。

蕙芳有幸，畢業之後，立即被政大歷史系決定將其博士論文出版，過四年，此書又承其它出版社再出修訂本，該書自足代表其多年努力辛勤成就，於今已有六年。學界同道看著蕙芳的學問成長，吾於事後，靡不備感心慰。

蕙芳畢業後在大學任教，尚不以我年老昏庸，仍時相來訪，問學求教不輟。吾自頻見其勤奮力學，深納許之。六、七年來，在忙於教書之間，竟能撰寫新書，且即將問世。承其美意，相邀鄙人撰序，吾自羨其造詣可欽，當亦備感榮耀。

蕙芳新著命題《明清以來民間生活知識的建構與傳遞》，表現意涵明確而詞旨精當，正可見其思慮深細，而能擬出如此書名。至其研治入手則是綜輯明清以至民國，流通民間之日用雜字書，此皆蕙芳個人治學開拓之路，已現開拓眼光，勤加采輯史料，竭力鑽探，乃有如此成績。其間皆辛勤締造，真值祝賀。

蕙芳所選研究這樣一個世人最常見、最普通的俗淺文獻，真是表現智慧與勇氣。誰不知道《雜字》書呢？說來我最熟悉，也啟動我遙遠而陳腐的回憶，略可向人稍表個人經驗。

我自幼年入私塾開蒙讀書，從七歲那年二月起，先是一個短短入蒙期，我只用十七天，而讀完《三字經》、《百家姓》、《千字文》、《朱柏廬治家格言》以及所謂的《四言雜字》。我能記得十七天讀完這些書，並不是表示有何聰明，就是笨一點的學生，也能在一個月內完成入蒙，此是先父相告。當時入蒙學費很低，但接下來讀四書，一年（只九個月）的學費要付大洋五、六元，這以後的一段稱為「記誦之學」。我一直讀到十二歲的夏季六月（中曆），後來進入一個小學堂再讀三年纔考升中學。想想我讀五年半私塾，再讀三年小學，算來比別人落後兩年，但這樣的結果，我也不承認自己太笨。說起私塾中所讀《四言雜字》，至今尚只記得起首兩句：油鹽醬醋，蒸酒燒黃。相信蕙芳所搜集者必有此一版本。

關於私塾入蒙階段的功用，必須略為表敘。像我這種讀過私塾的同袍老人，能活到廿一世紀者一定不多了。我是親身受教，應該多說一點，但決不要鋪敘太遠，在此只講入蒙。一般窮苦人家，無法供子孫多花金錢與時間讀書，尤其農人只學耕種並不入學，只有無恆產者，子弟學工、學商，就只送子弟入學不超過三個月，學費不貴，約大洋一元就可讀完入蒙。在識字方面要學三、百、千三種小書，而做工、做商、一切物名、六畜、身體部位、橡椅机櫈、車輛、船隻、唱貨（墟市小販要唱貨）名目、杯盤碗碟、廚下用具、山蔬海味、蚌蟹魚蝦、昆布紫菜等，皆會寫會唱，並加記帳。大抵俱要熟讀《四言雜字》，乃是工商小販依恃的知識。蕙芳引來，定為民間生活知識，乃是真實寫照，其能將此俗鄙教材引入學問，用以通曉庶民知識，真是化俗淺而提昇於學術研究，正見其識力之敏銳，功力之深厚。

蕙芳書中點明，前時研究《萬寶全書》是屬於民間日用類書，而次及探討《雜字》之書，也應屬日用類書，所致力發掘論域，大範圍仍為社會文化史，小區類仍是日用類書，表達其治學領域的統一性，蓋日用類書一門，已可自立一家，並佔社會文化史之一分枝，其專業精神亦足表現明確。

又有關日用類書這一命名，尚須略作澄清。這是二十世紀後半為日本漢學家領先定出的辭彙，約在 1958 年酒井忠夫提出「日用類書」之說，約在 1962 年仁井田陞提出「日用百科全書」之說。我個人因緣際會，早先遇到酒井忠夫率團來我們教育部訪問，得與之相見，始知日本漢學界早把中國小民生活智能、習慣、禮俗、技藝、廟碑、墟市唱貨、遊街行樂、善書、寶卷、木魚書，以至行幫語，小偷、乞丐切口，樣樣俱能提升到學術層次，真是大開眼界。承酒井教授不棄，凡其成果，俱有相贈，故其開創說之「日用類書」，我一向習慣使用。我也有仁井田陞的重要資料集，亦非常敬仰這位老前輩，但其所提示「日用百科全書」實取自西方百科全書之先例而命名，但凡編輯取材、結構、功能，其日用類書與西方百科全書，只是相似而非相同。故在中國資料而言，使用日用類書是比較名實相符，吾故贊成蕙芳採用日用類書一詞。

說來慚愧，學界朋友很少像我這樣，幼年記誦的《四言雜字》卻從來不再回顧了。我實在也向來未想到要拿《雜字》書作研究。真可證明蕙芳的眼光獨到，經過她六年來的攻治探索，已使《雜字》書進入學術領域，真是重大貢獻。

讀了蕙芳新作，不免令我老年領會了事後聰明，承認前代無名野賢的教人苦心，承認雜字之所謂雜，乃是小民日常生活天天都碰到的瑣碎知識，大人先生豈能理會？豈會投畀一瞥？卻有一類同樣窮苦無告的市井文人，把生平經驗，經常習見的雜物細故、俚語村言，當成庶民所需知識，編組而草撰出各式各樣的雜字書。我粗略細校，其中決無士人生活寫照，全不出農、工、小販知識。在此試舉一二例，提供學界高人一閱。

其一，《常用雜字》書中的商販知識：人生世間，耕讀當先。生意買賣，圖利賺錢。學會寫帳，再打算盤。天平戥子，紙墨筆硯。升合斗桶，一稱兩端，明斤明兩，不哄不瞞。

其二，《常用雜字》書中的農人知識：耢耙拕車，綆索鍬鐅。梭頭籠嘴，繮繩鼻牽，嚼子轡首，湛水夾板，鞍韉屧子，金鐙藤鞭。構子砘子，趟鈎曲圈。犁鏵明鏡，碾臍釘鐦。捧種間苗，掌握時間，鋤耪深淺，務保墒田。及時收割，運往場園。杈把掃帚，芟刀鐝鐮，笸子簍子，簸箕抬籃。稷穰麥糠，篩笆木鍁。布袋家抗，囤倉滿院。

其三，《常用雜字》書中木工泥水知識：百般匠藝，家具俱全，錛鑿斧鋸，刨子銼鑽，風匣火爐，鎮子火鉗，拍扒瓦刀，水平泥板，精工巧藝，各顯手段。請傭工人，款待茶飯，苫屋造房，確保安全。

我所採用參考書，是 1991 年吉林文史出版社刊印的《蒙學全書》，其好處是搜羅廣泛齊全，而印校則常改古字，反使文義變味。此處所引《常用雜字》乃最晚出之民國時期本，文句中已有「水泥地板」之句，由於多改簡字俗字，使文字失其原意。例如農家所用芟刀（快速割麥子用的長刀利刀），書中印成衫刀，令人莫知所云。似此之類，該書為求簡化，多有更改，反致世人誤解，以為來源就是如此。凡教幼學，重在認真識字，起頭不慎，終身難改。千祈治幼學者不可造次草率。

蕙芳此作，乃掬六年心血，勤奮鑽研而成，以鄙人閱讀而自信可向識家推薦者，舉例五點研究成就：

第一，蕙芳在社會文化史的重大開拓，是把《雜字》書在市井小民的生活需要上，將全般紛雜的生活知識匯集在一本參考小書。但凡自幼童求知，可以在短期一個月到三個月內打下基礎，花費資本不大，而足供一生使用方便。於此掌握農業基礎之中國，小民百業的生活內涵，亦一舉而通盤了解。

第二，蕙芳大作論域跨明清至民國六百年間的庶民生活知識傳承。由歷代版本之增補，看到低層文化變遷痕跡，以及貧苦生活中之各類日用品，反映自明代以來，民間沒有暴富，警戒浪費，愛惜物力，尤戒嫖、賭、食煙，以至酗酒，如山東《莊農雜字》所言，嫁娶首飾，陪送假的最好，今日見之，殊覺奇怪。

第三，蕙芳向世人申明，似此一種淺俗小書，何以歷久不衰？何以傳布廣遠？甚至亦流通日本？此是學者最注意最重視問題。想想大聖大賢有此影響力嗎？若不研究探討，那是自我閉錮，這就關係到庶民知識需要的基本問題。質言之，是為了日常生活所需，比之高文典冊重要，這就是研治庶民文化的重要動因。

第四，蕙芳在此書中的相關論題研究，表現功力深厚，研究細密。主要代表在其所製八種表格，分項清楚，條理明白，年代多樣，尤其功能與學塾施教，最具堅強說服力。蕙芳一切舉證推斷，全靠這些明確可靠之表譜供人考察比較。凡其附錄及徵引書目，我俱細加閱讀，深佩其治學之勤奮，識論之可信。

第五，書中附列三言、四言、六言、七言雜字各版本書影，自是表現前代版式體製，且亦醒目，令人注意，很具特色。

鄙人退休多年，亦早荒疏研治社會文化史，能保令名，惟恃門人努力有所建樹，今見吳蕙芳博士大著，深表欣慰，亦覺值得驕傲。蕙芳已是此道行家，有三種專書問世，學術成就值得稱讚。今當促其倍加努力，再作開拓，與中外同道密相切磋討教，自必有更多貢獻建樹，爭取學問聲譽。

河南周口王爾敏序

2007年8月18日

明清以來民間生活知識的建構與傳遞

目 次

圖版目錄

緒　論

1960 年代以來的新史學潮流中，書籍史（History of Books）或閱讀史（History of Reading）這些涉及人類知識活動的研究課題成為社會文化史領域內的重要關注目標，法國年鑑學派學者 Roger Chartier、美國史家 Robert Darnton 及英國學者 Peter Burke 等人的相關作品，無論是原書或譯本，往往成為學界競相引介的代表成果，❶甚有學位論文的專門研究說明；❷事實上，中文學界裡以書籍為研究對象早開風氣，惟以往多將之與版本學、目錄學、校讎學、文獻學等混為一談，直至 19 世紀末 20 世紀初中國學者才將之逐步視為一專門史進行研究，且將研究範疇界定為對中國書籍事業

---

❶ Roger Chartier、Robert Darnton 及 Peter Burke 的著作甚多，可參見臺灣翻譯本中的相關說明，如羅歇·夏爾提埃（Roger Chartier），〈文本、印刷術、解讀〉，收入林·亨特（Lynn Hunt）編，江政寬譯，《新文化史》（臺北：麥田出版社，2002 年 4 月），頁 324-326；羅柏·丹屯（Robert Darnton）著，呂健忠譯，《貓大屠殺——法國文化史鉤沈》（臺北：國立編譯館、聯經出版事業股份有限公司，2005 年 9 月）；彼得·柏克（Peter Burke）著，賈士蘅譯，《知識社會史——從古騰堡到狄德羅》（臺北：麥田出版社，2003 年 1 月）。

❷ 陳威志，〈Robert Darnton 的書中書——論十八世紀法國的作者、讀者及書籍〉（新莊：輔仁大學歷史研究所碩士論文，2001 年 6 月）。

的研究，包括書籍的產生與發展、書籍的內容與形式，乃至書籍的作用與影響等領域，而實際討論課題則包括書籍的編纂、印刷、收藏、流通等部分。

據中國學者的分析認為：二十世紀以來中國書籍史的研究歷經萌芽時期（世紀初至 1949 年）、發展時期（1949 至 1978 年）及興盛時期（1979 年至世紀末）三階段；三階段中無論是從宏觀上對中國書籍進行縱向研究，如試圖探討中國書籍產生、發展的規律，從理論上總結、概括中國書籍發展史之通史性研究著作；或是從書籍的編纂、印製、收藏、流通等方面予以多類型、多角度專題研究和深入分析的專門性研究成果；甚至，為保存書籍史資料，方便學者研究利用，相關書籍史料的整理、收集等工作均積極進行，成就可觀。❸然綜觀其展示成果，可發現中國書籍史研究偏重書籍本身及印刷出版兩方面的探討，欠缺書籍對社會影響之了解，無怪乎書籍史權威錢存訓教授即指出：將來對書籍史的研究應置重心於與社會發展間的關係。❹

而西方新史學潮流下的書籍史研究實是研究書籍的生產和不同群體的閱讀習慣，❺涵蓋範圍則有文本、印刷及閱讀等部分，❻其

❸ 張志強、潘文年，〈20 世紀中國書史研究回顧〉，《漢學研究通訊》，22 卷 4 期（2003 年 11 月），頁 35。

❹ 張寶三，〈訪錢存訓教授談中國書籍史之研究及治學方法〉，《漢學研究通訊》，22 卷 1 期（2003 年 2 月），頁 33。

❺ 李宏圖，〈當代西方新社會文化史論述〉，《世界歷史》，2004 年 1 期，頁 30。

❻ 西方相關書籍史的研究成果，可參見羅歇·夏蒂埃、達尼埃爾·羅什，〈書籍史〉，收入〔法〕雅克·勒戈夫、皮埃爾·諾拉主編，郝名瑋譯，《史學

中，對閱讀部分的強調，實為中文學界的書籍史研究少見，亦吸引筆者的注意。據 Robert Darnton 指出，閱讀史的研究主要是利用與讀者相關的一些紀錄，如閱讀的書目、給編者的信件、作者的回覆等，以及涉及出版者的文件，含私人藏書目錄、年度書目、文學年鑑、圖書館的借閱紀錄、手抄書單、申購書單、公證紀錄、公開的書籍目錄等資料，以研究「閱讀的歷史」；由此，Robert Darnton 指出書籍史研究的五個重要方向，即儘可能去了解過去閱讀中的想法、注意閱讀是學習而來的、掌握舊政權下農民如何閱讀、關注文學理論、重視大眾出版物的發展；至於實際課題則包括研究前人的閱讀習慣（不論是閱讀的時間、地點或方式）、前人對閱讀一事的態度和看法、前人學習閱讀的種種方式或探究一些著名人物自傳中有關閱讀的記載等。

綜觀 Robert Darnton 對於閱讀史的相關說明，其主要是強調透過六個「W」以解決閱讀習慣涉及的各種重要問題，包括何種書籍（What）？為何人（Who）？在何時（When）？在何地（Where）？為何原因（Why）？及如何（How）閱讀？其中，「為何原因閱讀」與「如何閱讀」的研究，亦即研究閱讀之目的與閱讀之過程是較為困難的。❼

研究的新問題、新方法、新對象——法國史學發展趨勢》（北京：社會科學文獻出版社，1988 年 8 月），頁 311-333。

❼ Robert Darnton, "History of Reading" Edited by Peter Burke, *New Perspectives On Historical Writing* (University Park, Pennsylvania: The Pennsylvania State University Press, 2001), PP.158-166、168-175；同文亦見於 Robert Darnton, *The Kiss of Lamourette: Reflections in Cultural History* (N.Y.: W.W. Norton &

在 Robert Darnton 閱讀史論說基礎之上，Roger Chartier 進一步地指出：書籍之目的在安置「秩序」，此一秩序呈現於書籍從被創造到被接受之歷程中，並涉及作者書寫、讀者閱讀與圖書館收藏三大主體之討論；而閱讀行為實「文本」與「被接受文本」間的一種「相遇（encounter）」，此種相遇複雜多樣，因讀者在接受文本歷程中有形塑意義的自由，致文本可能具備多重意義，未必如作者原先所構思之內涵，故閱讀史的實際課題應更深入地探究諸如：不同社經背景者如何閱讀相同文本、何以這些人閱讀相同文本要用不同方式之類的問題。❽從 Roger Chartier 對閱讀史的說明，可知其事實上已將閱讀史的研究從「閱讀」階段進入「解讀」層級，甚至具有「詮釋」意涵，至此，閱讀史更加強調讀者個人的知識活動化，研究起來亦更為艱辛困難。

相較於 Robert Darnton、Roger Chartier 的閱讀史主要是從書籍被接受之歷程中予以探究，Peter Burke 的閱讀史則大致是以知識獲

Company, 1990), PP. 155-168、170-184；相關中文說明可見林富士，〈Peter Burke 編 *New Perspectives On Historical Writing*〉，《新史學》，3 卷 2 期（1992 年 6 月），頁 184-189。

❽ Roger Chartier, *The Order of Books: Readers, Authors and Libraries in Europe Between the Fourteenth and Eighteenth Centuries*, trans. by Lydia G. Cochrane, (Cambridge: Polity Press, 1994), PP.Ⅳ-Ⅴ、"Communities of Readers"；相關此書說明可見 Sue Waterman, "Book Review: The Order of Books", *History of Reading News*, Vol.XX, No.2（1997: Spring）；又有關 Roger Chartier 對閱讀史之說明可參見：〔法〕羅杰·夏蒂埃口述，沈堅譯，〈過去的表象——羅杰·夏蒂埃訪談錄〉，收入李宏圖、王加豐選編，《表象的敘述》（上海：上海三聯書店，2003 年 12 月），頁 133-137；李宏圖，〈當代西方新社會文化史論述〉，頁 34。

取之角度切入，關注重點是讀者如何獲取知識及如何使用知識，而在此兩大課題下，相關於圖書館之利用、略讀與精讀的差異、作筆記與主題書設置的重要，乃至參考書、工具書從圖書館到個人擁有之意義等部分均曾為其探討說明，令閱讀史的研究面向更為廣泛而活潑。❾

由於中國自明清以來隨著經濟發展、物質條件配合，書籍此種文化商品亦得普遍印行、廣泛流通，特別是此時書籍的讀者群已可擴展至民間社會的庶民大眾，更吸引學界的關注，而相關此時期的書籍史研究成果，或屬專文形式、或為專書規模，其內容或屬通論性著作、或為專題性探討，均頗具參考價值；如繆咏和即對明代出版業予以通盤介紹，❿張璉、葉樹聲與余敏輝則分別對官方書籍及民間書籍的出版加以說明；⓫而民間書籍的印行，亦即坊刻的發展尤受重視，陳昭珍、郭姿吟的研究即是專門強調明代坊刻印書之特點及其重要性。⓬至於涉及書籍實務運作層面的討論，則有何谷理

❾ 彼得·柏克（Peter Burke）著，賈士蘅譯，《知識社會史——從古騰堡到狄德羅》，第八章〈獲得知識：讀者的部分〉。

❿ 繆咏和，《明代出版史稿》（南京：江蘇人民出版社，2000 年 10 月）。

⓫ 張璉，《明代中央政府出版與文化政策之研究》，收入潘美月、杜潔祥主編，《古典文獻研究輯刊（二編）》（永和：花木蘭文化工作坊，2006 年 3 月），本書源於其碩士論文〈明代中央政府刻書研究〉（臺北：私立中國文化大學史學研究所碩士論文，1983 年 6 月）；葉樹聲、余敏輝，《明清江南私人刻書業史略》（合肥：安徽大學出版社，2000 年 5 月）。

⓬ 陳昭珍，〈明代書坊之研究〉（臺北：國立臺灣大學圖書館學研究所碩士論文，1984 年 7 月）；郭姿吟，〈明代書籍出版研究〉（臺南：國立成功大學歷史研究所碩士論文，2002 年 6 月）。

（Robert E. Hegel）、沈津分析印刷技術、成本價格及書籍行銷間之關連性；⓭亦有以某一地區的出版事業予以個案研究者，如 Lucille Chia、邱澎生、麥杰安分別討論福建建陽及江蘇蘇州、常州地區的商業出版情形；⓮也有針對某特定出版社或出版者為目標的研究，如吳栢青研究毛晉汲古閣、馬孟晶研究胡正言十竹齋、Ellen Widmer 研究杭州與蘇州的還讀齋，⓯而方彥壽、蕭東發則是對福建建陽地區的數個坊刻大家，包括余氏、劉氏、熊氏之刻書事業加以討論；⓰至於對當時頗為流通的各類型出版品，不論是應考用

⓭ 何谷理（Robert E. Hegel）〈章回小說發展中涉及到的經濟技術因素〉，《漢學研究》，6 卷 1 期（1988 年 6 月）；沈津，〈明代坊刻圖書之流通與價格〉，《國家圖書館館刊》，85 卷 1 期（1996 年 6 月）。

⓮ Lucille Chia, *Printing for Profit: The Commercial Publishers of Jianyang, Fujian (11th-17th Centuries)* (Cambridge and London: Havard University Press, 2002)、"The Development Of The Jianyang Book Trade, Song-Yuan", *Late Imperial China*, June 1996, Volume17, No.1；邱澎生，〈明代蘇州營利出版事業及其社會效應〉，《九州學刊》，5 卷 2 期（1992 年 10 月）；麥杰安，〈明代蘇常地區出版事業之研究〉（臺北：國立臺灣大學圖書館學研究所碩士論文，1996 年 5 月）。

⓯ 吳栢青，〈明毛晉汲古閣之刻書〉，《大陸雜誌》，97 卷 1 期（1998 年 7 月）；馬孟晶，〈文人雅趣與商業書坊——十竹齋書畫譜和箋譜的刊印與胡正言的出版事業〉，《新史學》，10 卷 3 期（1999 年 9 月）；Ellen Widmer, "The Huanduzhai of Hangzhou and Suzhou: A Study in Seventeenth-Century Publishing", *Harvard Journal of Asiatic Studies*, 56:1 (June 1996).

⓰ 方彥壽，〈明代刻書家熊宗立述考〉，《文獻》，1987 年 1 期（1987 年 1 月）；方彥壽，〈建陽劉氏刻書考（上）（下）〉，《文獻》，1988 年 2 期（1988 年 4 月）、1988 年 3 期（1988 年 7 月）；蕭東發，〈建陽余氏刻書考略（上）（中）（下）〉，《文獻》，21 輯（1984 年 6 月）、22 輯（1984 年 12 月）、1985 年 1 期（1985 年 1 月）。

書、日常生活實用書或小說之類娛樂書的觀察探究，更是不勝枚舉。⑰

上述研究成果足以顯現當時書籍的普遍流通、文化商品為書坊大量刊刻印行，反映出明清以來民間社會的文化生活圖像與知識活動脈絡；惟窺諸內容，多屬西方書籍史中的「文本」或「印刷」部分的課題探討，欠缺關乎「閱讀」方面的了解；事實上，隨著生活知識的日漸文本化，閱讀活動的必要性與重要性愈為顯著，此實明清以來社會文化史領域內甚為重要的研究課題，需投注相當心力關注才是，而本書之撰寫即是針對明清以來民間社會如何透過書籍媒介的文字閱讀，而非經驗體會或口耳相傳方式獲取生活知識，藉以應付日益繁複現實生活中必須面對的困境與挑戰之問題尋求解答。

由於明清以來生活知識的載體頗多，有專載單一知識的民間日用書籍，如經商貿易用的商業書或商人書、書信往來用的翰墨啟劄書、水陸交通用的路程書等，亦不乏載各式生活知識的民間日用類書，即俗稱之家庭生活百科全書（家庭生活小百科）或家庭生活手冊，惟基於經濟因素考量，一般民家日常備用為應付生活所需知識之書籍以後者居多，因而本書僅以刊載各式生活知識的民間日用類

---

⑰ 參見：劉祥光，〈時文稿：科舉時代的考生必讀〉，《近代中國史研究通訊》，22 期（1996 年 9 月）；王正華，〈生活、知識與文化商品：晚明福建版「日用類書」與其書畫門〉，《中央研究院近代史研究所集刊》，41 期（2003 年 9 月）；小川陽一，〈明代小說與善書〉，《漢學研究》，6 卷 1 期（1988 年 6 月）；汪燕崗，〈明代中晚期南京書坊和通俗小說〉，《南京社會科學》，2004 年 10 期。

書為研究目標，說明此種書籍如何被使用者閱讀之歷程。時間斷限上，本書以明清時期為主，因民間日用類書及與之閱讀歷程密切相關的雜字書均興盛於此段時期，惟兩者淵源可溯至明清以前，而其傳承發展又持續到民國以後，另外，相關此二種書籍的版本實以明清及民國時期為多，故為配合研究主題的關鍵時段及文本資料的時間侷限，因而本書題名綜以「明清以來」一詞涵蓋全書所涉及之時間範疇。

大致而言，本書結構除〈緒論〉與〈結論〉外，主體部分共分四章，即：第一章〈「日用」與「類書」的結合——從《事林廣記》到《萬事不求人》〉，係將明清以來刊載各式生活知識的民間日用類書，從體例及內容兩方面分析其逐漸由類書演變為日用類書，乃至民間日用類書之歷程及其反映之意義。不同於以往僅強調日用類書與民間日用類書的出現乃類書內容多樣化及實用化刊載下之結果，⑱本章著重指出日用類書與民間日用類書的產生乃類書在體例上對傳統知識體系架構的逐漸掙脫，及在內容刊載上趨向日用化及通俗化之方向發展；同時，為便利童蒙及初學識字者亦可閱讀此類書籍，民間日用類書發展至清代後期甚至載有識字認詞內容，使利用者可按步就班地經由識字認詞內容的學習逐漸培養閱讀能力，終可查閱並實際應用各類生活知識。

第二章〈邁向文字世界——雜字書的淵源與發展〉，由於清代

⑱ 參見：吳蕙芳，〈民間日用類書的淵源與發展〉，《政治大學歷史學報》，18期（2001年5月）；吳蕙芳，《萬寶全書：明清時期的民間生活實錄》（臺北：國立政治大學歷史學系，2001年7月），第一章第一節。

後期的民間日用類書中載有識字認詞內容，且這些識字認詞內容除為傳統普遍流通且廣為人知的「三（字經）、百（家姓）、千（字文）」之類的蒙學教材外，最重要的是雜字書，因而有必要對雜字書此類書籍的淵源與發展、性質與功能加以了解，並探究其適用者、使用情形、流通狀況與傳授途徑，由此呈現出雜字書在民間社會中的廣泛性及普遍程度。

第三章〈識字與雜用——雜字書的入門之道〉，是透過雜字書的內容特色與組織結構，分析此類書籍的學習方法，並追溯其系統脈絡；由於明清以來雜字書種類甚多，本章集中討論初學者識字入門用雜字書，即集中識字用雜字書，藉以觀察雜字書在民間社會得普遍流通、廣泛採行之重要原因。

第四章〈清代民間生活知識的掌握——從《萬寶元龍雜字》到《萬寶全書》〉，係以清代為例，將雜字書的學習上連民間日用類書的應用，以明當時民間社會掌握生活知識的可能方法，亦呈現民間日用生活知識的傳遞途徑與學習管道。

透過上述章節安排，筆者希望能自「民間日用類書如何被閱讀？」、「雜字書是什麼書？」、「雜字書如何學習？」及「如何經由雜字書而達閱讀民間日用類書？」等子題之釐清，對明清以來民間生活知識的建構與傳遞歷程有基本的掌握與理解，同時，亦對經由民間日用類書與雜字書之連貫學習，呈現出社會大眾識字程度與閱讀能力的普遍所代表之意涵略作說明。

第一章
「日用」與「類書」的結合
——從《事林廣記》到《萬事不求人》

日用類書乃刊載各式生活知識供日用，似今日的家庭生活百科全書或家庭生活手冊的書籍，此種資料近來隨著新史學潮流影響下之強調社會生活史、社會文化史課題研究，及著重民間社會、庶民大眾等研究主題而愈受重視，不僅相關的史料介紹，且運用此種資料而產生的研究成果亦陸續出現。❶事實上，日用類書並非新史

❶ 近年來相關的資料介紹及研究成果可參見：吳蕙芳，〈民間日用類書的內容與應用——以明代『三台萬用正宗』為例〉，《明代研究通訊》，3 期（2000 年 10 月）；吳蕙芳，〈上海圖書館所藏《萬寶全書》諸本——兼論民間日用類書中的拼湊問題〉，《書目季刊》，36 卷 4 期（2003 年 3 月）；吳蕙芳，〈《龍頭一覽學海不求人》的版本與內容〉，《明代史研究》，34 期（2003 年 4 月）；王正華，〈生活、知識與文化商品：晚明福建版「日用類書」與其書畫門〉；王振忠，〈清代前期徽州民間的日常生活——以婺源民間日用類書《目錄十六條》為例〉，收入陳鋒主編，《明清長江流域社會發展史論》（武昌：武漢大學出版社，2005 年 1 月）；Wei Shang, "The Making of the Everyday World: *Jin Ping Mei Cihua* and Encyclopedias for Daily Use", in David D.W. Wang and Wei Shang ed., *Dynastic Crisis and Cultural*

料，日本學界早於二十世紀五〇年代以來即有學者應用作研究，以後西方及中文學者相繼投入，利用此種資料的研究課題遍及法制、教育、商業、交通、文學、醫學、數學，乃至社會生活、民間文化等領域。❷而「日用類書」一詞亦取代以往的「日用百科全書」或「日用百科辭書」名稱成為此種資料的普遍代名詞。❸唯「日用類

Innovation: From the Late Ming to the Late Qing and Beyond (Cambridge, Mass.: Harvard University Asia Center, 2005)；張哲嘉，〈日用類書「醫學門」與傳統社會庶民醫學教育〉，收入梅家玲主編，《文化啟蒙與知識生產：跨領域的視野》（臺北：麥田出版社，2006 年 8 月）。

❷ 相關的研究趨勢參見：吳蕙芳，〈新社會史研究：民間日用類書的應用與展望〉，《政大史粹》，2 期（2000 年 6 月），頁 5-7；馮爾康，〈關於建設中國社會史史料學的思考〉，《漢學研究通訊》，21 卷 4 期（2002 年 11 月），頁 8-9。

❸ 較早利用日用類書資料作研究的日本學者仁井田陞稱此種資料為「日用百科全書」，然到酒井忠夫時已改稱為「日用類書」，以後的寺田隆信、水野正明、麥谷邦夫有稱之為「日用百科全書」或「日用百科辭書」，小川陽一、坂出祥伸等人則均稱之為「日用類書」，而工具書中的解釋則採「日用類書」一詞；近來，在酒井氏監修下，小川氏與坂出氏選擇六部明版民間日用類書予以刊行，方便學界使用的資料集，即稱之為《中國日用類書集成》。參見：仁井田陞，〈元明時代の村の規約と小作證書など（一）—日用百科全書の類二十種の中から—〉，《中國法制史研究（奴隸農奴法・家族村落法）》（東京：東京大學東洋文化研究所出版會，1962 年 3 月）；酒井忠夫，〈元明時代の日用類書とその教育史的意義〉，《日本の教育史學》，1 期（1958 年）；寺田隆信，〈明清時代の商業書について〉，《明代史研究》，22 期（1994 年 4 月）；水野正明，〈「新安原板士商類要」について〉，《東方學》，60 期（1980 年 7 月）；麥谷邦夫，〈明清時代の日用百科全書について〉，收入《昭和六〇年度科學研究費補助金一般研究成果報告書（課題番號 59450059）：十八、十九世紀節用集の政治社會學的研究》（京都：京都大學人文研究所，1988 年 8 月），頁 33；小川陽一，《日用類

書」一詞在發源地的日本學界所指稱的範圍甚廣，無論是刊有各種知識內容的綜合性日用書籍，或僅載童蒙教育、商業、地理路程、翰墨啟劄等任一單項內容的專科性日用書籍，均包括在內；❹同時，對產生於宋元流通至明代、較偏文人使用的家庭生活百科全書，如《事林廣記》之類者，與晚明以來普遍為四民大眾、士庶並用的家庭生活百科全書，如《萬寶全書》之類者，亦未區隔，均以「日用類書」一名稱呼；❺影響所及，中文學界亦如此習用，❻致

書による明清小說の研究》（東京：研文出版，1995 年 10 月）；坂出祥伸，〈明代「日用類書」醫學門について〉，《文學論集》，47 卷 3 期（1998 年）；野口鐵郎等編，《道教事典》（東京：平河出版社，1996 年 10 月，初版 2 刷），頁 478；吳蕙芳，〈《中國日用類書集成》及其史料價值〉，《近代中國史研究通訊》，30 期（2000 年 9 月），頁 111。

❹ 酒井忠夫將日用類書分成總括性、翰墨啟劄、故事關係、幼學與童蒙教育、居家等類，而臼井佐知子提及日用類書時亦將綜合性及專科性者如商業書、路程書等均包含在內。參見：酒井忠夫，〈明代の日用類書と庶民教育〉，收入林友春編，《近世中國教育史研究》（東京：國土社，1958 年 3 月），頁 107-139；臼井佐知子，〈徽州文書と徽州研究〉，《明清史の基本問題》（東京：汲古書院，1997 年 10 月），頁 524-526。

❺ 如酒井忠夫稱《事林廣記》為日用類書，亦稱《萬寶全書》為日用類書；金文京帶領一研讀小組專研《事林廣記》，即稱此書為日用類書；而小川陽一、三浦國雄研究《萬寶全書》均稱此書為「日用類書」。參見：酒井忠夫，〈明代の日用類書と庶民教育〉，頁 55；「元代の社會と文化」研究班，〈『事林廣記』刑法類·公理類譯注〉，《東方學報》，74 期（2002 年 3 月），頁 257；小川陽一，《日用類書による明清小說の研究》；三浦國雄，〈沖繩に傳來した『萬寶全書』〉，《文藝論叢》，62 期（2004 年 3 月）。又最近日本古典文獻會編，《汲古》，47 號（2005 年 6 月），為討論《事林廣記》、《萬寶全書》之類書籍的特集，亦題名此期為「中國日用類書小特集」。

學界對「日用類書」一詞的認定頗感混淆。筆者以為：學界若欲妥當運用此種生活材料於各式議題中，實應將日用類書詳加了解，而欲釐清日用類書的實質含義，非自其淵源與演變加以探究不可，同時，有關日用類書的系統脈絡、用途意義、發展趨勢與反映之歷史意涵，亦是值得深入了解的課題。

大致而言，學界對日用類書性質及相關問題之探討，以往已有若干研究成果，惟竊諸內容仍有值得再討論與意猶未盡之處。今不揣淺陋，透過一、二手材料，釐清若干問題。

第一節　類書傳統的創新與承繼

對於日用類書之源，日本的酒井忠夫早於二十世紀五〇年代即指出是始於宋元時的《事林廣記》，酒井氏並比較《事林廣記》與明代《萬寶全書》的類目異同以明彼此間關連性；❼九〇年代森田憲司亦指出《事林廣記》在分類上雖屬類書，卻與以往的類書頗為不同；因以往的類書機能是檢索古書中的美詞麗句，而《事林廣

---

❻ 如陳學文指稱的日用類書除含《萬寶全書》外，亦含各式商業書及商人書；王正華則僅指綜合性日用類書。參見：陳學文，《明清時期商業書及商人書之研究》（臺北：洪葉文化事業有限公司，1997 年 3 月）；陳學文，〈明代商業契約文書考釋——以稀見文獻資料來研究明代商業〉，收入王春瑜主編，《明史論叢》（北京：中國社會科學出版社，1997 年 10 月），頁 726；王正華，〈生活、知識與文化商品：晚明福建版「日用類書」與其書畫門〉。

❼ 酒井忠夫，〈明代の日用類書と庶民教育〉，頁 72-74。

記》內容則涉及日常生活項目。❽

中文學界裡，首先對《事林廣記》作詳細研究的是七〇年代的胡道靜，胡氏稱《事林廣記》為日用百科全書型的類書，理由有二：一是此書內容含較多市井狀態與供生活顧問資料，如〈文藝類〉載當時各式娛樂活動、〈公理類〉刊種種告狀格式、〈算法類〉列出普遍流通的運算法則等；二是此書開啟類書附載插圖先例，除譜表、地圖外，還刊有許多形像與動作之圖，有助於讀者對書中內容的直接理解，更顯現其通俗性。❾胡氏對《事林廣記》一書的定位論述，促成日後中國學者均採類似說法，如張其中、施文義認為《事林廣記》「專收日用百科知識」；❿張春輝界定《事林廣記》「類似現代的日用百科全書」；⓫彭邦炯則直指《事林廣記》是「最早的一部日用百科全書式」類書。⓬

事實上，近來的相關研究更肯定《事林廣記》內容的生活化與時代性，因日本京都大學人文科學研究所的金文京教授領導一研讀

---

❽ 〔日〕森田憲司，〈關於在日本的《事林廣記》諸本〉，收入《國際宋史研討會論文選集》（保定：河北大學出版社，1992 年 8 月），頁 266。

❾ 胡道靜，〈元至順刊本《事林廣記》解題〉，《農書·農史論集》（北京：農業出版社，1985 年 6 月），頁 236、240-242；又本文原載於《百科知識》，1979 年 5 期（1979 年 11 月），頁 39。

❿ 張其中、施文義，《文史工具書淺說》（成都：四川人民出版社，1980 年 10 月，2 次印刷），頁 34。

⓫ 張春輝，〈類書的類型與編排〉，《文獻》，1987 年 2 期（1987 年 4 月），頁 270。

⓬ 彭邦炯，《百川匯海——古代類書與叢書》（臺北：萬卷樓圖書有限公司，2001 年 4 月），頁 116。

小組，將元版《事林廣記》中各門類內容與同時代的其它史料作比對，發現彼此間的呼應關係；⑬其中，刑法類有關十惡的採生及奸繼母規定實可反映當時的民間社會狀況。⑭

前輩學者對類書與日用類書的比較分析，指出兩者間最大差異在日用內容的刊載，筆者對此論點認同並肯定，⑮然想了解的是：除去屬創新成分的日用內容外，《事林廣記》是否有類書的承繼？而此一承繼對日後的影響又為何？欲回答此一問題，應先釐清什麼是類書？

對於類書的界定，書志學者說法不一，然大致須具備分類編纂、資料匯編及內容廣泛三大要件。⑯其中，分類編纂指編書方式是將內容以類區隔，方便檢索；資料匯編指內容刊載乃原始資料呈

---

⑬ 此研讀小組將《事林廣記》中各類內容逐一校讀，再將校讀成果刊行出版，目前可見之成果如下：「元代の社會と文化」研究班，〈『事林廣記』刑法類·公理類譯注〉；〈『事林廣記』人事類譯注〉，《東方學報》，75 期（2003 年 3 月）；〈『事林廣記』學校類譯注（一）〉，《東方學報》，76 期（2004 年 3 月）；〈『事林廣記』學校類（二）·家禮類（一）譯注〉，《東方學報》，77 期（2005 年 3 月）。

⑭ 金文京，〈規範としての古典とその日常的變容——元代類書『事林廣記』所引法令考〉，《古典學の現代Ⅱ》（2001 年 2 月），頁 115-125。

⑮ 吳蕙芳，〈民間日用類書的淵源與發展〉，頁 7-9；吳蕙芳，《萬寶全書：明清時期的民間生活實錄》，頁 22-25。

⑯ 胡道靜，《中國古代的類書》（北京：中華書局，1986 年 9 月，2 次印刷），頁 1、5；戴克瑜、常建華主編，《類書的沿革》（重慶：四川圖書館學會，1981 年），頁 2-3；王明根，《文史工具書的源流和使用》（上海：人民出版社，1980 年 10 月），頁 304；姚福申，《中國編輯史》（上海：復旦大學出版社，1990 年 1 月），頁 125；顧俊，《目錄學與工具書》（臺北：木鐸出版社，1987 年 7 月），頁 42。

現，非經作者融會貫通後的字句；內容廣泛則指書籍內容包羅萬象，非僅單一性質內容的展示。三大要件的前二項較無爭論，⑰且因此產生出類書具按類冀索與校勘核對兩大功能，然第三項則有不同解說，因現存類書中確有單一性質內容仍以分類編纂及原料呈現者；如以《四庫全書》所收錄的 281 部類書，即有專屬輿地制度的類書、書翰啟劄的類書、詩賦詞藻的類書、氏姓人物的類書、花木鳥獸的類書等等。⑱對於此種情形，書志學者明確指出：凡內容彙集各種材料者乃類書正宗，僅專輯單一者為類書別體，⑲亦即類書之名應指得是綜合性類書，而非專科性類書。

《事林廣記》就前述類書定義言之，應屬類書正宗，具綜合性內容，而綜合性類書的完整知識體系實含天、地、人、事、物五大領域，此自現存較早類書唐代的《藝文類聚》中即可得見。⑳《藝文類聚》共 48 類，其中，屬天領域知識者有天文、氣象、歲時等，屬地領域知識者有地理、山川、古蹟等，屬人領域知識者有帝

---

⑰ 類書中《初學記》較為特別，其內容將徵集資料加以組織連貫，成為個別文章，此實接近現代的百科全書，而與其它類書僅資料匯編情況有不同：胡道靜，《中國古代的類書》，頁 96。

⑱ 酒井氏曾將《四庫全書提要》收錄之類書予以分類並舉其代表者，惟其分類並不完整，參見酒井忠夫，〈明代の日用類書と庶民教育〉，頁 39-51。

⑲ 劉葉秋，《類書簡說》（臺北：萬卷樓圖書有限公司，1993 年 1 月，初版 2 刷），頁 6。

⑳ 中國最早的類書為三國時曹魏的《皇覽》，此書於今不見；現存最早完整類書是唐代的《北堂書鈔》，然此書流傳日久，後人妄加增刪，已不復見原貌；故有學者認為現存最早完整且保持原貌的類書應為唐代的《藝文類聚》。戴克瑜、常建華主編，《類書的沿革》，頁 14-15、24、27。

王、君臣、事蹟等，屬事領域知識者有職官、封爵、刑獄等，屬物領域知識者有醫學、工藝、器物等；㉑當然，在此知識體系中屬天地人部分實較屬事物部分少，因事物知識涉及範疇更為廣泛。自此種由天地人而事物的傳統知識體系建立後，歷代類書均延續之，形成綜合性類書的另一要素，如宋代的《太平御覽》、《事文類聚》、《古今合璧事類備要》等均具此一類書傳統知識體系架構，㉒而發展至《事林廣記》亦不例外。

現存最早《事林廣記》為元至順年間刊本，共 42 卷，其中，屬天領域知識者有天文、曆候、節序類，屬地領域知識者有地輿、郡邑、方國等類，屬人領域知識者有人紀、帝系、紀年等類，屬事領域知識者有官制、刑法、人事類，屬物領域知識者有服飾、文藝、器用等類；㉓類書傳統知識體系架構於此書中一覽無遺，惟與以往類書不同的是，《事林廣記》在此知識體系架構下除保留部分以往類書各領域類目外，亦選擇其它生活化類目刊載，促成《事林廣記》轉型為日用類書。

酒井忠夫曾將《事林廣記》與同時代的《事文類聚》、《古今合璧事類備要》等綜合性類書作比對，發現《事林廣記》類目較之新增或刊載較多有關卜史、塋宅、剋擇、算法、農業、養生、武藝、醫學、保嬰、棋譜、八譜、酒令、風月、幼學、啟蒙、三教、個人與家族倫理、啟劄、翰墨、詞狀、契約等類內容，㉔亦即，

㉑ 戴克瑜、常建華主編，《類書的沿革》，頁 27-28。

㉒ 胡道靜，《中國古代的類書》，頁 121。

㉓ 《事林廣記》，元至順年間（1330-1333）刊本，建安椿莊書院刻。

㉔ 酒井忠夫，〈明代の日用類書と庶民教育〉，頁 70-72。

《事林廣記》新增或刊載較多傳統知識體系中屬事物領域的部分；又若將上述新增或刊載較多類目列入日常生活數個不同層面的生活範疇，即物質生活、精神生活及社會生活中檢視之，則《事林廣記》明顯刊載較多屬物質生活的工作技術、玄理術數、養生保健與醫療衛生，屬精神生活的怡情養性與娛樂活動，屬社會生活的童訓教養、四禮規範與勸諭、人際交往與應世規矩等知識，至於承繼以往類書中的天地人知識內容則可歸屬日常生活中對生活環境的認識一環。㉕

由上可知，《事林廣記》此種新型的綜合性類書係將「日用」與「類書」兩相整合，在傳統知識體系架構下選擇日常生活內容刊載，此實奠定往後日用類書的發展基調，而日用類書亦因之兼具「日用」與「類書」兩者特性，致後來學者運用《事林廣記》資料作研究時，既可視之為類書材料，用於校勘古籍或發掘書籍原貌之途；亦可將《事林廣記》當成生活史料，用以論證當時生活情景與社會實況；如胡道靜即指出，《事林廣記》辭章類的〈文章緣起〉一文引南宋版本而來，可據之校勘今傳明代晚期諸本，以窺得原貌；利用武藝類的〈射經〉一文始知《說郛》、《古今圖書集成》刊載之誤；而文藝類的〈棋局篇〉可考證確實作者乃宋代學士張靖而非張擬，〈草書訣法〉載《百韻歌》最早內容，除說明其流傳原委外，尚可證實元明以來逕以此歌為王羲之所作之偽。又有不同學

㉕ 有關日常生活數個範疇及其細項之劃分與說明，參見吳蕙芳，《萬寶全書：明清時期的民間生活實錄（修訂版）》，收入潘美月、杜潔祥主編，《古典文獻研究輯刊（初編）》（永和：花木蘭文化工作坊，2005 年 12 月），上冊，頁 63。

者運用《事林廣記》中香譜、音譜資料可知當時製熏香法、音樂流行情況，而觀察都市城圖、壺漏圖、算法訣式等內容亦可供城市發展、天文學、數學等方面的研究。㉖此外，尚有許多其它研究足以說明《事林廣記》中的飲食、圖像、隱語、唱賺樂譜、蹴踘等內容，可用以了解當時生活中各不同層面與風貌。㉗

又須加以說明的是，前述胡道靜因《事林廣記》內容含許多市井狀態與生活顧問資料，故稱之為日用百科全書型的類書，然其亦有稱《事林廣記》為「民間類書」，㉘影響所及，其它學者亦不時沿用。㉙在此，「民間」一詞應指《事林廣記》內容不同於以往類

㉖ 胡道靜，〈元至順刊本《事林廣記》解題〉，頁242-247。

㉗ 相關資料參見：徐海榮，《中國飲食史》（北京：華夏出版社，1999年10月），卷4，頁722-723；李茂增，《宋元明清的版畫藝術》（鄭州：大象出版社，2000年3月），頁38-39；彭幼航，〈中國數字隱語試析〉，《廣西社會科學》，2000年5期；鄭祖襄，〈《事林廣記》唱賺樂譜的音階宮調及相關問題〉，《音樂研究》，2003年2期；丁紀元，〈略論《事林廣記》音譜類中的《總敘訣》〉，《音樂研究》，1997年3期；王國維，《宋元戲曲史》（北京：東方出版社，1996年3月），頁45-47；隋樹森，〈元人散曲概論〉，《中華文史論叢》，2輯（1982年5月）；邵曾琪，〈《事林廣記》中賺曲的時代〉，《中華文史論叢》，3輯（1983年8月）；王俊奇，《中國唐宋體育史》（北京：人民體育出版社，2000年1月），頁160。

㉘ 胡道靜，〈元至順刊本《事林廣記》解題〉，頁236。

㉙ 學界有稱《事林廣記》為「日用百科全書類型的民間類書」或「民間日用百科全書型的類書」，參見：李毓珍，〈《棋經十三篇》作者考〉，《中華文史論叢》，4輯（1980年10月），頁223；徐海榮主編，《中國飲食史》，頁721；李茂增，《宋元明清的版畫藝術》，頁38；丁紀元，〈略論《事林廣記》音譜類中的《總敘訣》〉，頁80；彭邦炯，《百川匯海——古代類書與叢書》，頁116。

書，而是較為生活化與通俗，並非指此類書籍的訴求對象是四民大眾，因《事林廣記》無論就書名、書旨均未標示是為四民大眾所用，與以後明確定位書籍訴求對象為四民大眾的《萬寶全書》系列民間日用類書並不相同。[30]

第二節　日用內容的變遷與意義

《事林廣記》自宋元時出現，持續流通明代，其間不斷刊行新版，顯示此書具相當程度市場需求；僅以現存《事林廣記》諸本為例，元代自泰定帝泰定 2 年（1325）至惠宗至元 6 年（1340），十五年間至少出現三個版本；明代自太祖洪武 25 年（1392）至世宗嘉靖 20 年（1541），一百多年內至少出現六個版本，此尚以現存版本且明確知其出版時間者觀察而來。[31]事實上，森田憲司從版本學角度專研《事林廣記》後，推論此書除現存版本外，應還有其它版本的

---

[30] 有關《事林廣記》與《萬寶全書》在書名、書旨上訴求對象之解說，參見吳蕙芳，〈民間日用類書的淵源與發展〉，頁 9、17。

[31] 有關《事林廣記》現存版本及相關說明，森田憲司有數篇中日文成果可供參考，參見：〔日〕森田憲司，〈關於在日本的《事林廣記》諸本〉；〈『事林廣記』の諸版本について—國內所藏の諸本を中心に—〉，收入宋代史研究會編，《宋代の知識人》（東京：汲古書院，1993 年 1 月）；〈和刻本『事林廣記』について〉，收入聯合報文化基金會國學文獻館主編，《第六屆中國域外漢籍國際學術會議論文集》（臺北：聯經出版事業公司，1993 年 5 月）；〈王朝交代と出版：和刻本事林廣記から見にモンゴル支配下中國の出版〉，《奈良史學》，20 期（2002 年 12 月）。

印行流通，㉜若將這些應有而於今未見或不存的版本計入，則《事林廣記》在元明時代流通情形應更為普遍，如此頻繁出版刊印亦日用類書不同於以往類書的一大特點。

《事林廣記》所以如此頻繁出版，與其日用內容不時配合時代需要作調整密切相關，而觀察《事林廣記》的內容變化，實可相當程度反映當時的社會生活與文化內涵。大致而言，明版《事林廣記》與元版《事林廣記》的差異，除因政權更迭、時間推移自然產生之內容變動，如歷史知識中原載至元代的歷代源流、統系、帝系至明版《事林廣記》自有延續；㉝地理知識中原屬元代的疆域圖、各行省轄區圖及相關文字說明，乃至與外國經營情形，至明版《事林廣記》必須更換；㉞而官員品秩部分在元版、明版《事林廣記》中更是截然不同外，㉟其最明顯區別在明版《事林廣記》中新增大量國朝禮制、列女傳與翰墨啟劄內容。

明版《事林廣記》中的國朝禮制除前述官員品秩外，主要涉及婚禮與喪祭禮規範，文中一開始即明確表示刊登禮制目的在「辨上

㉜ 森田氏於 1992 年即列表說明《事林廣記》的現存版本與可能存在版本間關係，此關係表於 1997 年稍有修正，相關資料參見：〔日〕森田憲司，〈關於在日本的《事林廣記》諸本〉，頁 280；森田憲司，〈作者附記〉，收入《事林廣記》（北京：中華書局，1999 年 2 月，據元惠宗至元 6 年〔1340〕刊本，建陽鄭氏積誠堂刻），頁 572。

㉝ 《事林廣記》，明洪武 25 年（1392）刊本，梅溪書院刻，續集卷 1〈帝系類〉，「歷代統系」、「歷代歌」、「歷代源流」。

㉞ 《事林廣記》，明洪武 25 年刊本，前集卷 3〈地輿類〉，「輿地紀原」、「歷代國都」、「歷代源流」；前集卷 4，〈方國類〉，「方國雜誌」。

㉟ 可分別參見：《事林廣記》，元至元 6 年刊本，戊集卷上〈官制門〉；《事林廣記》，明洪武 25 年刊本，新集卷 1〈官制類〉。

下而防其奢僭也，故自公侯品官，至于庶民，各有等級」，而其基本原則是「上得兼下，下不得僭上，力雖有餘，不許過分」，至於力未逮者，則隨家有無，及時成禮，不拘此限。接著，將各禮制內容依公侯品官及庶民兩大項分別刊載，其中，公侯品官依一至九品區隔，庶民則分上、中、下戶三等，各層級在婚禮及喪祭禮中各階段應備辦之物品種類與數量，及其它應注意事項均明文規定，詳細刊載。㊱明版《事林廣記》所以有如此內容新增實與明初社會著重官民之分的禮制約束密切相關，由於明太祖在開國之初即欲透過禮教復興以樹立正統威權，嚴夷夏之防、種族之別，更藉此積極維護階級結構與政治社會秩序，㊲影響所及，故日用類書將相關內容載入以為人們禮儀活動之參考依據。

而明版《事林廣記》中列女傳的內容則是自先秦、兩漢至宋、元、國朝（明代）中選擇上百位婦女楷模，列舉其家世背景與功績懿行，供人學習仿效。其中，有孝貞之女，有節烈之婦，然明代所舉之例實以節烈者居多，包括隨夫死者及因夫死終身不嫁者。㊳蓋明代社會對貞節烈婦的重視，不論是官府的選拔制度，乃至士紳與文人的記敘表揚，早為學者注意並闡釋其義，㊴故當時生活百科全

㊱ 《事林廣記》，明洪武 25 年刊本，後集卷 3〈家禮類〉。

㊲ 相關研究參見：林麗月，〈明代禁奢令初探〉，《國立臺灣師範大學歷史學報》，22 期（1994 年 6 月）；何淑宜，〈明代士紳與通俗文化的關係——以喪葬禮俗為例〉（臺北：臺灣師範大學歷史研究所碩士論文，1999 年 6 月）。

㊳ 《事林廣記》，明成化 14 年（1478）刊本，鍾景清增訂，劉廷賓、陳巨源在福建刻，後集卷 10〈列女類〉。

㊴ 相關研究參見：費絲言，《由典範到規範：從明代貞節烈女的辨識與流傳看

書中新增列女傳內容確符合實際需要，且為後世觀察明代社會貞節觀念盛行之另一例證。

至於翰墨啟劄內容的大量刊載亦令人關注，此一門類在明版《事林廣記》中洋洋灑灑有五卷，實新增部分中占篇幅最多者，內容先列出各官書、手書、家書式結構，再刊具位、具禮、稱呼等各部分構造及遣詞用句活套，另有專用於慶賀、餞別及薦舉之書信範例與活套，可謂種類繁雜，規格不一。㊵此種因不同的身份地位、場合目的且訴諸文字的人情往來模式，在明代著重禮教規範及階級結構觀念下，自有強烈需求，而由此一門類的大量增印，亦顯示當時社交活動的頻繁熱絡。

綜觀明版《事林廣記》新增內容的刊載，實普遍反映明代前期社會中階層明確的官民之分、強烈規範的禮教約束，尤其是對女性而言，以及廣泛活絡的人際互動等特色。

又透過對明版《事林廣記》的內容分析，除反映上述社會生活與文化內涵外，亦可發現日用類書自元代到明代逐漸朝更實用與通俗之方向發展，如屬物質生活涉及工作技術的農業知識而言，元版《事林廣記》有花果門，然明版《事林廣記》將之分成花卉、果實二門，新增瑞香、山茶、石榴、蘭蕙、桂花、茉莉、素馨、梔子等花卉及枇杷、楊梅、蒲萄、林檎、柿、藕、菱、芡、銀杏、白果、

貞節觀念的嚴格化》（臺北：國立臺灣大學出版委員會，1998 年 6 月）；衣若蘭，〈史學與性別：《明史・列女傳》與明代女性史之建構〉（臺北：國立臺灣師範大學歷史研究所博士論文，2003 年 6 月）。

㊵ 《事林廣記》，明成化 14 年刊本，別集卷 6-10〈尺牘筌蹄〉。

胡桃、榧子、甘蔗、橄欖等果子介紹；㊶又增加關於牛、馬、羊、豬、雞、鴨、魚等獸畜禽魚之飼養與醫療的牧養門；㊷而內容上則有更多屬實際栽種法的詳細說明，如明版《事林廣記》中新增關於果實栽植者有種果木法、接果木法、脫果木法、治果木法、果木雜忌等，另有關於花木培育者有接花法、澆花法、催花法、養花法、染花法、接木法、治木法、伐木法、種木宜忌等，而相較於元版《事林廣記》在此門類中主要是介紹各式花果品種名稱與由來，實欠缺明版《事林廣記》如此豐富的實務知識。㊸此外，明版《事林廣記》還新增許多吉凶宜忌的日期選擇等屬日常生活中普遍為人們需要，且對使用者而言頗為實用的內容。㊹凡此種種均顯示《事林廣記》發展至明代，在「類書」基礎上，更朝「日用」方向邁進。

第三節　傳統知識體系外的日用類書

明版《事林廣記》刊有書坊專門印記，㊺亦不同於元版《事林

㊶ 《事林廣記》，明洪武25年刊本，後集卷5〈花卉類〉、〈果實類〉。

㊷ 《事林廣記》，明洪武25年刊本，外集卷6〈牧養類〉。

㊸ 兩者的比較參見《事林廣記》，明洪武 25 年刊本，後集卷 5〈花卉類〉、〈果實類〉、〈竹木類〉；《事林廣記》，元至順年間刊本，前集卷 13〈花果類〉、〈竹木類〉。

㊹ 《事林廣記》，明洪武25年刊本，新集卷4〈選擇類〉。

㊺ 《事林廣記》，明永樂 16 年（1418）刊本，建陽翠嚴精舍刻，外集〈獸畜類〉末頁有「吳氏王融書堂刊」人形圖木記；《事林廣記》，明弘治 9 年（1496）刊本，詹氏進德書堂刻，外集〈獸畜類〉末頁有「詹氏進德書堂刊」人形圖木記。

廣記》，此如同廣告刊載現象似表示當時的日用類書市場有競爭性，故書籍須藉之驗明正身，吸引讀者，維持顧客群。而窺諸現存實際文本，可知上述情況的確存在，因明代流通的日用類書，除以往出現宋元，持續刊行至明代的《事林廣記》外，另有產生元代、流通至明代的《居家必用事類全集》，以及明代才出現的《居家必備》、《多能鄙事》、《便民圖纂》等書；且這些後來編印的日用類書在明代前期不斷有新版刊行，[46]顯現一定市場占有率。

對於《居家必用事類全集》與《居家必備》二書，酒井氏曾有關於版本及內容的介紹說明，然其將二書稱之為「居家日用類書」而非如《事林廣記》之稱「總括事文的日用類書」，且其研究中將居家日用類書與啟劄翰墨的日用類書、故事關係的日用類書、幼學童蒙教育的日用類書相提並列，可見其將《居家必用事類全集》與《居家必備》二書視為專科性日用類書，而非《事林廣記》般的綜合性日用類書，惟其對《居家必用事類全集》與《居家必備》二書「日用」特性，即實用功能的肯定，則明顯超越《事林廣記》。[47]

若將《居家必用事類全集》、《居家必備》與《事林廣記》仔細比較，可發現三者均具備分類編纂、資料匯編與內容廣泛三大綜合性類書要素，惟在類目上《居家必用事類全集》與《居家必備》較《事林廣記》明顯刪除或銳減有關天文曆法、史地知識與官秩律

---

[46] 《居家必用事類全集》、《居家必備》、《多能鄙事》、《便民圖纂》等日用類書的版本及普遍流通情形可參見：吳蕙芳，〈口腹之欲：明版日用類書中的葷食〉，《中國歷史學會史學集刊》，35 期（2004 年 1 月），頁 121-122；吳蕙芳，《萬寶全書：明清時期的民間生活實錄》，頁 29-34。

[47] 酒井忠夫，〈明代の日用類書と庶民教育〉，頁 39、55、132-139。

令之內容，即傳統知識體系中的天地人部分，而著重事物部分內容；由此觀之，顯然《居家必用事類全集》、《居家必備》兩種日用類書已不具備傳統知識體系架構，此一情況亦見於《多能鄙事》、《便民圖纂》等日用類書中。

史學界有將《多能鄙事》與《便民圖纂》歸屬農家類，㊽然農書學者有不同看法。王毓瑚指出：此二書含許多非農事內容，應屬「通書」類書籍，即具日用百科全書性質；㊾石聲漢則言，「通書」乃分類排列的簡明百科全書，供給一般人以日常生活中需要的知識，內容通貫一切，無所不包，而《便民圖纂》、《居家必備》即屬明代「通書」類型的書籍；㊿日本學者天野元之助也認為，《多能鄙事》、《便民圖纂》二書刊載的日常必須知識使其如同「家庭寶鑑」或「農家寶典」類的書籍，與《居家必用事類全集》屬同一性質。51又《多能鄙事》、《便民圖纂》與《居家必用事類全集》均為《四庫全書》收錄，卻不入類書類，而屬雜家類；惟《四庫全書》雖將上述諸書列入雜家類，卻有相關解釋；如對《多能鄙事》附說明曰：「是書凡飲食、器用、方藥、農圃、牧養、陰

㊽ 楊家駱主編，《新校本明史并附編六種》（四）（臺北：鼎文書局，1975 年 6 月），志 74，藝文 3，頁 2431-2432。

㊾ 王毓瑚，《中國農學書錄》（臺北：明文書局股份有限公司，1988 年 7 月，再版），頁 133-135。

㊿ 石聲漢，〈介紹「便民圖纂」〉，《西北農學院學報》，1958 年 1 期（1958 年 1 月），頁 101。

51 〔日〕天野元之助著，彭世獎、林廣信譯，《中國古農書考》（北京：農業出版社，1992 年 7 月），頁 165、168；天野元之助，〈「便民圖纂」について〉，《書報》，1960 年 5 月，頁 11。

陽占卜之法，無不備載，頗適於用」，[52]對《便民圖纂》則補充云：「其書本農家者流，然旁及祈福、擇日及諸格言，不名一家，故附之雜家類」，[53]可見《多能鄙事》、《便民圖纂》二書絕非僅載農事一項內容，實涉及日常生活實用知識各項。

上述《居家必用事類全集》系列日用類書所以未能在書籍分類上與《事林廣記》一樣定位為類書，主因應在其刊載內容跳脫傳統知識體系架構，刪減屬生活環境之天地人內容，而更強調生活日用的事物部分，特別是物質生活的謀生技術、飲食服飾、玄理術數及養生保健、醫療衛生等知識，如明版《事林廣記》的 12 卷 57 項內容中，屬物質生活者僅 20 項，約占三分之一比例；而《居家必用事類全集》、《居家必備》的 10 集、10 卷內容中，屬物質生活者各占 5 集、5 卷，比例達二分之一；《多能鄙事》、《便民圖纂》的 12 卷、16 卷內容中，屬物質生活者各占 10 卷、14 卷，比例高達八成以上。

另就此系列日用類書本身的發展而言，亦有日趨精簡以方便利用之特色，如《居家必用事類全集》元版及明初版本均 10 集內容，然發展至萬曆年間時，為方便攜帶利用將之精簡至 8 集篇幅。[54]而各日用類書的內容亦更形實用，如以關乎日常生活中最重要的作物

---

[52] 〔清〕永瑢、紀昀等，《欽定四庫全書總目提要》（臺北：臺灣商務印書館股份有限公司，2001 年 2 月，初版 2 次印刷），卷 130，子部雜家類存目 7，頁 2-3。

[53] 〔清〕永瑢、紀昀等，《欽定四庫全書總目提要》，卷 130，子部雜家類存目 7，頁 4-5。

[54] 《重刊校正居家必用事類》，明萬曆 7 年（1579）序刊本，黃希賢序。

生產而言，《事林廣記》中有涉及田地整理與灌溉的耕鋤、踏糞、蓄水、耘田等法，亦有關於糧食作物中的麥豆種植、果實栽培，以及經濟作物中的麻棉生產、花木養育，另有屬作物收割與儲藏等法，含蓋層面可謂廣泛；然仔細觀察，可發現《事林廣記》中這些作物生產內容雖有實際栽種技術，惟亦有不少是刊載品種名稱、由來等無助實際生產的內容，且均文字刊載，僅一幅不涉耕種技術的井田之制圖。[55]《居家必用事類全集》亦有關於上述田地整理與灌溉諸法，及各糧食作物與經濟作物的生產，然其增加屬飲食中副食作物的菜蔬實際栽種法，即就實用性而言《居家必用事類全集》已較《事林廣記》便利，惟其亦與《事林廣記》一樣均文字刊載少圖例的實務解說。[56]《居家必備》與《多能鄙事》二書中的作物刊載內容未超越《居家必用事類全集》範圍，[57]而《便民圖纂》則大為不同。《便民圖纂》中對前述關於田地整理與灌溉諸法、糧食作物與經濟作物等生產技術均大量增加，如田地整理新增開墾荒田法、治秧法、壅田法，糧食作物栽種不僅屬穀物的大、小麥與麻豆，還有大豆、黑豆、菉豆、碗豆、紅豆、蠶豆、赤豆、白扁豆以及稻米

---

[55] 參見《事林廣記》，明弘治 9 年刊本，後集〈農桑類〉、〈花卉類〉、〈果實類〉、〈竹木類〉。

[56] 參見《居家必用事類全集》，明嘉靖 39 年（1560）序刊本（京都：中文出版社，1984 年 12 月），戊集卷 9〈農桑類〉、〈種藝類〉、〈種藥類〉、〈種菜類〉、〈果木類〉，卷 10〈竹木類〉。

[57] 《居家必備》，明末刊本，杭州讀書坊刻，卷 3〈治生上〉；《多能鄙事》，明嘉靖 42 年（1563）刊本，范惟一刻，收入《四庫全書存目叢書》（臺南縣：莊嚴文化事業公司，1995 年 9 月），子部，117 冊，卷 7〈農圃類〉。

栽種各式相關技術，又新增作物收成後的牽礱、舂米、藏米等法；同時，配合各項技術說明，書中尚附大量圖解，此種一技術一圖例的刊載方式，實方便人們了解並正確運用。[58]

再就衣飾方面而言，《事林廣記》中除刊有各式潔衣、淨體之實用方，如前者有去油污、墨污、泥污、脂污等法，後者則以油、粉、散、膏、丸、湯等藥劑形式，或內服、外用，或乾採、濕用等法維持顏潔、身香及髮亮，亦有用於珍珠、翡翠、玳瑁等飾物之清洗技術；然《事林廣記》此部分亦載許多不涉實際用法之文字敘述，如服用原始、相關禮制、服制圖式等，且占據篇幅超過實用方法說明。[59]而《居家必用事類全集》、《多能鄙事》、《便民圖纂》等日用類書的衣飾部分全屬實際做法用方之刊載，且分項更細，如洗滌部分除前述以各污說明清潔法外，亦有以各顏色、各質材分類解說，又新增染色、收藏等法。[60]

除內容日趨精簡與更實用外，此系列日用類書亦逐漸強調為「民」所用之意，如《事林廣記》書旨中僅言書籍內容包羅萬象，[61]並未指明書籍之適用對象；明代隆慶版《居家必用事類全集》雖亦

---

[58] 《便民圖纂》，明嘉靖23年（1544）刊本，王貞吉在廣西潯州刻，收入《四庫全書存目叢書》，子部，118冊，卷1〈農務之圖〉、卷3〈耕穫類〉。

[59] 《事林廣記》，明弘治9年刊本，外集〈服飾類〉、〈閨妝類〉。

[60] 《居家必用事類全集》，明嘉靖39年序刊本，庚集卷14〈染作類〉；《多能鄙事》，卷4〈服飾類〉、卷5〈居室類〉；《便民圖纂》，卷16〈製造類下〉。

[61] 《事林廣記》，元至順年間刊本，有方形印記載曰：「事林一書，資於博物洽聞之士尚矣，道散天下，事無不該，物無不貫，其紀載容有能盡之者乎，是編增新補舊，觀它本特加詳焉，收書君子幸鑒」。

強調書籍載人生大小事，故「言多鄙俚，事屬瑣屑」；惟其已指出，此類日常生活諸事，雖「四世元老，亦必克勤小物，則是籍也，固士君子之所不可無也」；[62]至萬曆版《居家必用事類全集》更在序中言明「其書事兼四民，錄及九流」，[63]而《便民圖纂》則在書名上明確點出是為便「民」所作，且為方便了解，書中大幅增加圖例，以供民眾參照應用。[64]由上述發展態勢可知，《居家必用事類全集》系列日用類書不僅在書籍內容上較《事林廣記》趨向生活實用，其適用層級與對象亦逐漸較《事林廣記》有拓展。

第四節　從日用類書到民間日用類書

宋元以來偏向文人使用的家庭生活百科全書，不論是《事林廣記》或《居家必用事類全集》系列者，發展至明代晚期，因經濟、社會、文化等環境變動及主客觀條件配合，而出現普及四民大眾共通使用的家庭生活百科全書，此種新型家庭生活百科全書在晚明時名稱不一，然至清代統稱之為《萬寶全書》；[65]為便於區隔兩者，

---

[62] 《居家必用事類全集》，明隆慶 2 年（1568）刊本，收入《續修四庫全書》（上海：上海古籍出版社，1997年），子部，1184冊，頁309。

[63] 《重刊校正居家必用事類》，明萬曆7年序刊本，黃希賢序。

[64] 《便民圖纂》源於明成化、弘治年間的《便民纂》，後因書中配合農桑內容，將南宋樓璹的《耕織圖》附加於前，而改名為《便民圖纂》。參見〈「便民圖纂」後記〉，收入鄭振鐸編，《中國古代版畫叢刊——救荒本草、日記故事、忠義水滸傳插圖、便民圖纂》（上海：上海古籍出版社，1988年8月），頁998-999。

[65] 吳蕙芳，《萬寶全書：明清時期的民間生活實錄》，頁68-72。

筆者將《事林廣記》與《居家必用事類全集》系列的家庭生活百科全書沿用日本學界以往的「日用類書」一詞稱呼，而對《萬寶全書》系列的家庭生活百科全書另採「民間日用類書」一專有名詞稱呼；增加「民間」二字除意指此類書籍內容實較以往的日用類書更為實用通俗外，更重要的是，此類書籍已明確標示訴求對象為四民大眾。

有關民間日用類書與日用類書訴求對象的不同，筆者先前曾就書名書旨、排版格式及俗字運用等書籍外觀與類目變化、出版流通等情形加以說明；[66]後又就類目下的實際內容刊載略作比對，[67]甚至專以飲食內容為例，解析日用類書與民間日用類書的差異。[68]當然，要論證日用類書與民間日用類書適用對象不同的較佳方法，應從其不同使用者的運用實例得知，然此類資料較文本遺留更困難，[69]筆者以往曾舉若干文人與官府藏書中有《事林廣記》及《居家必用事類全集》系列日用類書，卻不見《萬寶全書》系列民間日用類書以為論證；[70]亦曾以戴羲著《養餘月令》一書時引用《居家

---

[66] 吳蕙芳，《萬寶全書：明清時期的民間生活實錄》，頁 625。

[67] 吳蕙芳，〈民間日用類書的淵源與發展〉，頁 15-17。

[68] 吳蕙芳，〈口腹之欲：明版日用類書中的葷食〉，頁 101-130。

[69] 此類相關資料最多僅在序中提及將此書隨身攜帶，而未言及如何應用；如有萬曆版本的《居家必用事類全集》即在序中言：「此書未嘗離左右，即有所遊，亦未嘗不置之行篋」。參見《重刊校正居家必用事類》，明萬曆 7 年序刊本，黃希賢序。

[70] 吳蕙芳，《萬寶全書：明清時期的民間生活實錄》，頁 624，註 1；〈口腹之欲：明版日用類書中的葷食〉，頁 105-106，註 9。又有新增資料如下：《澹生堂藏書目》中有《居家必用》、《多能鄙事》，《萬卷堂書目》中有《便民圖纂》、《多能鄙事》，《近古堂書目》中有《便民圖纂》、《多能鄙

必用》、《多能鄙事》、《便民圖纂》等日用類書資料，卻對當時已刊行流通的《萬寶全書》系列民間日用類書的相關內容刊載未予理會之例加以說明。[71]今可再舉文學作品《西遊記》中的一則材料供作文人利用日用類書之旁證。

《西遊記》曾言及唐三藏等人客至寇姓員外家，員外向兩個秀才兒子介紹唐僧來自東土大唐帝國，秀才聞後回應說，其從《事林廣記》中得知天下有四大洲之分布，其中，唐僧來自南贍部洲，秀才家居西牛賀洲，故可推測唐僧一行人的行腳時日。[72]值得玩味的是，《西遊記》作者吳承恩生卒時間為明孝宗弘治 13 年（1500）至穆宗隆慶 10 年（1582），書籍撰寫於明代，然書中背景為唐朝，作者卻將宋元時才出現的《事林廣記》一書融入行文中；又仔細查對元版與明版《事林廣記》內容，雖提及天下分東西南北四土，卻無

事》，《濮陽蒲汀李先生家藏目錄》中有《事林廣記》，《脈望館書目》中有《居家必用》、《多能鄙事》、《事林廣記》，《玄賞齋書目》中有《便民圖纂》、《多能鄙事》，《徐氏家藏書目》中有《多能鄙事》、《便民圖纂》、《事林廣記》，以上諸書目均收入馮惠民等選編，《明代書目題跋叢刊》（北京：書目文獻出版社，1994 年 1 月），頁 998、1086、1169、1226、1422、1424、1523、1702、1704、1708。《百川書志》中有《多能鄙事》、《事林廣記》，見嚴靈峰編，《書目類編》（臺北：成文出版社，1978年7月，據民國46年〔1957〕排印本影印），冊27，頁167、173。

[71] 吳蕙芳，〈口腹之欲：明版日用類書中的葷食〉，頁 106。《養餘月令》中引用《居家必用》最多，次《便民圖纂》，再次《多能鄙事》，相關刊載僅以《居家必用》為例，參見戴羲，《養餘月令》（北京：中華書局，1956 年 10 月），頁 9、14、21、26、27、29、37、50、55、94、101、127、151、155、168、200、211、218。

[72] 吳承恩，《西遊記》（臺北：黎明文化事業公司，1984年6月），96回「寇員外喜待高僧，唐長老不貪富貴」，頁1020。

小說中所稱之東勝神洲、西牛賀洲、南贍部洲等名詞，此種張冠李戴場景，虛實不一內容，雖可藉以警惕文學材料用於史學研究須小心謹慎，惟《事林廣記》一書在明代文人間之普遍流通並熟知利用，亦可由此窺得。

民間日用類書雖與日用類書有上述利用者層級之差別，然就書籍組織與內容刊載而言，《萬寶全書》系列民間日用類書實將《事林廣記》的傳統知識體系架構，與《居家必用事類全集》系列日用類書的更實用內容刊載加以整合；亦即，民間日用類書是在天地人事物的傳統知識體系架構下選擇更實用內容刊載，使書籍更為通俗，以普遍為四民大眾參考利用。如屬天地人領域的天文曆法中《萬寶全書》除與《事林廣記》般均載天文、氣候與曆法理論外，亦有更為通俗便用的曆日歌訣、氣候雜占、天時瑣占及陰陽迷信色彩甚濃的天文祥異；[73]地理知識中《萬寶全書》除與《事林廣記》般均刊地理沿革、現今行政區劃及諸外國個別介紹外，亦有供各行業者基於各式目的，方便出門實際利用的詳細路程書。[74]又如屬事

---

[73] 《三台萬用正宗》，明萬曆 27 年（1599）刊本，書林雙峰堂刻，卷 1〈天文門〉、卷 3〈時令門〉。

[74] 《三台萬用正宗》，卷 2〈地輿門〉。有學者以晚明《萬寶全書》系列民間日用類書中內容介紹各外國風土民情之〈諸夷門〉或〈外夷門〉質疑民間日用類書的實用性，因這些介紹中既有確實存在的國家如日本國、高麗國等，亦有虛構者如一臂國、不死國等，致論者以為此類荒誕內容，對晚明旅遊風盛下的實際需要並無幫助，且認為〈諸夷門〉的出現代表明人好奇之風。惟值得商榷的是：明人旅遊風盛應指國內行旅非國外遊玩，而真正配合國內行旅的地理知識，應是刊載國內各路程的〈地輿門〉或〈地理門〉，此門類中各路程知識的切實可用，已為學者確認。此外，上述〈諸夷門〉的荒誕內容刊載並不始於明版民間日用類書，早在元代日用類書《事林廣記》中的〈方

物領域的農業技術中，《萬寶全書》除與《事林廣記》般均載田地整理與灌溉諸法、糧食作物與經濟作物生產等技術，惟內容更加豐富多樣，說明更為仔細完整，且新增對百穀棉桑的了解與農具器用的掌握，更有如《便民圖纂》般一圖例一說明地刊載農桑生產各階段狀況，或附簡易竹枝詞內容，凸顯各技術特點與重要性，[75]方便人們了解應用、按圖操作。事實上，《萬寶全書》各門類內容多引自當時普遍流通之各種專門實用書而來，已為學者指出，[76]只是在

國類〉已有，而清版民間日用類書亦承襲之，故此門類出現的意義恐非僅是明人好奇風下之結果。事實上，日本學者三浦國雄的近作指出：民間日用類書〈諸夷門〉或〈外夷門〉的內容反映出當時中國人的外國觀、現實與空想的混同，以及對異民族因遠近親疏差異而產生之序列化觀念，這些論點應可提供學界參考。相關資料與論點參見：《事林廣記》，元至順年間刊本，前集卷 5〈方國類〉；《萬寶全書》，清道光 30 年（1850）刊本，卷 5〈諸夷門〉；王正華，〈生活、知識與文化商品：晚明福建版「日用類書」與其書畫門〉，頁 5-6；谷井俊仁，〈路程書の時代〉，收入《明末清初の社會と文化》（京都：京都大學人文科學研究所，1996 年 3 月），頁 420；楊正泰，〈明清商人地域編著的學術價值及其特點〉，《文博》，1994 年 2 期（1994 年 3 月），頁 99-100；三浦國雄，〈論考『萬寶全書』諸夷門小論——明人の外國觀〉，《漢學會誌》，44 期（2005 年 3 月）。

[75] 《三台萬用正宗》，卷 38〈農桑門〉；《五車拔錦》，明萬曆 25 年（1597）序刊本，卷 28〈農桑門〉。有學者認為晚明《萬寶全書》系列民間日用類書在農業知識上較《事林廣記》日用類書有削減，其指出《事林廣記》的相關內容是「關照農業生活整體」，而晚明《萬寶全書》系列民間日用類書則「僅取基本，在所包括的知識範圍中存其一格」，此一說法值得商榷，因《事林廣記》的農業內容刊載並不比晚明《萬寶全書》系列民間日用類書來得豐富；參見王正華，〈生活、知識與文化商品：晚明福建版「日用類書」與其書畫門〉，頁 17。

[76] 小川陽一，〈日用類書——『萬用正宗』『萬寶全書』『不求人』など〉，

全書架構上仍承繼《事林廣記》傳統，保留以往類書的天地人事物完整知識體系，此點頗值得注意；亦即，《萬寶全書》系列民間日用類書仍是將「日用」與「類書」兩相結合，而更朝「日用」方向發展。

又值得注意的是，《萬寶全書》屬行銷全國的綜合性民間日用類書，多以刊本形式流通，[77]與以地區使用為範疇、往往呈現抄本或稿本形式的「村落民間日用類書」不同。[78]近年來，長期研究徽州民間社會的大陸學者王振忠在當地發掘出許多普遍為庶民大眾生活便用的村落民間日用類書，有載綜合性內容，亦有刊專科性內容，這些資料因多屬抄本、稿本，保存不易故愈顯珍貴；[79]而透過

《月刊しにか》，1998 年 3 月，頁 62-63；吳蕙芳，《萬寶全書：明清時期的民間生活實錄》，頁 71-72。

[77] 就筆者目前所見數十種不同的明清時期的民間日用類書，僅明萬曆年間的《鼎鍥十二方家參訂萬事不求人博考全編》一種為抄本，餘均屬刊本。

[78] 有關民間日用類書的分類，筆者認為可以內容與流通範圍兩方面區分，前者可分為綜合性民間日用類書（如《萬寶全書》之類）與專科性民間日用類書（如各式商業用、翰墨啟劄用等類），惟以傳統對類書的界定係以綜合性內容者為類書正宗，而視專科性內容者為類書別體，故可知綜合性民間日用類書乃民間日用類書之正宗；至於後者，則可分為全國流通性民間日用類書（如《萬寶全書》之類）與地域使用性民間日用類書（如王振忠所研究的《目錄十六條》之類，而王氏稱此種民間日用類書為「村落民間日用類書」）。參見王振忠，〈清代前期徽州民間的日常生活——以婺源民間日用類書《目錄十六條》為例〉及〈收集、整理和研究徽州文書的幾點思考〉，《史學月刊》，2005 年 12 月，兩文中所用之名詞。

[79] 相關資料介紹與運用可參見王振忠，《徽州社會文化史探微——新發現的 16-20 世紀民間檔案文書研究》（上海：上海社會科學院出版社，2002 年 10 月）。

此種村落民間日用類書反映出的地方社會生活與文化面貌，確較《萬寶全書》系列的全國性民間日用類書更貼近地方實況，亦可由此觀察出兩者間之關連與差異；然若以是否反映大部分地區、大多數人民的日常生活狀況而言，則地域性甚強的村落民間日用類書因流通範圍限制，故其代表性顯然遜於以全國行銷網絡為流通範疇之《萬寶全書》系列的民間日用類書。

第五節　民間日用類書的演變

自晚明出現為四民大眾共通使用的民間日用類書《萬寶全書》系列後，持續流通清代，乃至民國以後，其間發展亦有變化。首先，從晚明至清代後期民間日用類書有朝簡化與制式化方向演變，其中，簡化代表此類書籍可更廣泛流通於四民大眾與生活知識的普及民間社會，制式化則或可用以觀察晚明至清代後期民間社會生活的階段性演變。[80]其次，是清中葉以後民間日用類書有朝更通俗與

[80] 吳蕙芳，《萬寶全書：明清時期的民間生活實錄》，頁634-640。關於《萬寶全書》系列民間日用類書自晚明至清代後期的變化趨勢及其意義，學界有不同看法；有學者認為：清代後期《萬寶全書》系列的綜合性民間日用類書一再刊行的同時，專科性民間日用類書（包括商業、卜筮等方面的）仍層出不窮，表示民間的日用知識更加專門化，亦即，原本見諸綜合性民間日用類書中的豐富內容其實並未流失，而是趨於更專門化，並呈現於各式專科性民間日用類書中。筆者對此一論點並不反對，然值得注意的是，專科性民間日用類書早於綜合性民間日用類書出現前即已產生，如唐代坊刻已普遍刊印曆書、陰陽、卜筮、占夢、相宅等術數書，宋元時則增印許多醫書、農書等實用書；事實上，晚明以來《萬寶全書》系列的綜合性民間日用類書即是收錄流通當時的各式專科性民間日用類書而成，而當各式專科性民間日用類書始

實用之方向發展，甚至在書籍性質與適用對象上產生重大變化，此可以道光年間出版的《新增懸金萬寶全書》為例說明。

《新增懸金萬寶全書》出版於清道光 4 年（1824），現存兩個本子，一殘破，一完整，內容大致相同，惟排列順序不一，[81]可見此書在當年刊印不只一次，顯示相當程度的市場需求量。對《新增懸金萬寶全書》一書的關注，小川陽一及三浦國雄已有初步介紹；其中，小川氏透過此書內容指出：民間日用類書發展至清代後期已喪失豐富與多樣性內容，利用價值不如往昔；同時，小川氏亦將此書與臺灣九〇年代出版的《萬事不求人》一書作比對，推測兩者間關連性。[82]三浦氏亦注意到此書與同時刊行的他版《萬寶全書》在類目上的差別，並透過此書於清光緒年間流傳海外，至今為琉球當地博物館收藏，作為中琉兩地文化交流的一個側面觀察。[83]而筆者

終刊行不斷之時，《萬寶全書》系列的綜合性民間日用類書卻是自晚明至清代後期在內容上呈現從豐富、多樣化到簡化、制式化的變化趨勢，其意義恐非僅是代表清代後期「日用知識的專門化」而已，因此，筆者以為上述課題值得學界再投入心力詳加探究。相關論點與說明參見：王振忠，〈清代前期徽州民間的日常生活——以婺源民間日用類書《目錄十六條》為例〉；吳蕙芳，《萬寶全書：明清時期的民間生活實錄》，頁 56-59、64、71-72。

[81] 對《新增懸金萬寶全書》兩個版本的內容順序比較，參見小川陽一，〈日用類書『新增懸金萬寶全書』について〉，收入《平成 8、9、10 年度文部省科學研究費補助金基盤研究成果報告書（課題番號 08309006）：久米島における東アジア諸文化の媒介究象に關する總合研究》（京都：京都大學人文研究所，1999 年 8 月，2 刷），頁 41-42。

[82] 小川陽一，〈日用類書『新增懸金萬寶全書』について〉，頁 39-41；小川陽一，〈『新增懸金萬寶全書』所收內容一覽—竹林書局本『萬事不求人』と比較しつつ—〉（1998 年 7 月，科研研究會における發表）。

[83] 三浦國雄，〈沖繩に傳來した『萬寶全書』〉，頁 81-104。

以為，《新增懸金萬寶全書》無論就外觀或內容均值得再深入分析以明其義。

首就外觀而言，《新增懸金萬寶全書》不像其它《萬寶全書》版本將內容以明確的類別區隔，並清楚標示各類名稱，惟在書籍版心仍可見各類小標題，且全書內容大幅縮減為2卷，故翻閱書籍檢索需要內容亦不困難。又此書排版甚為靈活，不像其它《萬寶全書》版本僅制式地雙層排印，《新增懸金萬寶全書》是配合圖文需要以全版單層刊載，或將版面分割成上下雙層，甚至四、六等多層利用。此種內容縮減與版面規畫應使書籍的篇幅運用更為節約，成本支出更為低廉，流通程度亦因此更普遍廣泛。

次就內容而論，《新增懸金萬寶全書》在內容上大幅縮減已如前述，而觀察其縮減部分最多是關於生活環境的內容，即傳統知識體系中屬天地人領域的部分，不論是天文曆法、史地知識或官秩律令，且這些內容幾乎全以圖表取代文字，如天文曆法僅天文圖與海水漲退時辰表，地理知識只有地輿圖、五嶽形圖、四夷考要圖，歷史知識惟歷代帝王圖像與二十四孝圖考而已，至於官秩律令則完全不見。而其它關於事物領域方面的知識內容則主要是屬工作技能的算法訣式，屬宗教信仰與玄理術數的神佛壽誕、各式雜占，以及屬人際交往的柬帖與契約運用，另有若干屬娛樂活動的詩文酒令及神仙戲術。[84]《新增懸金萬寶全書》此種內容刊載實令書籍更為簡

---

[84] 相關的類目比較與說明可參見：三浦國雄，〈沖縄に傳來した『萬寶全書』〉，頁94-99。而各部分的詳細內容參見：《新增懸金萬寶全書》，清道光4年（1824）刊本。

明，惟其不若《萬寶全書》所載生活知識的豐富與多樣，僅刊部分生活知識以供利用。

值得注意的是《新增懸金萬寶全書》中開始新增《百家姓》、《千字文》、《增訂幼學須知雜字采珍大全》之識字內容，此點頗為特別，而這些識字內容或即為其書名中新增「懸金」二字之意。事實上，家庭生活百科全書刊載識字內容可上溯日用類書中的《事林廣記》；《事林廣記》在〈文藝類〉有「蒙古三字經」與「蒙古譯語」兩部分涉及識字內容；其中，「蒙古三字經」與其它篆、隸、草等書法字體並列，僅刊出蒙文書體下附漢字以明其義，並未標出各個蒙古文字的發音，因此被視為書法字帖範本供參考臨摹之用，實甚於作為蒙文學習識字教材之目的，且書中明言此蒙古書體實因風尚所致而刊載。[85]

《事林廣記》中的「蒙古譯語」內容則全屬蒙文的分類字詞，各類有字詞十餘個至數十個不等，均列出蒙古字、相應漢字及蒙文發音的漢字音注，且字詞頗為生活化；如此刊載確可提供當時人們學習蒙文以便日常生活中的蒙漢溝通之用，且書中明言此內容之刊載實因「五方之民，言語不通」，而透過此譯語「辨白之，然後可以達其志，通其欲」，若熟讀則「答問之間，隨扣隨應，而無缺舌鯁喉之患矣」。[86]

此種異族政權背景下產生的外語學習需求，致家庭生活百科全書必須有相關門類刊載以符合人們需要，在清版民間日用類書中亦

---

[85] 《事林廣記》，元至順年間刊本，續集卷5〈文藝類〉，「蒙古三字經」。
[86] 《事林廣記》，元至順年間刊本，續集卷8〈文藝類〉，「蒙古譯語」。

可得見，清版《萬寶全書》刊有〈清字門〉或〈滿漢合書門〉專載滿文分類字詞，各類字詞均列出滿文書寫體、發音體及相應漢字，字詞亦頗為生活化。[87]惟《事林廣記》中的「蒙古譯語」內容與《萬寶全書》中的〈清字門〉或〈滿漢合書門〉刊載，均屬異族政權下的特殊需求，且學習者雖為初學蒙文或滿文之人，卻未必是初學識字者，因屬工具書性質的家庭生活百科全書，若欲親自閱讀而非藉助他人幫助以獲取生活知識，實須具備基礎的識字程度乃能為之，故此種外族語文識字內容的刊載，僅反映異族政權下日常生活中的實際需要，而《事林廣記》與《萬寶全書》仍屬檢索生活知識的工具書而非識字認詞的教科書，閱讀者仍應為成人而非童蒙或初學識字者。

然觀諸《新增懸金萬寶全書》刊載的識字內容則有不同，《百家姓》、《千字文》確屬宋代以來家喻戶曉，普遍流通民間社會的童蒙初學識字教材，而《增訂幼學須知雜字采珍大全》則屬內容頗為實用的雜字書系統之識字教材。[88]

《增訂幼學須知雜字采珍大全》有兩部分內容，一是載於上層的不分類字詞，逐字（詞）列圖，直音音注，屬初學者識字入門用的教科書型雜字書，全部內容雖未韻語連文以便記誦，然透過大量實際生活中各式具體名物之字詞，配合圖例、音注刊載，實較《百家姓》、《千字文》更易辨識學習並確認發音。另一內容乃載於下層的分類字詞，各類目字詞多寡不一，並附字詞釋義；此種識字內

[87] 吳蕙芳，《萬寶全書：明清時期的民間生活實錄》，頁109-110、495-496。

[88] 有關雜字書的性質、功能與淵源、發展，參見本書第二章第一、二節。

容已非初學者識字認詞用，而是具檢索字詞意義，如字典或辭典般功能，顯然利用者是在上述識字基礎下的進一步運用。此種分類字詞釋義如字典或辭典內容的刊載早在明版民間日用類書中已出現，萬曆 24 年（1596）刊行的《萬書萃寶》中〈雜字門〉即有相同內容。[89]惟此種內容出現民間日用類書中實屬特別，在筆者所見數十種明清時期各版民間日用類書中僅此一例。

《新增懸金萬寶全書》中的大量識字教材，不論是供初學者識字入門用，或為有基礎者進一步檢索字詞意義用，顯示民間日用類書發展至此時，已非以往單純地檢索生活知識的家庭生活百科全書性質，而轉型為兼具識字認詞、檢索字詞意義與生活知識的教科書與工具書性質，可供利用者逐步培養閱讀能力至親自獲取書中生活知識以供需要。又《新增懸金萬寶全書》在《增訂幼學須知雜字采珍大全》前刊有〈小兒論〉，以孔子與小兒對話，強調幼兒潛能之無窮與童蒙教育之重要，此一內容的配合刊載更可觀察出書籍性質的轉變與功能的擴展，並據此推知《新增懸金萬寶全書》的適用對象應可普及至童蒙與初學識字者，而其流通程度應較純刊載生活知識的《萬寶全書》系列更為普遍與廣泛。

第六節　《萬事不求人》系列

承襲《新增懸金萬寶全書》者，小川陽一認為是《萬事不求人》系列民間日用類書，惟小川氏依據的原始資料是二十世紀九〇

---

[89] 《萬書萃寶》，明萬曆 24 年（1596）刊本，卷 7〈雜字門〉。

年代臺灣發行的《萬事不求人》一書，從兩者內容的諸多雷同足以說明彼此間關連性，然欲證明《萬事不求人》確是《新增懸金萬寶全書》系統之傳承，還需較早及更多版本的居間聯繫。

事實上，民間日用類書中名稱涉及「不求人」者，早在明代即出現，惟數量不多，發展至清代更少用此名稱，[90]因清版民間日用類書已以《萬寶全書》定名，不像明版民間日用類書名稱甚為多樣化。[91]然自《新增懸金萬寶全書》開始，確實導致另一內容更實用通俗、兼載識字與生活知識，且流通更普遍廣泛的民間日用類書發展，此系列書籍一般稱之為《萬事不求人》。

有關《萬事不求人》系列民間日用類書在當時的流通情形，有學者舉清代章回小說之例說明，蓋《醒世姻緣傳》中言及一出身地方官吏的不肖子弟，以家中備有《萬事不求人》一書，隨意充作診脈墊臂之用，且將此書與春宮版畫及猥褻小說並列之，可見書籍的俗鄙及利用對象之層級。[92]而民國以後的《萬事不求人》流通似更為普遍，因出生民初，北大歷史系畢業的郭立誠，回憶幼時家學狀況，謂家中藏書甚豐，然精版書籍子弟不敢隨便閱讀，惟《萬事不

---

[90] 明代有八個民間日用類書版本名稱中有「不求人」者，清代僅有一個，且屬清初康熙年間版本：參見吳蕙芳，《萬寶全書：明清時期的民間生活實錄》，附錄，編號 3、7、15、20、21、22、31、35、36。

[91] 有關明版民間日用類書及清版民間日類書名稱之變化，參見吳蕙芳，《萬寶全書：明清時期的民間生活實錄》，頁 68-72。

[92] 小川陽一，《日用類書による明清小説の研究》，頁 43-44：王正華，〈生活、知識與文化商品：晚明福建版「日用類書」與共書畫門〉，頁 23。相關原始資料參見西周生輯著，《醒世姻緣傳》（上海：上海古籍出版社，1983 年），2 回「晁大舍傷狐致病，楊郎中鹵莽宜醫」，頁 44、49。

求人》等書可任意取用。[93]又二十世紀二〇年代，研究私塾童蒙所用課本的常鏡海，曾將《萬事不求人》歸類於「通用之蒙童課本」，因其中收入《三字經》、《百家姓》、《千字文》及雜字等書，並刊載各項應用契約文字，內容豐富，且此類書籍價廉，人多購買之。[94]事實上，據地方出版資料亦可知，《萬事不求人》一書自清末至民國均有刊行流通，以供社會大眾需求。[95]透過上述諸多實例可知，清代以來的《萬事不求人》系列民間日用類書應普遍流通各層級家庭，而其性質與功能確與《萬寶全書》系列民間日用類書有不同，故有視之為家庭生活百科全書，亦有將之作為童蒙識字用教科書。

至於《萬事不求人》系列民間日用類書的實際文本，筆者握有數個版本，含清末至民國時出版者，[96]此一發現應可加強論證《新

---

[93] 郭立誠，《郭立誠的學術論著》（臺北：文史哲出版社，1993年4月），頁247。

[94] 常鏡海，〈中國私塾蒙童所用課本之研究（續）〉，《新東方》，1卷9期（1940年10月），頁79、84。

[95] 如河北衡水的三義堂書舖（前身是清咸豐8年〔1858〕創立的文林堂書舖），自同治年間（1862-1874）開始營業，至民國28年（1939）結束營業，其所存書版即有《萬事不求人》一書；見河北省地方志編纂委員會編，《河北省志·出版志》（石家庄：河北人民出版社，1996年8月），卷83，頁283、339、425。

[96] 各版基本資料如下：

㈠《新出萬事不求人》（上海槐陰山房榮記批發，清末民初石印本），1冊18頁。

㈡《新萬事不求人》（上海劉德記書局，民初石印本），1冊30頁。

㈢《新編世事不求人》（北平泰山堂，民國刊本），1冊36頁。

㈣《居家必備》（福州：會文堂，民國28年〔1939〕刊本），1冊76頁。

增懸金萬寶全書》的系統傳承。大致而言，這些書籍的封面名稱主要是《萬事不求人》，然有一版本封面名稱為《居家必備》，內頁版心及正文啟頭卻名為《改良居家必備不求人》；各版書名前往往有「新」、「新出」、「新編」、「最新」等字，顯示此系列民間日用類書因應時代需要而不斷印行；出版地則遍及北平、上海、福州等地，可見其流通大江南北。而由書籍封面有題字曰「萬事不如權在我，一生何必去求人」，再配以各版封面圖刊有學生跪地向長輩請益、97兩成人執書翻閱，98或成人持書指導童蒙閱讀等圖示，99（參見圖版一、二）更明白道出此書的適用者及於童蒙與成人，書籍性質既屬識字認詞的識字教材，亦為供檢索生活知識的家庭手冊，而將書籍中各種內容的相互配合使用，終可達「萬事不求人」目的。

(五)于海洲編，《最新實用萬事不求人》（臺北：玲珍出版社，民國 58 年〔1969〕刊本），5 冊。

(六)王書良編，《萬事不求人》（北京：中國國際廣播出版社，1991 年 9 月），1 冊。

(七)《新編萬事不求人》（鄭州：中州古籍出版社，1995 年 1 月），1 冊 262 頁。

(八)《萬事不求人》（新竹：竹林書局，民國 86 年〔1997〕刊本），1 冊 76 頁。

又筆者自國家圖書館全國書籍目錄網中檢索出有一《萬事不求人》版本乃周郁浩校勘，上海廣益書局石印本，民國 30 年（1941）再版，120 頁附圖，惟僅見書目不見原書。

97 《新萬事不求人》，民初石印本，封面。

98 《新出萬事不求人》，清末民初石印本，封面。

99 《新編世事不求人》，民國刊本，封面。

圖版一：《新出萬事不求人》

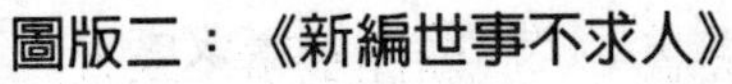

圖版二：《新編世事不求人》

版式排列上，此系列民間日用類書或單層、雙層，或三層、四層不等，全配合內容需要作調整，在空間利用上頗為靈活，不浪費篇幅。而各版篇幅差異甚大，內容多寡不一，有多達數冊者，亦有少僅一冊十餘頁者，[100]若以今日之名稱呼，則前者可名為家庭生活百科全書，後者或該稱為家庭生活手冊。

就實際內容刊載而言，《萬事不求人》系列民間日用類書應可分為兩種，一全載生活知識，如《最新實用萬事不求人》、《萬事不求人》、[101]《新編萬事不求人》，另一則含識字與生活知識兩部分內容，如《新出萬事不求人》、《新萬事不求人》、《新編世事不求人》、《居家必備》、《萬事不求人》。[102]其中，後者雖承襲《新增懸金萬寶全書》系統而來，惟內容分配比重有不同；《新增懸金萬寶全書》中識字內容占全書比例不到三分之一，而《萬事不求人》系列民間日用類書的識字內容至少占全書三分之一，甚至高達二分之一者，[103]可見識字內容在此類書籍中扮演角色之重要。尤其值得注意的是，《萬事不求人》系列民間日用類書在識字教材上有更為連貫而完整的設計，因其識字部分除如《新增懸金萬寶全書》中載有的《百家姓》、《千字文》、《增訂幼學須知雜字采珍

---

[100] 除註[96]各版《萬事不求人》之頁數及冊數可供參考外，常鏡海亦提及二十世紀二〇年代的民國時期有《萬事不求人》版本內容多達五冊者。常鏡海，〈中國私塾蒙童所用課本之研究（續）〉，頁79。

[101] 王書良編，《萬事不求人》。

[102] 《萬事不求人》，民國86年刊本。

[103] 前者如《新出萬事不求人》，清末民初石印本；後者如《新編世事不求人》，民國刊本。

大全》外，尚增加《三字經》與《改良繪圖幼學雜字》等內容。其中，「三、百、千」的刊載除原來各字外，亦配合同音異字的學習，即在各字下另列同音異字一至六個不等，以透過同音字的連貫學習，辨識及記憶更多新單字；[104]而《改良繪圖幼學雜字》實錄自清版雜字書《對相雜字》（又名《新增幼學雜字》），[105]此雜字書民國時亦有流通；[106]全書含列於上層的分類字詞，與位於下層逐字（詞）附圖的不分類字詞。

《萬事不求人》系列民間日用類書此種識字內容安排，實將漢字學習過程中的兩階段識字所需教材備齊，因漢字學習過程是由集中識字階段到鞏固識字階段，即第一階段先在短時間內大量辨識一定字詞，第二階段再利用其它教材複習已知字詞，並增加其它新字詞的辨識，以鞏固識字基礎。[107]而觀諸《萬事不求人》系列民間日用類書的識字部分，實可先以「三、百、千」與《改良繪圖幼學雜字》的附圖不分類字詞作為集中識字用教材，再以「三、百、千」下的同音異字與《改良繪圖幼學雜字》的分類字詞作為鞏固識字用教材；由此奠定識字基礎後，再進一步運用《增訂幼學須知雜字采珍大全》的分類字詞釋義，掌握更多字詞與其意義，供日後檢索生

---

[104] 《新編世事不求人》，民國刊本，頁1-24。

[105] 《對相雜字》（南京李光明庄，清刊本），此書封面有言「重復校訂洪武正韻」，又書中不分類字詞涉及各朝皇帝刊載時，僅載至「元太祖」，故可能此書明代即有，清代亦延續之。

[106] 《繪圖幼學雜字》（上海廣益書局，民國石印本）；《最新繪圖共和幼學雜字》（上海天寶書局，民國石印本）。

[107] 有關漢字學習的兩階段情形及相關說明，參見張志公，《張志公文集(4)——傳統語文教學研究》（廣州：廣東教育出版社，1991年1月），頁20-103。

活知識的能力培養之用。

至於生活知識內容的刊載，《萬事不求人》系列民間日用類書，不論是全屬生活知識或兼刊識字與生活知識兩種內容者，均跳脫傳統知識體系架構，如以往《居家必用事類全集》系列日用類書般，不載或少載有關天地人領域的天文曆法、史地知識及官秩律令等內容，且沿襲《新增懸金萬寶全書》特點，多以圖表代替文字；如《最新實用萬事不求人》、《萬事不求人》、[108]《新編萬事不求人》、《新編世事不求人》中完全無相關內容，《新出萬事不求人》僅列於上層不到兩頁的新刊小條律，《新萬事不求人》則只有回藏漢滿蒙圖、黃帝軒轅氏圖與禮堂圖。

大致而言，兼載識字與生活知識的《萬事不求人》系列民間日用類書，因篇幅有限，故生活知識內容刊載自然不若《萬寶全書》系列民間日用類書豐富，而大量增加的識字內容，亦使其生活知識部分較《新增懸金萬寶全書》少；又此系列民間日用類書因各版篇幅不一，生活知識內容亦不盡相同，惟其共同點乃普遍刊載社交活動中人際往來必用的翰墨啟劄，以及現實生活中慰藉心理與指導行動不可或缺的玄理術數，顯示人們具識字認詞能力後，於日常生活中最需獲取的知識即此二項；其中，翰墨啟劄刊有範式、活套，並分書信與帖式二項，惟以書信，尤其是家書範例特多，不論是祖孫、父子、兄弟、伯叔侄、夫妻關係，家居或外出不同情境，均載相應書信範例以為利用，[109]可見此類知識實以維繫血緣關係中的各

---

[108] 王書良編，《萬事不求人》。

[109] 《新出萬事不求人》，清末民初石印本，頁 14-16。

式人情為最基本也是最重要之事。玄理術數則主要是袁天罡秤命、四季生肖詩之命理，婚喪喜慶之擇日，觀音靈課、李淳風六壬課、占眼跳耳鳴法、解夢之雜占，以及若干治病符咒等內容，均將各種情況制式對照相應內容即可得知結果，[110]此部分內容反映庶民大眾面對現實生活中各種困境，限於本身能力不得不訴諸超自然力量以求慰藉與指導的無助處境。

由上述說明可知，《萬事不求人》系列民間日用類書就生活知識部分而言，亦逐漸掙脫傳統知識體系架構，朝更「日用」方向邁進。而識字與生活知識兼載的《萬事不求人》系列民間日用類書，因書中識字內容的大量增加與比例大幅提高，使書籍性質更趨向教科書與字（辭）典類工具書，而非僅民間日用類書，功能明顯成為識字認詞、檢索字詞意義與生活知識兩者並重，適用對象傾向先考量初學識字者與童蒙需要，而非顧及已具基礎閱讀能力的成人。亦即，民間日用類書發展至《萬事不求人》系列時，已產生一分支系統與其淵源《事林廣記》有相當程度的差距。

小　結

家庭生活百科全書始於宋元時的《事林廣記》，此種書籍源自類書，且屬正宗類書，即綜合性而非專科性內容，然其在類書傳統知識體系架構下選擇生活化內容刊載，將「日用」與「類書」加以

---

[110] 《新編世事不求人》，民國刊本，頁 23-26、31-36；《居家必備》，民國 28 年刊本，卷上，頁 1-17、19-25；卷下，頁 70-76。

整合，並隨時代發展、社會需要日趨實用與通俗。明版《事林廣記》已較元版《事林廣記》實用與通俗，而《居家必用事類全集》系列日用類書更掙脫傳統知識體系架構，朝更實用與通俗方向邁進，且此系列書籍自《居家必用事類全集》至《便民圖纂》亦逐漸強調為「民」之意；至晚明《萬寶全書》系列民間日用類書出現後，實承繼《事林廣記》的傳統知識體系架構，而刊載如《居家必用事類全集》系列日用類書般的更實用內容，將兩者互相整合，此類書籍的通俗化更明顯，並真正普及為四民大眾使用。

晚明以來《萬寶全書》系列民間日用類書不斷刊行，至清代後期又有《新增懸金萬寶全書》的出現，其內容刊載因增加識字教材而不同於以往各版《萬寶全書》，使書籍在性質與功能上有所轉變，非以往單純的檢索生活知識的家庭生活百科全書，而是兼具識字認詞、檢索字詞意義與生活知識的教科書與工具書兩種性質，適用對象因此不限成人，及於童蒙與初學識字者。

清末以來又有《萬事不求人》系列民間日用類書的產生，此系列書籍有二不同類型，一全載生活知識內容，屬檢索相關知識以供生活參考的民間日用類書，惟內容跳脫傳統知識體系架構，著重事物領域內更實用生活知識的刊載；另一兼載識字與生活知識內容，然識字部分比例較《新增懸金萬寶全書》逐漸增加至與生活知識內容並重，且識字教材有更為連貫而完整的設計，因而更加強書籍的識字認詞與檢索字詞意義功能。

上述日用類書之發展歷程若以表示之，可呈列如下：

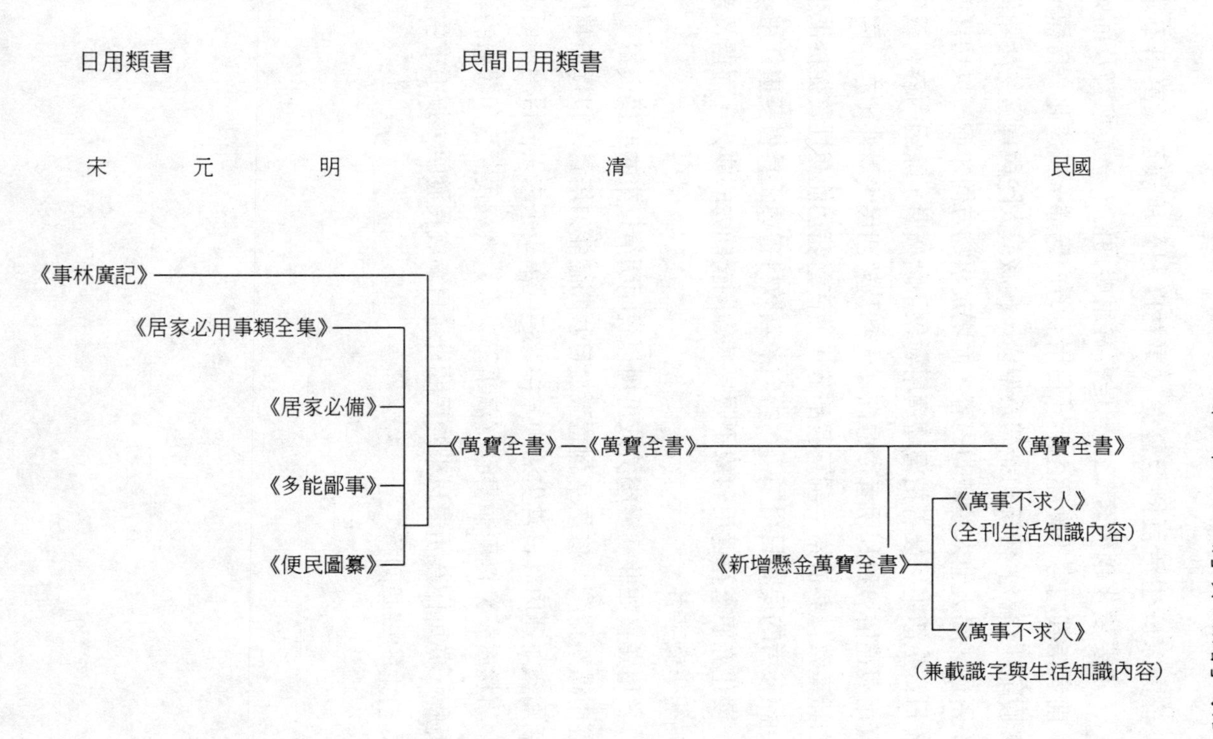
日用類書
民間日用類書
宋
元
明
清
民國
《事林廣記》
《居家必用事類全集》
《居家必備》
《多能鄙事》
《便民圖纂》
《萬寶全書》
《萬寶全書》
《萬寶全書》
《新增懸金萬寶全書》
《萬事不求人》
（全刊生活知識內容）
《萬事不求人》
（兼載識字與生活知識內容）

綜觀家庭生活百科全書從《事林廣記》發展至《萬事不求人》，主要變化趨勢有二：一是愈實用與通俗，一是愈普及而廣泛，前者指其內容不斷朝生活「日用」方向邁進，為達此一目標，逐漸脫離「類書」傳統知識體系架構，刪減或去除與實際生活關係較不密切、屬天地人領域的內容，而增加事物方面知識，以切實運用於日常生活中；後者指書籍適用對象不斷擴展，除因內容刊載日趨實用與通俗導致利用者從偏向文人到及於四民大眾外，亦因內容新增識字教材與檢索字詞意義部分，促使書籍功能與性質從提供生活知識參考的民間日用類書，轉向兼具教科書與工具書雙重作用，此一變化亦使書籍適用對象不限具基礎閱讀能力的成人，而擴及童蒙與初學識字者。

日用類書如此演變趨勢或可用以說明明清以來的庶民大眾，企圖經由識字認詞、檢索字詞意義之自我閱讀能力培養，以逐漸掌握生活知識並運用於日常生活中，由此達「萬事不求人」目的。而透過《事林廣記》日用類書到《萬事不求人》系列民間日用類書的發展歷程，亦可作為明清以來的民間社會日漸成長發展，以追求生活獨立自主的一個例證。

第二章

邁向文字世界

——雜字書的淵源與發展

雜字書是以「雜字」為名之書，學界對此種資料的關注始於二十世紀四〇年代的常鏡海，常氏在〈中國私塾蒙童所用課本之研究〉一文分析傳統私塾教育內容時，曾提及十餘種清代以來的雜字書資料。❶五〇年代的日本學者酒井忠夫在〈明代の日用類書と庶民教育〉一文中，透過明代流行的各式民間日用類書五十餘種說明當時庶民大眾的教育情形，其中，曾詳細介紹四種明版雜字書。❷

常氏與酒井氏的研究開啟了學界對雜字書的利用，卻未對雜字書的資料性質及相關訊息加以釐清，而首先對雜字書的來龍去脈有較詳盡交代的是六〇年代的大陸學者張志公。張氏乃語文教育學者，因研究中國傳統語文教學而關注雜字書資料，在其《傳統語文

---

❶ 常鏡海，〈中國私塾蒙童所用課本之研究（上）〉，《新東方》，1 卷 8 期（1940 年 9 月），頁 107；〈中國私塾蒙童所用課本之研究（續）〉，頁 79、82、84。

❷ 酒井忠夫，〈明代の日用類書と庶民教育〉，頁 126-131。

教學研究》一書中，以相當篇幅將雜字書的淵源、性質、分類及大致發展過程予以初步說明；❸張氏對雜字書提出的說明可謂奠定雜字書的基本概念，以後無論是涉及小學教育或蒙學課題研究的學者均採張氏論點解釋雜字書。❹

七〇年代，張氏又對中國最早的附圖童蒙識字書，亦屬雜字書性質的《新編對相四言》（《即魁本對相四言雜字》）一書加以考證，指出觀察此類書籍的若干要領；❺美國學者 Evelyn S. Rawski（羅友枝）在探究清代中國的識字率問題時，亦運用若干雜字書資料；❻而日本學者西田龍雄則投身華夷文字對照刊載的雜字書之研究。❼

八〇年代起，雜字書頗受重視，多人撰文涉論，形式有二，一是針對雜字書為目標作研究，一是以雜字書資料論證特定課題；而

---

❸ 張志公，《張志公文集（4）——傳統語文教學研究》，頁 44-49；又此書最早出版於 1962 年。

❹ 參見：張隆華等編，《中國語文教育史綱》（長沙：湖南師範大學出版社，1991 年 8 月），頁 100；郭齊家，《中國古代學校》（天津：天津教育出版社，1991 年 11 月），頁 117-118；曲春德編，《宋代教育》（開封：河南大學出版社，1992 年 7 月），頁 140-143；毛禮銳等編，《中國古代教育史》（北京：人民教育出版社，1995 年 2 月），頁 381-383；周德昌編，《中國教育史研究（明清分卷）》（上海：華東師範大學出版社，1995 年 12 月），頁 208；林治金主編，《中國小學語文教學史》（濟南：山東教育出版社，1996 年 3 月），頁 104-105、165。

❺ 張志公，〈試談《新編對相四言》的來龍去脈〉，《文物》，1977 年 11 期（1977 年 11 月），頁 57-63。

❻ Evelyn Sakakida Rawski, *Education and Popular Literacy in Ch'ing China* (Ann Arbor: The University of Michigan Press, 1979), C.6。

❼ 西田龍雄，《西番館譯語の研究》（京都：松香堂，1970 年 3 月）；西田龍雄，《緬甸館譯語の研究》（京都：松香堂，1972 年 11 月，改訂發行）。

前者又可分為偏向史學領域的探討與著重語言學方面的專研兩種。就偏向史學領域探討而言，首倡其風者乃臺灣學者張存武；張氏為山東人，八〇年代因同鄉刊物上有載《山東雜字》一書之內容以慰鄉愁，❽而追憶幼年在農村受教育時讀雜字書的親身經歷，文中特別強調雜字書在史料價值上的意義。❾此後，旅臺山東鄉人紛紛響應，有對該雜字書全文釋義者，❿有對該雜字書釋義提出質疑者，⓫有提供幼時相同經驗者，⓬亦有對該雜字書的編寫者、流傳範圍及

---

❽ 寒光，〈山東雜字〉，《山東文獻》，6卷1期（1980年6月），頁10-17；寒光，〈山東雜字（又名莊稼雜字）〉，《山東文獻》，6卷2期（1980年9月），頁128-132。

❾ 張存武，〈莊稼雜字箋釋（一）〉，《山東文獻》，6卷3期（1980年12月），頁32-35。

❿ 王廣健，〈續說「莊稼舊用雜字」〉，《山東文獻》，7卷1期（1981年6月），頁69-71；曹繼曾，〈山東莊稼雜字釋文〉，《山東文獻》，7卷2期（1981年9月），頁93-102；曹繼曾，〈山東莊稼雜字釋文（二）〉，《山東文獻》，7卷3期（1981年12月），頁85-95；曹繼曾，〈山東莊稼雜字釋文（三）〉，《山東文獻》，7卷4期（1982年3月），頁88-99；曹繼曾，〈山東莊稼雜字釋文（四）〉，《山東文獻》，8卷1期（1982年6月），頁117-128；曹繼曾，〈山東莊稼雜字釋文（五）〉，《山東文獻》，8卷3期（1982年12月），頁82-92。

⓫ 王廣健，〈為曹繼曾鄉長進一解〉，《山東文獻》，8卷1期，頁129-133；劉德麟，〈莊稼雜字釋文疑義〉，《山東文獻》，8卷1期，頁105；趙培遠，〈讀「山東莊稼雜字淺釋」後的幾點補充〉，《山東文獻》，8卷3期，頁76-81；劉德麟，〈為曹繼曾鄉長進一解〉，《山東文獻》，8卷4期（1983年3月），頁128-133。

⓬ 王克孝，〈重讀「山東雜字」憶往〉，《山東文獻》，18卷2期（1992年9月），頁79-81。

後續發展、影響情形加以探究者。⑬此外，非山東人的學者王爾敏亦為文分析該雜字書內容以呈現農民生活實況。⑭大陸學界方面，九〇年代以來，有李麗中之強調雜字書資料的重要性，⑮劉大可透過《一年使用雜字文》反映閩西地區的鄉村社會，⑯以及李萬鵬分析《莊農雜字》與《日用俗字》兩種雜字書的關聯性並呈現其豐富內涵。⑰

就著重語言學方面的專研而論，八〇年代初雖有日本學者西田龍雄承襲七〇年代以來對華夷文字對照刊載雜字書的研究，⑱然更多的研究成果是大陸學者的貢獻，如胡振華、黃潤華對《高昌館雜字》的努力，⑲史金波首先開啟對西夏雜字書的研究，⑳劉迎勝則

---

⑬ 譚景玉，〈《莊稼雜字》作者考辨——兼述馬益著生平及著作〉，《山東文獻》，26卷4期（2001年3月），頁13-17；譚景玉，〈《莊稼雜字》流傳地域述略〉，《山東文獻》，28卷2期（2001年9月），頁4-11；譚景玉、王志勝，〈《中華改良雜字》述略——兼答王克孝先生〉，《山東文獻》，28卷3期（2002年12月），頁119-124。

⑭ 王爾敏，〈《莊農雜字》所反映的農民生業生活實況〉，《近代中國史研究通訊》，33期（2002年3月），頁98-105。

⑮ 李麗中，〈漫話"雜字"〉，《津圖學刊》，1997卷3期，頁72-76。

⑯ 劉大可，〈《年初一》所反映的閩西鄉村社會〉，《福建論壇（文史哲版）》，1999年1期，頁65-71。

⑰ 李萬鵬，〈《莊農雜字》與《日用俗字》〉，《蒲松齡研究》，2000年21期，頁330-336。

⑱ 西田龍雄，《倮儸譯語の研究》（京都：松香堂，1980年5月，改訂發行）。

⑲ 胡振華、黃潤華，〈明代漢文回鶻文分類字詞匯集《高昌館雜字》〉，《民族語文》，1983年3期；胡振華、黃潤華整理，《高昌館雜字——明代漢文回鶻文分類詞匯》（北京：民族出版社，1984年5月）。

重視《回回館雜字》的探討；㉑到九〇年代，王靜如、李範文及日本學者中嶋幹起等人持續對流通西夏國的雜字書提出說明，㉒而其他學者則關注不同的雜字書，如汪玉明注意《女真館雜字》、㉓潘家懿致力《方言應用雜字》、㉔雙福著重《蒙古雜字》、㉕王其和與譚景玉探討《莊農日用雜字》、㉖陳宗振強調《高昌館雜字》等，㉗以上諸人均是針對個別雜字書析論其語言、文字或語音上的特色；而林建明之研究《一年使用雜字文》，更是在資料提供、內

---

⑳ 史金波，〈西夏漢文本《雜字》初探〉，收入白濱等人編，《中國民族史研究》（二）（北京：中央民族學院出版社，1989年6月），頁167-185。

㉑ 劉迎勝，〈《回回館雜字》與《回回館譯語》研究〉，《元史及北方民族史研究集刊》，12-13期（1989年10月、1990年2月），頁145-180；劉迎勝，〈《回回館雜字》與《回回館譯語》"方隅門""數目門"校釋〉，《學術集林》，卷11（上海：上海遠東出版社，1997年11月），頁321-341。

㉒ 王靜如、李範文，〈西夏文《雜字》研究〉，《西北民族研究》，1997年2期（1997年11月），頁67-90。李範文、中嶋幹起，《電腦處理西夏文雜字研究》（東京：東京外國語大學アジア·アフリカ言語文化研究所，1997年7月）。

㉓ 汪玉明，〈《女真館雜字》研究新探〉，《民族語文》，1994年5期，頁56-58、64。

㉔ 潘家懿，〈從《方言應用雜字》看乾隆時代的晉中方言〉，《山西師大學報（社會科學版）》，23卷2期（1996年4月），頁88-92。

㉕ 雙福，〈察哈爾八旗方言資料《蒙古雜字》語音學初探〉，《蒙古學信息》，1997年3期，頁9-18。

㉖ 王其和、譚景玉，〈《莊農日用雜字》方言語詞匯釋〉，《蒲松齡研究》，2001年2期，頁110-128。

㉗ 陳宗振，〈關於《高昌館雜字》標音問題的探討〉，《民族語文》，2003年1期，頁34-45。

容釋義及方言音韻分析上有相當成果。㉘

至於以雜字書資料論證特定課題的研究，有屬教育領域內的討論，如八〇年代的郭立誠、㉙九〇年代的徐梓及張心愷均透過各式蒙書以呈現傳統幼學面貌及其文化內涵，論述中引用不少雜字書資料；㉚也有研究少數民族或特定地區的教育狀況而涉及雜字書的應用，如張傳燧之於西夏族、㉛彭年之於回族、㉜黃新憲之於畲

㉘ 林建明對《一年使用雜字文》一書有系列的研究成果，參見：〈《一年使用雜字文》注釋〉，《三明職業大學學報》，1994 年 1 期（1994 年 12 月）；〈林梁峰《一年使用雜字文》新《武平縣志》版與"馬林蘭藏板"的比較〉，《三明職業大學學報》，1998 年 3 期（1998 年 9 月），頁 33-37；〈《一年使用雜字文》語法初探〉，《三明職業大學學報》，1999 年 1 期（1999 年 3 月）；〈林梁峰《一年使用雜字文》用韻〉，《三明職業大學學報》，2000 年 2 期（2000 年 6 月），頁 35-36；又林建明提供的《一年使用雜字文》全文見〈一年使用雜字文（上杭馬林蘭藏板）〉，《三明職業大學學報》，1994 年 1 期，頁 47-59。

㉙ 郭立誠於傳統童蒙教科書有一系列的相關介紹，參見：〈傳統童蒙教材敘錄〉，《國文天地》，2 卷 11 期（1987 年 4 月），頁 37、39；〈傳統童蒙教材敘錄 1〉，《國文天地》，2 卷 12 期（1987 年 5 月），頁 70-73；〈傳統童蒙教材敘錄二〉，《國文天地》，3 卷 3 期（1987 年 8 月），頁 62-65；〈傳統童蒙教材敘錄三〉，《國文天地》，3 卷 6 期（1987 年 11 月），頁 44-46。

㉚ 徐梓，《蒙學讀物的歷史透視》（武漢：湖北教育出版社，1996 年 10 月），頁 218-223；張心愷，〈明清時代蒙學施教所啟導之文化典範與應世智能〉（臺北：國立臺灣師範大學歷史研究所碩士論文，1999 年 6 月），第五章第二節。

㉛ 張傳燧，〈西夏教育發達述略〉，《民族教育研究》，1994 年 4 期，頁 53。

㉜ 彭年，〈北京回族教育八十年〉，《回族研究》，1997 年 1 期，頁 34。

族、[33]姜洪波之於赫哲族、[34]蘇德之於達斡爾族，[35]以及顧道馨對於天津地區，[36]羅肇錦、[37]野間晃與王順隆對臺灣的關注；[38]而本世紀初大陸學者王有英利用雜字書闡釋其社會教化功能，[39]柴國珍則以雜字書說明商業教育內涵。[40]

亦有運用雜字書於語言文字方面之研究，如九〇年代以來李樹輝、羅矛昆、趙啟民、鐵來提·易卜拉欣利用西夏文、回鶻文雜字書解釋辭書字義；[41]陳世明、劉迎勝對新疆地區、回民的語言文字

---

[33] 黃新憲，〈清代和民國時期畲族教育變遷史略〉，《教育評論》，1998年3期，頁48。

[34] 姜洪波，〈淺談赫哲族的私塾教育〉，《黑河學刊》，1996年21期，頁111。

[35] 蘇德，〈清代達斡爾族滿文官學與私塾教育〉，《前沿》，1995年5期，頁108。

[36] 顧道馨，〈傳統社會心態與天津區域文化〉，《環渤海經濟瞭望》，1998年4期，頁56。

[37] 羅肇錦，〈清代臺灣書院童蒙教本與教學理念〉，《臺灣源流》，17期（2000年，春季刊），頁116-117。

[38] 野間晃、王順隆，〈「識丁歌」與「千金譜」——兩本閩南語識字蒙書的比較〉，《臺灣風物》，45卷2期（1995年6月），頁29-30。

[39] 王有英，〈民間識字課本中的教化意蘊——"雜字"與社會教化〉，《西南師範大學學報》，31卷2期（2005年3月），頁78-82；王有英，〈宋代日常讀物與社會教化〉，《西華師範大學學報（哲社版）》，2004年6期，頁11-15。

[40] 柴國珍，〈明清山西商業教育〉，《太原師範學院學報（社會科學版）》，3卷4期（2004年12月），頁130-134。

[41] 李樹輝，〈《突厥語大詞典》詮釋四題〉，《喀什師範學院學報》，19卷3期，頁65；羅矛昆，〈超邁前人、兼容百家——評《夏漢字典》〉，《寧夏社會科學》，1998年4期，頁101；趙啟民，〈簡論西夏文及其辭書〉，《北華大學學報（社會科學版）》，3卷1期（2002年3月），頁19；鐵來

研究，應用到《高昌館雜字》、《回回館雜字》等資料；[42]而林亦、王臨惠以雜字書論證北方（山西）方言，[43]聶鴻音以雜字書說明西夏詩歌及佛經等文均屬此類著作。[44]

另有利用雜字書於社會生活史或社會文化史範圍內的探討，如大陸學者孫昌盛、孫星群、劉菊湘、杜建錄以雜字書觀察西夏國的印刷、音樂、娛樂及飲食文化；[45]朱紅利用雜字書說明清代的婚嫁習俗；[46]譚景玉透過雜字書探討清代前期山東農村的日常飲食習

提·易卜拉欣，〈試論新疆維吾爾語詞典編寫史上的三個發展階段〉，《新疆社科論壇》，2002 年 2 期，頁 75。

[42] 陳世明，〈新疆民族漢語互學現象的由來和發展〉，《新疆大學學報（社會科學版）》，29 卷 1 期（2001 年 3 月），頁 66-67；劉迎勝，〈回族與其它一些西北穆斯林民族文字形成史初探——從回回字到“小經”文字〉，《回族研究》，2002 卷 1 期，頁 7-8。

[43] 林亦，〈南北方言中的“豚”〉，《山西大學學報（哲學社會科學版）》，24 卷 5 期（2001 年 10 月），頁 74；王臨惠，《汾河流域方言的語音特點及其流變》（北京：中國社會科學出版社，2003 年 3 月），頁 65 及〈錢曾怡先生序〉，頁 4。又此序亦見於錢曾怡，〈《汾河流域方言的語音特點及其流變》序〉，《語文研究》，2003 年 3 期，頁 37。

[44] 聶鴻音，〈西夏文《天下共樂歌》《勸世歌》考釋〉，《寧夏社會科學》，2000 年 3 期，頁 102；聶鴻音，〈俄藏佛經 5130 號西夏文佛經題記研究〉，《中國藏學》，2002 年 1 期，頁 53、54。

[45] 孫昌盛，〈西夏印刷業初探〉，《寧夏大學學報（社會科學版）》，1997 年 2 期，頁 38-39；孫星群，〈西夏漢文本《雜字》“音樂部”之剖析〉，《音樂研究》，1991 年 4 期；劉菊湘，〈西夏人的娛樂生活〉，《寧夏社會科學》，1999 年 3 期（1999 年 5 月），頁 87-91；杜建錄，〈西夏酒的生產與征榷〉，《寧夏社會科學》，2 期（2002 年 3 月），頁 84、85。

[46] 朱紅，〈一份清代道光年間的徽州奩譜〉，《中國典籍與文化》，2000 年 4 期，頁 31。

俗；⓱王振忠則長期在徽州地區搜集各式實用文書資料，以之為基礎呈現明清以來徽州民間社會的生活百態，其中應用到數種雜字書資料。⓲

綜觀二十世紀八〇年代以來，學界對雜字書的利用研究，可謂成果豐富，惟似欠缺對雜字書資料自身發展歷程及其反映意義之掌握，而本章實欲從雜字書的淵源、演變、發展及流布等角度切入以呈現上述歷史文化面貌，提供學界參考。

第一節　早期雜字書的探究

中國以「雜字」為名之書，早於漢代即出現，史載後漢為太子中庶子的郭顯卿撰有《雜字指》一卷，此書全貌今已不見，而由後

⓱ 譚景玉，〈清前期魯中農村的日常飲食習俗〉，《民俗研究》，2005 年 1 期，頁 105-114。

⓲ 王振忠近年來有關徽州民間社會生活風貌的研究文章涉及雜字書資料者有下列數篇：〈徽州文書所見種痘及相關習俗〉，《民俗研究》，2000 年 1 期，頁 58、61；〈一個徽州山村社會的生活世界——新近發現的“歙縣里東山羅氏文書”研究〉，收入張國剛編，《中國社會歷史評論》，2 卷（天津：天津古籍出版社，2000 年 4 月），頁 135、140；〈一部徽州族譜的社會文化解讀——《績溪廟子山王氏譜》研究〉，《社會科學戰線》，2001 年 3 月，頁 216-223；〈清代徽州民間的災害、信仰及相關習俗——以婺源縣浙源鄉孝悌里凰騰村文書《應酬便覽》為中心〉，《清史研究》，2001 年 2 期（2001 年 5 月），頁 116-117；〈徽州人編纂的一部商業啟蒙書——《日平常》抄本〉，《史學月刊》，2002 年 2 期，頁 103-104。又上述諸文亦收錄於王振忠，《徽州社會文化史探微——新發現的 16-20 世紀民間檔案文書研究》一書中。

人輯佚書中得見之殘存 30 條內容可知，㊾《雜字指》一書乃篆體與今字對照刊載，書籍性質如同字典類的工具書，功用是方便人們查閱古字，並非供作識字用的教科書。事實上，此時的識字教科書亦往往不以「字」為名，如當時頗負盛名的識字書有李斯（?-208B.C.）的《蒼頡篇》、揚雄（53 B.C.-18）的《訓纂篇》、賈魴的《滂喜篇》（此三部書合稱為《三蒼》），以及司馬相如（179-117 B.C.）的《凡將篇》、史游的《急就篇》、李長作的《元尚篇》等均屬此例，而書名中冠上「字」者，則多為解釋古字、難字或奇字之工具書，如前述郭顯卿除《雜字指》外，另撰有《古今奇字》一卷，亦屬釋字之類的工具書。㊿

三國時任魏國掖庭右臣的周成撰有《雜字解詁》四卷，而同樣在魏國，曾著有《埤蒼》、《廣雅》、《古今字詁》、《難字》、《錯誤字》等書，於字學形聲頗有研究的博士官張揖則撰有《雜字》一卷；又南朝梁的都官尚書蕭子政亦撰有《古今篆隸雜字體》一卷，另有不明時間與作者的《雜字音》一卷。51上述諸書因年代久遠亦已亡失，目前可見之殘頁僅存《雜字解詁》22 條與《雜字》21 條，內容均屬字詞釋義或音注，如：

㊾ 〔後漢〕郭顯卿，《雜字指》（湘遠堂重刊），收入《玉函山房輯佚書》，冊 51，經編，小學類。

㊿ 《隋書．經籍志》，收入新文豐出版公司編輯部編，《叢書集成新編》（臺北：新文豐出版股份有限公司，1985 年 1 月），頁 128。

51 《隋書．經籍志》，頁 127-128；〔北齊〕顏之推撰，王利器集解，《顏氏家訓集解》（上海：上海古籍出版社，1980 年），頁 173。

> 霄摩，天赤氣也。卲，音忌。歧，閣也。湁潗，水沸之貌也。漰湲，水流貌也。訊，音碎。牋，表也。嘯，吹聲。帑，音蕩。……
>
> 芢芢，草盛也。菡萏，華未發也；已發名芙蓉，亦曰芙渠。未秀曰烏蓲。莽，茗之別名也。爆，亡角反。轚，魚威反。齛音世，羊食已吐而更嚼之。詁者，古今之異語也。訓者，謂字有意義也。[52]

由殘存內容可知，此時的雜字書性質與功用亦非識字認詞用的教科書，而是如字典或辭典般的工具書。至於未能得見的《古今篆隸雜字體》及《雜字音》二書，就書名而言，似亦不脫古今字詞對照、釋義音注之類的工具書性質。

大致說來，《雜字指》、《雜字解詁》與《雜字》三書的作者均屬上層知識分子，著書目的亦偏向學界之應用，而非庶民大眾的採行。然值得注意的是，魏晉南北朝時，流行字體產生變化，此時篆隸雖不廢，但其實用價值不斷削減，楷體取而代之的趨勢是愈為

---

[52] 〔魏〕周成，《雜字解詁》、〔魏〕張揖，《雜字》，兩書殘頁均收入馬國翰輯，《玉函山房輯佚書》，冊 51，經編，小學類。兩書相關解釋可見《玉函山房叢書》，卷 61，經編，小學類。事實上，此二書殘存內容亦為清朝任大樁收錄，惟僅存《雜字》7 條、《雜字解詁》14 條。見任大樁輯，《小學鉤沈》，卷 1、13，收入《叢書集成續編》（臺北：新文豐出版公司，1989 年），冊 69，頁 430-431、445。又周成的《雜字解詁》也有直接稱之為《雜字》者，「以其殘零無系統」，參見孫啟治、陳建華編，《古佚書輯本目錄（附考證）》（北京：中華書局，1997 年 8 月），頁 107。

明顯；[53]又隨著社會生活日趨複雜，學界對文字的關注漸由對古文奇字的掌握轉向實際應用方面，因而重視「時文字」的研究，關心常用字以及字的常用義，對俗文字也兼容並蓄；且此時佛教頗為盛行，為使翻譯佛經得普及，亦需應用俗文字，故出現許多相關辭書，如任北齊太子舍人的王劭著有《俗語難字》即為一例，[54]前提及張揖撰的《古今字詁》、《難字》、《錯誤字》等書亦屬此類，而周成的《雜字解詁》也被視為是對俗文字的解釋之書，因其中含若干對佛經的釋義。[55]亦即，魏晉南北朝時的雜字書雖仍屬檢索字詞意義或音注的字典或辭典類工具書，然其字詞內容已有通俗化傾向。

隋唐時仍有此種通俗化傾向之雜字書，如隋代鄒里撰《要用雜字》三卷、李少通撰《雜字要》三卷，而唐代則有僧正度（釋正度）撰《雜字書》八卷，[56]惟此三書亦均流失，僅載之於正史經籍志中，[57]未見他書採輯者，更難得知其內容全貌。而雜字書發展至

---

[53] 劉葉秋，《中國字典史略》（臺北縣：漢京文化事業有限公司，1984 年 3 月），頁 63。

[54] 相關王劭的介紹與著作說明參見王繼如，〈高遠的學術視野、縝密的考據功夫——孫治讓《札迻》讀後〉，《古籍整理研究學刊》，2002 年 1 期（2002 年 1 月），頁 30。惟文中將王劭著作《俗語難字》刊為《俗語雜字》似有誤，據《隋書·經籍志》載此書應名為《俗語難字》。

[55] 朱葆華，〈漢字研究回顧與前瞻〉，《東方論壇》，2004 年 3 期，頁 63；荊貴生，〈俗文字概論〉，《河南師範大學學報（哲學社會科學版）》，22 卷 4 期（1995 年），頁 60。

[56] 《舊唐書·經籍志》小學類稱「雜字書八卷，釋正度作」，但《新唐書》稱此書作者為僧正度；又釋正度亦曾撰有《雜體書》九卷。

[57] 《隋書·經籍志》，頁 127。《國史經籍志》，收入《粵雅堂叢書》（臺

此時值得關注者有下列數項：一是三部書中僅李少通身份可確知為密州行參軍，餘均不詳，似顯示隋唐時雜字書的編寫者多非知名人士，亦即，雜字書發展至隋唐時與上層文人間的關係似不若以往密切。其次，據目前出土的敦煌文書中有不少名為「雜字」的刊載，[58]其部分內容固為僧徒閱讀佛經時隨手摘錄的疑難字，[59]然另有部分內容似屬識字認詞用教材，只是無法確認其係當時識字書的殘卷，抑或是個人習字用的殘頁；惟由此觀察，若這些名為「雜字」的敦煌文書確為當時雜字書的內容，則隋唐時的雜字書已有部分屬識字認詞用的教科書性質，而非以往僅供檢索字詞意義與音注的字典或辭典類工具書。又據書目資料可知，隋唐時雜字書已有域外流傳情形，因生存時代相當於中國唐朝的日本主持教育之學者藤原佐世（?-897），奉敕編纂的日本最早之漢籍目錄《本朝見在書目錄》（後人改稱《日本國見在書目錄》）中，載有《古今雜字書》一卷，[60]此

北：華聯出版社，1965 年 5 月，據清咸豐 3 年〔1853〕刻本景印），頁 1977。

[58] 敦煌文書中定名為「雜字」者可參見黃永武主編，《敦煌寶藏》（臺北：新文豐出版公司，1986 年），冊 37，頁 109，「斯 4622 號」；冊 43，頁 5-6，「斯 5463 號」；頁 200-201，「斯 5513 號」；頁 202，「斯 5514 號」；冊 44，頁 302，「斯 5671 號」；頁 348，「斯 5685 號」；頁 395，「斯 5712 號」；頁 434，「斯 5757 號」；冊 45，頁 46，「斯 6128 號」；冊 130，頁 70-73，「伯 3698 號」。其中，「斯 5463 號」與「伯 3698 號」在殘存頁中提及「諸雜字一本」、「雜字一本」等字。

[59] 張涌泉，〈從語言文字的角度看敦煌文獻的價值〉，《中國社會科學》，2001 年 2 期，頁 157。

[60] 〔日〕藤原佐世，《日本國見在書目錄》，收入賈貴榮輯，《日本藏漢籍善本書志書目集成》（北京：北京圖書館，2003 年 6 月，據清光緒中遵義黎氏

實為中國雜字書外傳日本之明證；惟此書於今不見，亦難得知原貌，而從書名推測，應亦屬古今字詞對照的工具書型雜字書。

真正供作識字認詞用教材的雜字書在宋元時已普遍流通，因著名文學家陸游（1125-1210）在南宋光宗紹熙三年（1192）秋於故鄉山陰寫成的〈秋日郊居〉詩中第三首曾言：

> 兒童冬學鬧比鄰，據案愚儒卻自珍。授罷村書閉門睡，終年不著面看人。

作者於詩下方自注曰：

> 農家十月乃遣子弟入學，謂之冬學，所讀雜字、《百家姓》之類，謂之村書。[61]

又宋代江西州縣不少地方村民為維護自身權益，積極學習律令及詞訟程式，往往請教書夫子傳授如《四言雜字》之書；[62]朱熹言論中

日本東京使署影刻本），頁464。

[61] 〔宋〕陸游著，錢仲聯校注，《劍南詩稿校注》（上海：上海古籍出版社，1985年9月），冊4，卷25，頁1783。

[62] 〔清〕徐松輯，《宋會要輯稿》（北京：中華書局，1957年11月），冊166，卷21779，刑法2之150，頁6570；刑法3之26，頁6590。此外，李心傳，《建炎以來繫年要錄》，卷149，云：「度支員外郎林大聲言：江西州縣百姓好訟，教兒童之言，有如《四言雜字》之類，皆詞訴語。乞禁止，刑部請不以赦前後編管鄰州，從之」。收入《叢書集成續編》，冊116（臺北：新文豐出版公司，1985年），頁379。

亦曾提及當時有《七言雜字》一書的出現，[63]而史料刊載元代村莊冬學「往往讀《隨身寶》、《衣服雜字》之類」，[64]可知宋元時雜字書在農村鄉塾中的普遍性及實用性。事實上，此時的雜字書以其普遍流通及實用特性已為中國周遭異族關注甚或加以利用，因與宋代同時的西夏國，在逐漸漢化並創造出屬於自己的文字後，開始將中國的一些著作翻譯成西夏文字便於學習，其中即包括《四言雜字》一書，且其將雜字書與《孝經》、《爾雅》的翻譯相提並論，[65]可見雜字書對西夏國的重要性。

惟宋元時流通農村鄉民的雜字書究竟形式與內容為何，因無確切文本流傳實難詳見原貌，[66]然陸游詩中自注內容將雜字書與《百家姓》並列，除意指雜字書一如《百家姓》普遍流通當時的農村社會外，是否亦暗示雜字書的形式與內容如同《百家姓》般屬四字一

---

[63] 〔宋〕黎靖德類編，《朱子語類（五）》（濟南：山東友誼書社，1993 年 12 月），頁 4702。

[64] 《通制條格》（杭州：浙江古籍出版社，1986 年 3 月），頁 80。

[65] 《宋史》載：「元昊自製蕃書，命野利仁榮演繹之，成十二卷，字形體方，整類八分，而畫頗重複。教國人紀事用蕃書，而譯《孝經》、《爾雅》、《四言雜字》為蕃語」；收入楊家駱主編，《新校本宋史附編三種》（臺北：鼎文書局，1978 年 9 月），卷 485，列傳 244，外國一，頁 13995。

[66] 宋代雜字書無傳今日，早為學者指出，然仍有文章討論宋元時蒙學識字教材而引用《五言雜字》資料說明，亦有用到《五行雜字》、《群珠雜字》、《常用雜字》論證宋代蒙學教材者，此實有誤；相關資料參見：王鳳喈，《中國教育史》（臺北：正中書局，1959 年 11 月，臺修訂 6 版），頁 164；王陽安，〈宋元蒙學新編語文教材述評〉，《山東教育科研》，1994 年 4 期，頁 73-74；閔鈺、馮文全，〈析宋代商品經濟對蒙學教材平民化的影響〉，《湖南科技學院學報》，27 卷 4 期（2006 年 4 月），頁 115。

句，有文無義的不分類字詞組合，值得考量。[67]又史料中元代村莊冬學使用的《衣服雜字》教材係與《隨身寶》並提，查《隨身寶》一書又名《雜抄》、《珠玉抄》、《益智文》，在唐代已流通使用，為一問一答刊載內容的小型百科全書形式；日本學者認為《隨身寶》乃中唐時為庶民教育所編的一部常識寶典，而大陸及臺灣學者則稱此書應與日後盛行明清以來民間社會的家庭生活百科全書《萬寶全書》同性質。[68]蓋《衣服雜字》與《隨身寶》在史料中並提之意，除指兩者均屬流通村莊冬學的普遍教材外，是否亦指《衣服雜字》的形式及內容與《隨身寶》應有類似之處，則有待更明確史料之論證。

事實上，隨著新史料的不斷出土，今日欲窺知宋元時雜字書的確切形式與內容，或可借助本世紀初在西夏故國遺址發現的珍貴雜字書文本。此種雜字書文本分西夏文與漢文兩種文字刊載，有刊本也有抄本，陸續發現高達八、九個本子，多屬一、二頁或至多十餘頁的殘卷，其中較完整者乃名為《三才雜字》的西夏文雜字書及一種漢文雜字書。[69]

《三才雜字》的草創年代推測應不晚於十二世紀八〇年代（約

---

[67] 有將此史料中雜字與《百家姓》並列解釋為雜字即《三字經》、《千字文》之類的書籍，似有誤；參見周愚文，《宋代兒童的生活與教育》（臺北：師大書苑有限公司，1996年3月），頁161。

[68] 有關《隨身寶》的現存寫本、內容與相關說明，參見：白化文，〈敦煌遺書中的類書簡述〉，《文學遺產》，2002年1期，頁55-56；鄭阿財、朱鳳玉，《敦煌蒙書研究》（蘭州：甘肅教育出版社，2002年12月），頁165-194。

[69] 相關的版本說明可參見聶鴻音、史金波，〈西夏文《三才雜字》考〉，《中央民族大學學報》，1995年6期（1995年11月），頁83-85。

於南宋孝宗淳熙時或西夏仁宗乾祐時），書籍作者不明，然書前有序云：

> 今文字者，番之祖代，依天四而□華字三天。此者，以金石木鐵為首，分別取天地風水，摘諸種事物以為偏。雖與蒼字形不似，然如夫子詩賦，辯才皆可。後而大臣憐之，乃刻《音同》。新舊既集，平上既正。國人歸心，便攜實用。嗚呼！彼村邑鄉人，春時種田，夏時力鋤，秋時收割，冬時行驛，四季皆不閑，又豈暇學多文深義？愚憐憫此等，略為要方，乃作《雜字》三章。此者准三才而設，識文君子見此文時，文緣志使莫效，有不足則後人增刪。[70]

根據序文可知，西夏的文字組合係以金、石、木、鐵等字為上下結構，天、地、風、水等字為左右結構；而西夏文字學習的重要字書乃《音同》，由於《音同》一書內容太過豐富，實非終年忙於生計的小民百姓有足夠的時間與能力去學習，因而有較為簡易的雜字書編寫，以方便庶民大眾學習西夏文。蓋《音同》重校本出自西夏學者梁德養之手，若將之與《三才雜字》比較，可發現彼此確有相當關聯，因《三才雜字》中的多數詞語組合都與《音同》每個字注釋相同，說明《三才雜字》的編者確實意圖將之成為《音同》的節略本。[71]

---

[70] 《三才雜字》序的部分內容及全文可參見：陸錫興，《漢字傳播史》（北京：語文出版社，2002 年 9 月），頁 271；聶鴻音、史金波，〈西夏文《三才雜字》考〉，頁 83。

[71] 聶鴻音、史金波，〈西夏文《三才雜字》考〉，頁 83。

《三才雜字》全書應有六十二面，今僅存廿餘頁，約二千多字；外觀屬分類字詞匯集形式，即將單一字或二字、三字組成之詞，[72]分門別類地予以刊載，既無韻語亦不連屬成文；其門類多達 26 種，經漢譯後得知包括天河、地、山、河海、室、絲、男服、女服、木、菜、草、穀、馬、駱駝、牛、羊、飛禽、野獸、昆虫爬虫、番族姓、人名、漢族姓、親屬稱謂關係、身體、屋舍及飲食器具。[73]

西夏故國遺址出土的另一重要雜字書文本乃漢文雜字書，屬手寫本，殘存三十六面，未明作者與時間，惟據書中某些詞語內容推斷，其應編於西夏後期。西夏的漢文雜字書與《三才雜字》的外觀結構相同，亦為分類字詞匯集，有漢姓、番姓名、衣物、斛㪷、果子、農田、諸匠、身體、音樂、藥物、器用物、居舍、論語、禽獸、禮樂、顏色、官位、司分、地分及親戚長幼共 20 個門類。[74]

---

[72] 也有學者認為此雜字書並非二字為一組，而是四字為一組，即應為四言雜字：史金波，〈《甘肅武威發現的西夏文考釋》質疑〉，《考古》，1974 年 6 期（1974 年 12 月），頁 394-395。

[73] 有關《三才雜字》的漢譯工作最早投入的學者是羅福成，以後又有王靜如、李範文、聶鴻音、史金波等人的努力，甚至有將之予以電腦處理者；相關成果、說明與圖示，可參見：羅福成，〈雜字〉，《國立北平圖書館館刊》，4 卷 3 號（1932 年 1 月），頁 99-104；王靜如，〈甘肅武威發現的西夏文考釋〉，《考古》，1974 年 3 期（1974 年 6 月），頁 205；甘肅省博物館，〈甘肅武威發現一批西夏遺物〉，《考古》，1974 年 3 期，頁 200-201；王靜如、李範文，〈西夏文《雜字》研究〉，頁 67-70、82-87；聶鴻音、史金波，〈西夏文《三才雜字》考〉，頁 86-87；李範文、中嶋幹起編著，《電腦處理西夏文雜字研究》。

[74] 有關西夏漢文雜字書的內容與書影，可參見史金波，〈西夏漢文本《雜字》

綜觀西夏故國發現的兩種雜字書文本之內容，除天、地、山、河海等類屬生存自然環境內容，番族姓、漢族姓、人名、親屬稱謂關係、親戚長幼等類屬社會層面的人際關係內容，及音樂、禮樂、論語等類屬精神層面的娛樂、學術內容外，餘均屬物質生活層面且實際應用於日常生活中之各式具體名物字詞，包括衣食住、器物用具、動植物以及身體醫藥等項。若上述西夏文與漢文的雜字書形式與內容即為宋元時流通中國的雜字書模式，則可知此時雜字書應有分類字詞匯集形式，且雜字書刊載字詞實以日常生活便用的各式具體名物字詞為主。

由於宋元時雜字書內容如此通俗實用，故能普遍為農村鄉民供作識字認詞用教材，然亦因雜字書內容多屬日常生活中各式具體名物字詞的辨識記憶，無關宋元理學所強調的道德義理之傳授學習，致當時文人或官府往往對之不予好評，如宋代文人稱《四言雜字》內容為「方言俚鄙」，應予禁止，違者甚至加以處罰；(75)元代官府亦認為《衣服雜字》內容會「枉誤後人」而不准教授；(76)惟雜字書

初探〉，頁 168、169、178-185。

(75) 〔清〕徐松輯，《宋會要輯稿》，頁 6570，云：「江西州縣有號為教書夫子者，聚集兒童，授以非聖之書，有如《四言雜字》，名類非一，方言俚鄙，皆詞訴語，欲望播告天下，委監司守令如有非僻之書，嚴行禁止。」又頁 6590，云：「十三年八月二十三日，禮部言臣僚箚子，江西州縣百姓好訟，教兒童之書有如《四言雜字》之類，皆詞訴語，乞付有司禁止，國子監看詳，檢準紹興敕，諸聚集生徒教詞訟文書，杖一百，許人告。再犯者不以赦，前後鄰州編管，從學者各杖八十，今《四言雜字》皆教授詞訟之書，有犯合依上條斷罪」。

(76) 《通制條格》，頁 80，云：「至元十年五月，大司農司各道勸農官申：各路

中若干涉及人際關係內容者亦可能含有些許道德規範之行為標準，故當時文人也偶有以嘲諷語氣對雜字書略作肯定之語，如朱子對門人提及讀書方法時，曾云：「須是子細看，看得這一般熟後，事事書都好看，便是《七言雜字》也有道理」。[77]

此外，據宋元時流通之雜字書有名為《四言雜字》、《七言雜字》、《衣服雜字》者分析，可知當時雜字書的刊載形式除分類字詞匯集外，應有四字或七字一句之結構；而雜字書內容除著重具體名物字詞學習外，亦有刊載較多關於詞訟，或專載涉及衣服相關事項之字詞。又宋末文人黃震的親身經驗曾提及其「往歲嘗過村學堂，見為之師者，授村童書，名《小雜字》，句必四字，皆器物名」，此一史料可加強證實當時雜字書以數字一句的刊載形式與著重具體名物之學習內容，而黃震面對此種強調具體名物字詞內容的《小雜字》教材評語是「義理無關，余竊鄙之」，[78]此話置於理學盛行背景之下，亦不令人意外。

第二節　明清以來雜字書的演變

明清時期雜字書發展更盛，版本頗多，種類亦繁；若依外觀形式區隔，首先有不分類字詞與分類字詞兩大項，前者如明版《魁本

府州司縣在城關廂已設長學外，據村莊各社請教冬學，多係粗通文字之人，往往讀《隨身寶》、《衣服雜字》之類，枉誤後人，皆宜禁約」。

[77] 〔宋〕黎靖德類編，《朱子語類（五）》，頁4702。

[78] 〔宋〕黃震，《黃氏日抄》，收入《文淵閣四庫全書》（臺北：臺灣商務印書館，1983年），子部14，儒家類，708冊，頁286。

音訓四言雜字》、[79]清版《俗言雜字》，[80]兩者雖有字詞數量多寡之差及音注與否之別，然全書均數字一句連貫而成，未予分類。後者如明版《新刻六言雜字》分天文、地理、人物、時令、人事、身體、病證、詞訟、衣服、宮室、飲饌、器用、工匠、軍器、首飾、船器、法具、花木、蔬菜、雜賣、顏色、鳥獸、藥方、喪禮、勉學，共 25 類字詞；[81]清版《幼學雜字》有天文、地理、人物、時令、身體、人事、衣冠（兼靴鞋）、首飾（兼珍寶）、文事、武備、婚姻（兼女紅）、布帛（兼顏色）、銀色（兼數目）、五穀（兼瓜菜）、花木（兼果品）、鳥獸（兼虫魚）、飲食（兼茶酒）、雜貨、百藝、起蓋、農桑，共 21 類字詞；[82]兩者雖有分類數量上的不同或附圖與否的差異，然仔細觀察字詞類目，亦均屬物質生活層面且實際應用於日常生活中的各式具體名物字詞為主要內容。

不分類字詞與分類字詞兩大項下，又可再各自分為字詞匯集與韻語連文兩種；其中，字詞匯集是將二字、三字不等的名詞聚合一書中，無韻語亦不連文；如明版《居家必備日用雜字》的「菜蔬門」有字詞如下：

---

[79] 《魁本音訓四言雜字》（明刊巾箱本）。

[80] 《俗言雜字》（清刊本），收入史若民、牛白琳編，《平、祁、太經濟社會史料與研究》（太原：中國古籍出版社，2002 年 5 月）。

[81] 《新刻六言雜字》（杭州徐龍峰梓行，明刊本）。

[82] 《幼學雜字》（南京李光明庄，清刊本），收入李國慶校注，《雜字·俗讀》（濟南：齊魯書社，1998 年 12 月），書中刊印未附圖例，然原書有圖示。

生瓜、茄子、生薑、大蒜、芫荽、蘿葍、韮菜、荳芽、蒜苗、芥菜、薺菜、菠菜、莧菜、茭白、芥辣、酸虀、葫蘆、芋艿、冬瓜、西瓜、臺心、絲瓜、匾葍、團笋、香芋、王瓜、香瓜、山藥、白菜、甜菜、青菜、紫菜、茨菇、刀荳、豇荳、芹菜、蘿葍苗、酸虀笋、萵苣菜、毛荳莢、龍瓜葱、水團魚。[83]

韻語連文則是固定以三字、四字、五字、六字、七字一句，或是以三、六字，三、七字，甚至三、三、四字等不固定字數雜錯一句組成全書，[84]且各句前後相關，或連屬成文，甚可押韻者。如清版《日用俗字》（又名《日用雜字》）的「雜貨章」：

雜貨行中百物收，黃金萬兩亦能丟。笑口要于房內見，翠花只向店中求。鏡子照來仍抿鬢，篦兒刮淨更梳油。刷牙漱去口方淨，櫳齒剔來垢不留。肥皂去油搓粉面，胭脂點嘴抹金甌。金華雀粉好方貴，百折彩裙價盡讇。珠華金錦來香鋪，蜜蜡茄楠出別州。通草細花寶石墜，初扎妣角未上頭。鬏髻

---

[83] 《居家必備日用雜字》（吳門四知堂梓，明刊本，江戶時小野職博錄，手抄本）。

[84] 如《新刻校正通用六言雜字》乃三、六字的組成，《一年使用雜字文》則是三、七字的組成，而研究蒙書的常鏡海則提及三、三、四之組合者；參見：《新刻校正通用六言雜字》（清抄本）；《一年使用雜字文》，收入《（福建）武平縣志》（北京：中國大百科全書出版社，1993 年 10 月）；常鏡海，〈中國私塾蒙童所用課本之研究（續）〉，頁 84。

梳妝如冠冕，珠箍玉鑻袝風流。金釵長壓珊瑚枕，紗幃雙懸玳瑁鈎。[85]

當然，有些韻語連文雜字書僅湊合數字一句形式，未全部押韻，文意亦不甚完整，如明版《新刻五言雜字》：

蘇烏梨鬪木，沈檀降速香，猛火油蘇合，伽南香麝獐，哈密水澤髮，薔薇露沐娘，蒟醬梧桐孅，花毯聖鐵鋼，象牙并鎖袱，龍腦共桄榔，膃肭臍蓽撥，波羅密息香。[86]

此外，若仔細觀察明清時期雜字書的實質內容可發現，此時雜字書非僅單純地刊載分類字詞或不分類字詞而已，也有加上字詞釋義或生活知識內容於其間的雜字書。以明版《增補易知雜字全書》為例，其字詞旁往往附上意義，如：

角黍，即粽也，午日用箬裹糯米煮之，取陰陽包裹之義。

饅頭，孔明征孟獲，班師至瀘水不能渡，乃用羊豕裹麵像人頭祀神明，故稱曰饅頭。

核桃，漢張騫使西域得種，歸中國後，石勒名胡，改為核

---

[85] 〔清〕蒲松齡編，《日用俗字》（清刊本），收入李國慶校注，《雜字・俗讀》，頁 76。

[86] 《新刻五言雜字》（杭州徐龍峰梓行，明刊本），〈番貨篇〉。

桃。

西瓜，春種秋實，故曰西瓜。

海棠，從海中來，故名；唐相賈耽著《百花譜》，以海棠為花中神仙。

月桂，唐明皇遊月宮，見天府傍有素娥千餘舞于其下，故名之。[87]

此書亦刊有孔門弟子、歷代名賢等歷史人物知識，親屬稱謂、婚喪喜慶等書信帖式，以及涉及交易買賣、田土房屋等事之關禁契約內容。而清版《萬寶元龍雜字》則於書中載有許多歷史地理、翰墨啟劄、算法藥方、剋擇符咒等生活知識內容供參考應用。[88]

一般而言，刊載新內容的雜字書又可分為兩種，一是新內容與分類字詞或不分類字詞內容同書刊載，如前述的《增補易知雜字全書》、《萬寶元龍雜字》即為代表；另一則是全書均為字詞釋義或生活知識刊載而無字詞內容，如明代陳士元（1516-1597）輯的《古俗字略》中有〈俗用雜字〉一卷、[89]楊慎（1488-1562）編的《雜字韻

[87] 《增補易知雜字全書》（明刊本），〈素食門（酒茶油附）〉，頁 2 下；〈菓子茶料門〉，頁 3 下；〈花草門〉，頁 4 上。

[88] 〔清〕徐三省輯，戴啟達增訂，《萬寶元龍雜字》（金閶三槐堂印行，清乾隆 30 年〔1765〕序刊本）。相關此雜字書的內容及版本說明，參見吳蕙芳，〈《萬寶元龍雜字》的內容與性質〉，《近代中國史研究通訊》，34 期（2002 年 9 月），頁 136-142。

[89] 〔明〕陳士元輯，《古俗字略》，收入《續修四庫全書》（上海：上海古籍出版社，1995 年，據北京大學圖書館藏明萬曆刻歸雲別集本影印），經部，

寶》一書，全屬字詞釋義內容，(90)清版《新刻人物通考啟童雜字》則僅刊載各式典範人物以為童蒙傚仿學習。(91)而兩者之中，又以前者，即分類或不分類字詞與字詞釋義或生活知識內容同書刊載的雜字書較為普遍。

這些附加字詞釋義或生活知識內容的雜字書，就性質而言，已非專供識字認詞用的教科書型雜字書，而是兼具檢索字詞意義與查閱日常生活知識的工具書型雜字書，亦即，明清時期的雜字書功能已呈現多元化特色，而此種雜字書功能的擴展，亦顯示雜字書的使用者絕非僅為童蒙或初學識字者，應有考量為成人或具基礎識字能力者檢索字詞意義及查閱生活知識所用。事實上，由於明清時期雜字書形式、內容的多樣化及性質、功能的多元化，使得書籍適用範疇與使用對象大為拓展，不僅童蒙、成人均可應用，且普及四民、漢番兼採，甚至官府都有使用。

如明清時期雜字書的書名上明白標示「士民便用」、「四民便用」、「四民切用」等字，(92)顯示這些雜字書實為士、農、工、商

小學類，冊 238；亦收入《四庫全書存目叢書》（臺南縣：莊嚴文化事業有限公司，1997 年），經部，冊 190。

(90)　〔明〕楊慎編，《雜字韻寶》（明萬曆年間刊本）；又楊慎卒年說法不一，今採丰家驊書中所考證者，見丰家驊，《楊慎評傳》（南京：南京大學出版社，2001 年 11 月，2 次印刷），頁 1。

(91)　《新刻人物通考啟童雜字》（清刊本）。

(92)　《五刻徽郡釋義經書士民便用通考雜字》，引自謝國楨，〈明清野史筆記概述〉，《史學史資料》，1980 年 5 期，頁 7；〔明〕余一夔輯，《增補類編音釋四民切用便讀雜字》（明末書林詹鍾瑞刻本）；又清版《萬寶元龍雜字》在下卷卷名刊為《三槐堂重訂增補釋義經書四民便用雜字通考全書》。

四種不同社會階層與職業者所用。也有雜字書直接名之為《庄農雜字》、[93]《莊農日用雜字》者，[94]確切指出此雜字書係為務農者所用，且書中開頭即言：「人生天地間，莊農最為先」，[95]凸顯農民的重要性；而名為《新出對像蒙古雜字》（又名《新刻校正買賣蒙古同文雜字》）者則主要為經商者採行，且內容雜以三種不同文字，實為方便漢蒙滿三族互習彼此文字，以便於交易買賣順利進行用之雜字書。[96]此種外族採用中國雜字書情形，在異族統治下的清代尤為普遍，如清初在東北地區對蒙古達斡爾族施以滿文教育時即利用滿文《四言雜字》為教材；[97]而同光年間左宗棠（1812-1885）對西北回疆的經營，亦將中國的雜字書引入該地學校教育中施行，致回民也有讀雜字書以啟蒙識字。[98]

---

[93] 《庄農雜字》（奉天文盛書局，清光緒 27 年〔1901〕刊本）；此雜字書又名《（新刻）俗言雜字》。

[94] 馬益著，《莊農日用雜字》（清抄本），見王爾敏，〈《莊農雜字》所反映的農民生業生活實況〉；此雜字書又名《莊農雜字》、《日用五言雜字》、《山東雜字》、《莊稼雜字》、《日用雜字》，本文統稱之為《莊農日用雜字》；相關資料參見：寒光，〈山東雜字〉；王廣健，〈續說「莊稼舊用雜字」〉；周鈞英、劉仞千纂，《（山東）臨朐續志》（臺北：成文出版社，1968 年 3 月，據民國 24 年〔1935〕鉛印本影印）。

[95] 《莊農日用雜字》，頁 101。

[96] 《新出對像蒙古雜字》（京都打磨廠文成堂梓行）；此雜字書應於清嘉慶辛酉年（6 年〔1801〕）即有中和堂的新刻本問世，也有京都老二酉堂刊行本，此外，嘉慶年間另有文萃堂坊本；相關說明參見：雙福，〈察哈爾八旗方言資料《蒙古雜字》語音學初探〉，頁 9；盧明，〈清代刻本圖書形態論〉，《社會科學輯刊》，1995 年 1 期，頁 119。

[97] 蘇德，〈清代達斡爾族滿文官學與私塾教育〉，頁 108。

[98] 羅正鈞，《左宗棠年譜》（長沙：岳麓書社，1983 年 11 月），頁 380，云：

明清時期雜字書適用對象之普及社會各階層尚可透過雜字書的相關圖示顯現出，如明版《莆曾太史彙纂鰲頭琢玉雜字》、明版《新鐫增補類纂摘要鰲頭雜字》兩書正文前均有一全頁圖，自上而下分別為兩人在山林之中、兩人對奕一人觀之、二人對爐一童子持扇搧火、三人立於魚池畔四部分，[99]似代表林（農）、士、工、漁（商）各不同職業者均可參考及運用此版雜字書。

此外，觀察明清時期雜字書的序文亦可得知其讀者群之廣大，如明版《莆曾太史彙纂鰲頭琢玉雜字》有序云：

> 益聞道不欲雜，雜則繁，繁則多歧，此深於性命者之言也，然而舍操縵慱依雜服之外，亦無繇洞其日用，安於理奧，甚有三家村雜我以隻字，把筆而忘者有之，則雜字之堪作，雅俗梵釋者匪一日也。[100]

「臣與南北兩路在事諸臣籌商，飭各局員防營多設義塾，并刊發《千字文》、《三字經》、《百家姓》、《四字韻語》及《雜字》各本，以訓蒙童」。其它相關研究可見：付宏淵，〈左宗棠發展西北少數民族地區的教育思想和實踐〉，《湘潭大學學報（哲學社會科學版）》，28卷3期（2004年5月），頁133；彭大成，〈左宗棠開發西北的戰略舉措與深遠影響〉，《湖南師範大學社會科學學報》，30卷1期（2001年1月），頁54；劉平，〈清至民國時期政府行為在成就新疆雙語中的作用〉，《西域研究》，1997年2期，頁84。

[99] 〔明〕曾楚卿編，《莆曾太史彙纂鰲頭琢玉雜字》（明刊本）；《新鐫增補類纂摘要鰲頭雜字》（明刊本）。

[100] 〔明〕曾楚卿編，《莆曾太史彙纂鰲頭琢玉雜字》（明刊本），〈曾太史雜字琢玉序〉。

序文明白指出此版雜字書可為雅俗共賞之意。而清版《萬寶元龍雜字》之序曰：

> 吾嘗觀世事通考一編，上自天文地理，下至草木蟲魚，星卜醫藥，無所不備，攜之篋笥，亦足為游藝者之資焉。顧其中猶有缺略者，則縉紳之品秩未全，而冠帶之朝儀未載也；夫設官分職，乃一朝之大典，而服物采章，亦所以辯上下，定民志者，而可或略乎哉！今大成堂主人乃取而增補之，而品秩與朝儀釐然大備，士宦商賈皆有所稽焉，吾見是書之雅俗交賞，而雞林之爭購者，將不脛自馳也已。[101]

序中說明此版雜字書因新增內容使其利用者並不限於小民百姓，而及於士宦商賈。

事實上，明清時期雜字書若與宋元時期相較，地位明顯提高，因雜字書已受到上層文人及官府注意並加以運用，此可由書籍的編纂、收藏與出版、利用等方面觀察得知。

以書籍編纂而言，此時已有具功名的上層文人投入雜字書的編纂工作，如明永樂年間兩位山西介休籍舉人，後分別任職知縣的陶選和楊暉編有《方言雜字》。[102]而附屬於《古俗字略》一書中的

---

[101] 〔清〕徐三省編輯，戴啟達增訂，《萬寶元龍雜字》（金閶三槐堂梓行），序。

[102] 《（山西）介休縣志》（清嘉慶24年〔1819〕刻本），收入北京圖書館編，《地方志人物傳記資料叢刊》，冊48（北京：北京圖書館出版社，2002年6月），頁294。

〈俗用雜字〉之輯者陳士元，字心叔，號養吾，又署環中迂叟，湖北應城人，乃明嘉靖進士，官至灤州知州，著述甚豐，有《歸雲外集》、《易象鉤解》、《五經異文》、《俚言解》、《姓觿》等書。[103]而《雜字韻寶》的編者楊慎，字用修，號升庵，四川新都人，明正德進士，供職翰林院修撰，經筵講官，編著亦豐，有《古今風謠》、《俗言解字》、《方言藻》、《古音駢字》、《古音複字》等書。[104]至於著有〈雜字〉一卷收入《通俗編》一書的翟灝（?-1788），字大川，後改晴江，浙江仁和人，乃清乾隆 19 年（1754）進士，曾任金華等府學教授，通經史諸子及文字訓詁之學，平生致力著述，除《通俗編》外，另撰有《爾雅補郭》、《四書考異》、《艮山雜志》、《湖山便覽》、《無不宜齋詩稿》等書。[105]當然，這些具功名的上層文人編纂之雜字書，多屬檢索字詞意義，似字典或辭典類的工具書型雜字書，且主要是對通俗字詞或方言的掌握，故其著書目的應是為了解民間社會的俗言俚語所參考，非為發蒙識字供實際日常生活中之利用；亦即，上述數種雜字書近似魏晉南北朝時雜字書的性質與功能，應屬早期似字典或辭典類雜字書系統之傳承。明清時期此種復古雜字書的出現固因當時中

[103] 劉葉秋，《中國字典史略》，頁 151-152；長澤規矩野編，《明清俗語辭書集成》，冊 1（上海：上海古籍出版社，1989 年 11 月），頁 2。

[104] 梁容若，〈楊慎生平與著作〉、陳廷樂，〈簡輯楊升庵著述評選書目〉，兩文均收入林慶彰、賈順先編，《楊慎研究資料彙編（上）》（臺北：中央研究院中國文哲研究所，1992 年 10 月），頁 433-435、448、449、453。

[105] 劉葉秋，《中國字典史略》，頁 157。

國辭書發展興盛所致，[106]然其亦顯示此時的上層文人並不鄙視雜字書，故可將其編纂之字典或辭典類工具書以「雜字」命名或在其辭書中載有「雜字」卷。

此外，據《千頃堂書目》資料中載，明代另有李登編的蒙書《雜字直音》，此雜字書原稿不見，未詳內容，然編者李登字士龍，自號如真生，上元人，萬曆初貢士，作過新野縣城的小官，多年從事訓導、教諭等縣級以下的教學工作；[107]此人雖非如陳士元、楊慎或翟灝般擁有進士功名，身居顯要官位，或如陶選、楊暉屬舉人身份，任職知縣，然其亦非一般小民百姓或泛泛之輩。

至於雜字書之收藏，則可透過書目資料確認，明清時期官方及文人書目中可見《對相識字》、[108]《四書雜字》、《四言雜字》、《七言雜字》、《易見雜字》等不同雜字書的收藏，乃至刊印之記錄。[109]當時北京司禮監所刻印的書籍稱為「經廠本」，其中，屬啟

---

[106] 有關此時字典辭書的發達，可參見：林玉山，〈明清時期——中國辭書編纂進一步發展期〉，《辭書研究》，1996 年 2 期；劉葉秋，《中國字典史略》，頁 127。

[107] 張志公，《張志公文集（4）——傳統語文教學研究》，頁 31。

[108] 據張志公的考證，《對相識字》很可能是《新編對相四言》一書的早期版本；見張志公，〈試談《新編對相四言》的來龍去脈〉，頁 62。又《新編對相四言》即《魁本對相四言雜字》之說明，可見華印椿，《中國珠算史稿》（北京：中國財政經濟出版社，1987 年 12 月），頁 62-63。此版本雜字書有明洪武 4 年（1371）本、正統元年（1436）本及清綠慎堂本，甚至有徽州刊本，見王振忠，〈民間檔案文書與徽州社會史研究的拓展〉，《天津社會科學》，2001 年 5 期，頁 143。

[109] 如《文淵閣書目》、《秘閣書目》中載《對相識字》，《內板經書紀略》、《明宮史》中有《四書雜字》、《四言雜字》、《七言雜字》，《菉竹堂書

蒙讀物者除一般所熟知的「三、百、千」外，亦有《四言雜字》、《七言雜字》、《新編對相四言》等雜字書。[110]明清時期的官府甚至有專門雜字書的編纂出版以供學習的需要，此出現在中央政府部門中的四夷館（四譯館），蓋明清政府為方便與四周各不同外族往來，設有專門的外語人才培育中心，負責處理涉外文書事項，此一中央政府機構在明代稱為四夷館，清代則稱四譯館，原隸屬翰林院，後改轄禮部，館中生徒初來自國子監生，後則擴至世業子弟，[111]然不論何者均非一般小民百姓或鄉居庶人，實具相當教育程度或知識水準者。而為訓練這些翻譯人才的外語能力，官府即編纂各不同外文的雜字書，如《回回館雜字》、《高昌館雜字》、《女真館雜字》、《西番館雜字》、《倮儸譯語雜字》、《緬甸館雜字》

目》中載《新編對相四言》（《對相識字》），《百川書志》中載《易見雜字》；參見：《文淵閣四庫全書》（臺北：臺灣商務印書館，1983-1986年），史部409，政書類，頁664；史部433，目錄類，頁177；馮惠民等選編，《明代書目題跋叢刊》，頁122、615、674；勞漢生，《珠算與實用算術》（石家庄：河北科學技術出版社，2000年2月），頁53、56；《菉竹堂書目》見《粵雅堂叢書（十五）》（臺北：華聯出版社，1965年5月，據國立中央圖書館藏本清咸豐3年〔1853〕刻本影印），頁7117；嚴靈峰編，《書目類編》，冊27，頁42。

[110] 許瀛鑑主編，《中國印刷史論叢》（臺北：中國印刷學會，1997年9月），頁435。

[111] 《明史·職官志》曾載四夷館隸屬太常寺，此有誤；相關此外語人才培育機構的說明參見：烏雲高娃、劉迎勝，〈明四夷館“韃靼館”研究〉，《中央民族大學學報（哲學社會科學版）》，2002年4期；烏雲高娃，〈14-18世紀東亞大陸的“譯學”機構〉，《黑龍江民族叢刊》，2003年3期；胡振華，〈珍貴的回族文獻《回回館譯語》〉，《中央民族大學學報》，1995年2期（1995年3月），頁87-88。

等，[112]其內容均屬華夷文字對照刊載，旁附漢文意義，並加漢字音注的分類字詞匯集，無韻語亦不連文。明清官府能以雜字書形式的識字教材提供外語學習，可見此時官府並不排斥，甚至肯定雜字書的價值與功效。

清末以來雜字書仍持續發展，且親身經歷者愈多，惟觀察這些使用實例可知此時雜字書的實際利用者似偏向農家子弟、勞動為生大眾、小商人或落魄士子等成員，而非達官貴人、世宦子弟或富戶巨賈等上層社會人士。如清代曾國藩（1811-1872）的孫女曾寶蓀四歲即開蒙，初附讀於堂兄弟，因戊戌政變影響，舉家回湘，在家塾中繼續讀書，其曾言：「那時只有我一個人讀書，另一個丫環陪讀。……她們讀的都是《包舉雜字》、《四字女經》等」，[113]蓋《包舉雜字》乃清代以來流通湖南當地，屬不分類字詞內容的雜字書，[114]曾氏的回憶反映當時雜字書的主要利用者乃大戶人家中的僕傭之輩。同屬湖南人，然身上承繼苗、漢、土家三種民族血統，且

---

[112] 相關史料與說明可參見：《回回館雜字》（據清初同文館抄本影印）、《高昌館雜字》（據清初同文館抄本影印），兩者均收入北京圖書館古籍出版編輯組編，《北京圖書館古籍珍本叢刊 6》（北京：書目文獻出版社，1988年）；胡振華、黃潤華整理，《高昌館雜字——明代漢文回鶻文分類詞匯》；道爾吉、和希格，〈女真譯語研究〉，《內蒙古大學學報（哲學社會科學版）》，1983 年增刊；汪玉明，〈《女真館雜字》研究新探〉；西田龍雄，《西番館譯語の研究》、《倮儸譯語の研究》、《緬甸館譯語の研究》。

[113] 曾寶蓀，《曾寶蓀回憶錄》（香港：基督教文藝出版社，1970 年 7 月），頁14。

[114] 《包舉雜字》（清刻本），收入《捷徑雜字·包舉雜字》（長沙：岳麓書社，1989 年 11 月）；又有關《包舉雜字》在湖南各地的使用情形可參見本書附錄三，湖南省部分。

家境貧困，小學畢業即離鄉討生活的著名文人沈從文（1902-1988）幼時亦曾親自閱讀過《包舉雜字》。[115]另一於同治年間，出生湖南湘潭農村家庭的書畫家齊白石（1862-1957），自言八歲入學，由開設私塾的外祖父教授《四言雜字》與《三字經》、《百家姓》。[116]又生於清末浙江的魯迅（1881-1936）亦提及其幼時曾看過，普遍流通民間社會且為女性婢僕學習以便記帳用的《日用雜字》一書，而魯氏頗為肯定此種實用方便的識字教材。[117]

江南各地流通雜字書外，江北、西北地區亦有使用實例；如中共黨國元老徐向前，生於清光緒 27 年（1901）山西忻州市五台縣永安村一個耕讀傳家的農民家庭，父徐懋淮曾考上秀才，因家境不濟，未參加鄉試，任塾師以養家活口，徐向前在十歲正式入塾讀書前，即由父親傳授《百家姓》、《千字文》、《庄農雜字》之類的書。[118]又以擅長描寫底層社會民眾的小說家老舍（1899-1966）在其名著《四世同堂》的第一部《惶惑》中，對一個出身同治年間，北京地區的白手起家男主角祁老太爺之教育程度描繪是「老人在幼年只

---

[115] 伏家芬，〈坎坷不墜青雲志，彩筆爭如沈鳳凰——沈從文風雅拾遺〉，《中國韻文學刊》，2004 年 1 期，頁 57-58。

[116] 齊白石，《白石老人自述》（臺北：傳記文學出版社，1967 年 1 月），頁 16；齊白石，〈一個窮家孩子的求學經歷〉，收入陸鴻基編，《中國近世的教育發展（1800-1949）》（香港：華風書局，1983 年 3 月），頁 81。

[117] 魯迅，《魯迅全集》（北京：人民文學出版社，1989 年，北京第 4 次印刷），頁 27、36。

[118] 趙培成，〈黃埔軍校前後的徐向前〉，《文史月刊》，2004 年 1 期，頁 43-44。

讀過三本小書與《六言雜字》」，⑲其中，三本小書應指「三、百、千」三部中國傳統的識字書，而《六言雜字》屬雜字書型式的識字教材，著者將兩者相提並論，可見其在民間普遍流通的同等地位，而老舍的此種描述亦反映當時社會上使用此類書籍者的出身與地位。

又此時雜字書的使用者實例雖偏向一般庶民百姓，然其適用範圍卻不限鄉村地區，城居市民亦有採行；如出生清光緒 28 年（1902）湖南攸縣城的共軍元老譚震林，雖祖輩擁有「恩貢生」、「登侍郎」等銜，父任職縣衙的糧房職員，卻是家道中衰的破落書香門第，其八歲入塾，亦唸《三字經》、雜字等書。⑳除世俗者的經歷外，尚有出家人的親身體驗，生於清光緒年間閩北建寧人的慈航法師（1893-1954），因家道中落曾以裁縫為生，自言：「我因家庭不幸，讀書過少，故出家十餘年，猶不能看懂佛經。在家時，只讀《三字經》、《六言雜字》」。(121)

值得注意的是，上述諸雜字書之運用實例，就時間而言，均為同治、光緒，乃至宣統朝的清代後期，而採行的雜字書性質與功用均屬童蒙識字認詞用的教科書型雜字書。所以如此，部分原因固為資料侷限造成，然此種現象亦反映雜字書發展至清代後期似又回復以往宋元時期雜字書之屬識字認詞用教科書為主，而非如明代或清

---

(119) 老舍，《老舍全集》，卷 4：小說 4（北京：人民文學出版社，1999年1月），頁 4。

(120) 譚運湘、譚特立，〈虎嘯生風撼山林——譚震林青少年時期生活片斷〉，《湘潮》，2002 年 2 期，頁 12-13。

(121) 闞正宗，《臺灣高僧》（臺北：菩提長青出版社，1996 年 1 月），頁 52。

代前期的多元化性質與作用；又據目前所能掌握的現存各版雜字書文本可知，明代確以工具書或兼具教科書與工具書型雜字書者居多，占現存明版雜字書一半以上比例，而清代雜字書則轉變為以教科書型雜字書為主，占現存清版雜字書近六成比例，此一發展趨勢亦持續至民國以後的雜字書，且更為明顯。（參見附錄二）

大致而言，民國以後雜字書的主要形式為僅載分類或不分類字詞的教科書型雜字書，占現存民國版雜字書七成以上比例；此時的雜字書雖仍有純載字詞釋義或刊生活知識、具檢索功能的工具書型雜字書，前者如清光緒 20 年（1894）即出版，民國後被修改而稱新名的《方言分類簡便雜字》，[122]後者則有載各式算法相關內容以供應用的《算法雜字撮要》，以及刊各朝代更迭與重要史實的《歷朝雜字歌》；[123]惟亦有將各種內容混合刊載，兼具教科書與工具書雙重功能的雜字書，如《益幼雜字》、《最新繪圖共和幼學雜字》、《繪圖五言雜字》；[124]然民國以後此類雜字書的非字詞內容非常有限，如《益幼雜字》僅附一頁「歷代帝王總紀」，《最新繪圖共和幼學雜字》只有刊於各頁上端的「尺牘通用要語」、若干對幼童的勸諭警語與「四季令」詩句，而《繪圖五言雜字》亦僅於書末載有四頁的「關聖帝君覺世經」以為人們參考誡鑑。（參見附錄六）可知

---

[122] 《方言分類簡便雜字》（1934 年 4 月賴聲揚序刊本）。

[123] 《算法雜字撮要》（廣州以文堂板，1913 年）；《歷朝雜字歌》（雷陽印書局，1931 年）。

[124] 《益幼雜字》（南京李光明庄刻，民國刊本）；《最新繪圖共和幼學雜字》（上海天寶書局，民國石印本）；《繪圖五言雜字》（上海天寶書局，民國石印本）。

民國以後雜字書實承繼清代後期雜字書之發展趨勢，以識字認詞用教科書型雜字書為大宗。

又根據親身經歷者的實例觀察，民國以後雜字書的普及範圍雖亦不分南北、城鄉或漢番、男女，然使用者的社經地位卻是高低不一、差距甚大；如出生民初，北大歷史系畢業的民俗學者郭立誠，父親乃北京文化界人士，其幼年即曾閱讀過《六言雜字》、《七言雜字》等識字教材，因雜字類書籍乃實用書中最淺者；[125]民國 12 年（1923），湖北漢陽縣城一間糧食行老板家延聘西席，開辦停館私塾，教誨子女，其中即含《五言雜字》、《七言雜字》等教材。[126]出生二十世紀二〇年代的共軍女傑郭俊卿，七歲時隨父母手足逃荒討飯到內蒙古巴林草原投奔遠房親戚，幼時曾讀過《四言雜字》一書；[127]而民國初年，在伊克昭盟達拉特旗、杭錦旗接壤之處的蓿亥圖、塔拉溝兩個村莊中，出生蒙族農村牧區家庭的全寶山，即在此地入塾跟著漢人教師學習《剖匯雜字》以識字認詞，並學習生活知識。[128]又二〇年代出生山東農村，抗戰前在故鄉讀過兩年私塾的歷

---

[125] 郭立誠，〈保存本省民俗史料的千金譜〉，《藝術家》，10 卷 6 期（1980 年 5 月），頁 71；郭立誠，〈談私塾〉，《民俗頡趣》（臺北：出版家文化事業公司，1978 年 4 月，2 版），頁 179。

[126] 韓世嘉，〈民國早期漢陽私塾剪影〉，《武漢文史資料》，2003 年 5 期，頁 45。

[127] 王興貴、趙雨田，〈「當代軍中花木蘭」——全國特等女戰鬥英雄郭俊卿〉，《黨史文匯》，1998 年 12 期，頁 10。

[128] 全寶山，〈愛留人間——緬懷恩師王靈昭先生〉，《內蒙古教育》，2000 年 11 期，頁 5。

史學者張存武，曾自云幼時讀過《莊稼雜字》一書；[129]與張氏時代相當，但祖籍河南淮陽的另一歷史學者王爾敏，出生小地主之中等家庭，發蒙時亦以《四言雜字》為教材。[130]此外，出生四〇年代，小學五年級即登臺表演曲藝藝術的何祚歡，家居湖北武漢城區，發蒙課本除《三字經》、《百家姓》，亦有《六言雜字》一書。[131]

從上述使用者實例可知，民國以後的雜字書既為文化界人士後代所用，亦通行農家子弟，既有小地主的中等家庭採行，亦為逃荒戶的成員閱讀。而觀察當時教育界或學術圈對此類識字教材的看法，態度頗不一致；如撰寫《中國教育史》一書之作者陳東原，於民國 25 年（1936）首版刊行此書時曾在書中提及「今之坊間尚流行雜字小書」，然陳氏對此種「小書」的評價是「率淺學任意為之，不足引論」；[132]十年後，另一關注教育史的學者王鳳喈，亦撰《中國教育史》一書，書中亦提及雜字書，惟內容是「今日民間流行之雜字諸書，雖係淺學者所為，然多採取生活必須應用之字，甚切於平民實用，係民間教育之重要教本，以其可輔助記帳也」。[133]兩則史料，短短數語，道出民國以後雜字書的通俗實用特性及因之而產

---

[129] 張存武，〈莊稼雜字箋釋（一）〉，頁 32。

[130] 王爾敏，〈《莊農雜字》所反映的農民生業生活實況〉，頁 98。

[131] 何祚歡，〈我叫『活著歡』（一）〉，《武漢文史資料》，2004 年 3 期，頁 29。

[132] 陳東原，《中國教育史》（臺北：臺灣商務印書館股份有限公司，1980 年 12 月，臺 4 版），頁 312。

[133] 王鳳喈，《中國教育史》，頁 164；此書首版時間為民國 35 年（1946）3 月。

生的兩極化觀感。

第三節　刊本雜字書的印行

明清以來雜字書的廣泛為各階層使用，普遍流通各地區，透過前述各版雜字書的書名、圖示、序文、編纂者、藏書狀況及官府、民間運用者的若干事例已可略窺一二，然欲對此類書籍的流通情形有更清楚的了解，則勢須將雜字書之出版、銷售實況加以說明才是。

首先就出版而言，目前所能掌握到的現存雜字書文本共有明版21種、清版33種及民國版28種；（參見附錄一）其中，除若干手抄本外，絕大多數屬刻本，此或因刻本較抄本易保存及流傳所致，[134]惟亦有原屬抄本，後才付梓刊印方便流通使用者，如蒲松齡（1640-1715）的《日用俗字》係據當時的《庄農雜字》修改、擴充而來，書成於清康熙 43 年（1704），蒲氏六十五歲之時，初僅有抄本，乾

---

[134] 除本書附錄一所示抄本雜字書外，筆者據它人研究成果中可知另有一些抄本雜字書的流傳，如大陸學者朱紅、王振忠透過徽州地方文書資料研究當地民情風俗及文化時，曾提及《六言雜字》、《公理雜字》、《便用雜字》、《啟蒙雜字》《通用雜字》、《備用六言雜字》等抄本雜字書，惟因筆者未親見文本，難以運用說明。相關資料參見：朱紅，〈一份清代道光年間的徽州奩譜〉，頁 31；王振忠，〈清代徽州民間的災害、信仰及相關習俗——以婺源縣浙源鄉孝悌里凰騰村文書《應酬便覽》為中心〉，頁 116-117；王振忠，〈收集、整理和研究徽州文書的幾點思考〉，頁 16；王振忠，〈清代一個徽州小農家庭的生活狀況——對《天字號鬮書》的考察〉，《上海師範大學學報（哲學社會科學版）》，35 卷 1 期（2006 年 1 月），頁 101-102。

隆 12 年（1747），蒲氏之孫蒲立德始付梓刊印。[135]

雜字書各版書面大小不一，最小者為明版《新刻訂補直音雜字世事通考》，長寬 12.8×10.5cm.，最大者為清版《新鐫卓吾先生通考指掌雜字》，長寬 27×16.5cm.，其餘各版書面長寬約在 25×15cm.間。大致而言，此類書籍書面均不太大，易於放置家中或隨身攜帶，使用極為便利；值得注意的是，民國以後上海一地印行的雜字書，無論出版的書局為何，其書面大小似均相同，顯示雜字書的生產有規格化傾向。

據現存文本上的出版訊息可知：明版雜字書主要由福建建陽刻印，尤其是幾個知名書坊如余氏、熊氏、詹氏及王氏負責，另浙江杭州的徐氏與安徽屯溪亦有出版；到清版雜字書的刻印則已由福建建陽擴至廣東的廣州、江蘇的南京與揚州、湖南的邵陽、山西的平遙，以及北京、奉天等地；至於民國以後版本雜字書則以上海一地為出版大宗，惟四川的重慶與保寧、廣東的廣州與香港、河北的天津、江蘇的南京，亦均有刻印版本發行。此外，另有不見文本然於方志或其它資料中明載者，如明清及民國時山西刻印的《校正方言應用雜字》、[136]清末與民初時廣西刻的《改良繪圖幼學雜字》，[137]

---

[135] 蒲松齡的《日用俗字》一書也被稱為《七言雜文》，而成書年代有說是清康熙 42 年（1703）；相關史料參見：劉心健等，〈蒲松齡佚著《七言雜文》手抄本〉，《文物》，1983 年 8 期（1983 年 8 月），頁 89-90；蒲澤，〈關于蒲松齡《日用俗字》手抄本補正二則〉，《文物》，1983 年 10 月，頁 23；蒲松齡，《蒲松齡集》（北京：中華書局，1962 年 8 月），頁 1788。

[136] 此雜字書有明永樂版、清乾隆 17 年（1752）及 38 年（1773）文光堂版、道光 14 年（1834）成錦堂版及民國初年版；相關史料參見：潘家懿，〈從《方言應用雜字》看乾隆時代的晉中方言〉，頁 88；林亦，〈南北方言中的

以及民國時期福建仙遊縣刻的《各舖貨物雜字文》、[138]江西廣豐縣刻的《五言雜字》、[139]河北吳橋縣刻的《四言雜字》、[140]山東泰安縣刻的《俚言雜字》等。[141]

值得注意的是，明版雜字書主要在福建建陽刻印，尤其是幾個知名書坊如余氏、熊氏、詹氏、王氏負責，而此數個書坊在當時亦以刊行《萬寶全書》系列民間日用類書著稱，[142]又前已提及，雜字書發展至明代時往往將識字認詞內容與生活知識內容同書刊載，使成兼具教科書及工具書雙重功能者為多，究其原因，或與此時雜字書及《萬寶全書》系列民間日用類書兩者均於相同書坊內刻印，故書坊將民間日用類書的生活知識內容部分刊載於雜字書中實屬便利之事，因而促成在宋元時原本屬識字認詞功能及教科書性質的雜字書，到明代擴展至可供檢索生活知識的工具書型雜字書之出現；惟此時的刻書觀念是普遍將生活知識內容刊載於雜字書內，使雜字書

"豚"〉，頁 74；王臨惠，《汾河流域方言的語音特點及其流變》，頁 65。又筆者自國家圖書館全國書籍目錄網頁中檢索出民國 28 年（1939）由張國播校正，山西平遙四義永書莊刊印的《較正方言應用雜字》一書，惟僅見書目不見原書；而資料顯示張國播乃清代山西定陽的增廣生員。

[137] 《廣西通志·出版志》（南寧：廣西人民出版社，1999 年 6 月），頁 24、42。

[138] 《各舖貨物雜字文》（福建仙遊宏順書紙莊石印本），見郭立誠，〈傳統童蒙教材〉，頁 44。

[139] 《（江西）廣豐縣志》（內部發行，1988 年 6 月），頁 316。

[140] 《河北省志·出版志》，頁 291、431。

[141] 《（山東）泰安市志》（濟南：齊魯書社，1996 年 12 月），頁 544；《（山東）肥城縣志》（濟南：齊魯書社，1992 年 4 月），頁 634。

[142] 吳蕙芳，《萬寶全書：明清時期的民間生活實錄》，頁 90-91。

兼具識字認詞的教科書及檢索生活知識的工具書雙重性質與功能，而非將識字認詞內容刻印於民間日用類書中，令民間日用類書功能往下連結至可供初學者識字認詞用；事實上，明代《萬寶全書》系列民間日用類書中若載有雜字書內容實屬特例，[143]亦即，明代的民間日用類書仍被定位為屬成人或具基礎識字能力者檢索生活知識用的家庭生活百科全書性質，而兼具教科書與工具書性質的雜字書雖部分刊載生活知識內容，卻仍保留大量識字認詞部分，強調書籍是可供童蒙或初學者從識字認詞開始學習，最終達檢索部分生活知識內容以供日用之能力培養。

又清版雜字書已出現相同內容卻由不同書坊出版之情況，如徐三省輯、黃惟質或戴啟達增訂的《萬寶元龍雜字》（又名《新刻增訂釋義經書便用通考雜字》、《增補元龍通考雜字》）一書即分別在揚州、南京等地刻印，而南京還有三槐堂、丹山堂、李光明庄等不同書坊發行；而民國版的《繪圖六言雜字》一書在上海分由天寶書局、普通書局及廣益書局印行，《繪圖幼學雜字》在上海亦有大一統書局及天寶書局刊印，《繪圖四言雜字》則為上海天寶書局及廣益書局出版；可見此時的雜字書出版似無涉版權問題，只要書籍暢銷，有利可圖，則任何書局均可印行。

大致而言，上述各式刻本雜字書多為書坊自行編纂並印行，故往往不見編者大名於書上，然亦有部分雜字書是編纂與印行彼此分工者，此主要見於明版雜字書及兼具教科書或工具書型雜字書，且

[143] 就筆者經眼數十種明版《萬寶全書》系列的民間日用類書僅萬曆 24 年刊本的《萬書萃寶》中有〈雜字門〉一項；參見《萬書萃寶》，卷 7〈雜字門〉。

數量不多，僅明版 6 種、清版 10 種，民國版則不見。至於編纂者身份，除前節提及明代的陶選、楊暉、陳士元、楊慎及清代的翟灝外，其餘可查證背景者甚為有限，僅知編有《莆曾太史彙纂鰲頭琢玉雜字》的曾楚卿是明萬曆進士，曾任禮部尚書；[144]編有《日用俗字》的蒲松齡是明末清初俗文學家；編有《一年使用雜字文》的林寶樹（1673-1734）與編有《莊農日用雜字》的馬益著（1722-1807）均為清代科舉、仕宦之途不順之市井文人。[145]由於清代後期及民國以後的雜字書性質偏向教科書型雜字書，而此類型雜字書實過於通俗及大眾化，致編纂成書多屬無聲名之市井文人，故其身世背景較難得知。

其次就銷售而論，由於資料限制，相關情形多呈現清末民初狀況；大致而言，此時雜字書的行銷管道有流動書販叫賣與定點商號銷售兩種，前者如河南孟津於 1930 年以前，縣內並無經營書刊業務的書店，但有不少背籃挑箱走私塾、串學館賣書的書販（又稱書館），兜售《三字經》、《百家姓》、《必須雜字》、皇家曆和民間故事說唱小冊子等。[146]而四川重慶的郊外，直到抗戰時期仍可見背竹架掛賣書籍者，這些書籍百分之八十是木刻小唱本，另外則是「三、百、千」、《六言雜字》、《玉匣記》、《增廣賢文》、四

---

[144] 張清河，〈徐霞客同黃道周及其它巨卿名流〉，《貴陽師專學報（社會科學版）》，1997 年 4 期，頁 18。

[145] 《（福建）武平縣志》，頁 592；譚景玉，〈《莊稼雜字》作者考辨——兼述馬益著生平及著作〉；相關說明另可參見本書第三章，頁 161-163。

[146] 《（河南）孟津縣志》（河南人民出版社，1991 年 12 月），頁 538。

書等。[147]

後者可因規模大小分為書攤、書鋪或書店、書局；其中，書攤模式如湖北應城縣於清末只有少量書攤散布城鄉，銷售四書五經、雜字、善書、唱本及傳奇俠義小說等書籍。[148]河南社旗縣於清末（1840-1911）只有幾個書攤販售「三、百、千」及《油鹽雜字》、四書五經等書；[149]民國初年的河南臨穎縣，有宗姓人家設書攤於縣城內拐角，30 年代時出售《三字經》、《百家姓》及雜字本等書。[150]吉林白城地區於東北淪陷前，境內只有幾處個體書攤販賣雜志（字）、古典小說、畫冊等書物。[151]

至於規模較大的書鋪、書店及書局往往非專營而是兼售書籍，此最普遍是在販售筆墨、紙張等文具店中兼售雜字書，如中共建政以前的廣西全省圖書發行係由城鄉私營書店經營和文具商戶兼營，而在廢科舉以前的邕寧縣舊縣治南寧有富文樓、文海樓、三管、華強、三友、商務印書館等私營書店，經營書籍多以木刻、石印版的四書五經等古籍為主，兼營《四言雜字》、《三字經》、《故事瓊

---

[147] 張恨水，〈趕場的文章〉，收入《上下古今談》（太原：北岳文藝出版社，1993 年 1 月），頁 395。

[148] 《（湖北）應城縣志》，（北京：中國城市出版社，1992 年 12 月），頁 819。

[149] 《（河南）社旗縣志》（鄭州：中州古籍出版社，1997 年 1 月），頁 402。

[150] 《（河南）臨穎縣志》（鄭州：中州古籍出版社，1996 年 10 月），頁 553-554。

[151] 《（吉林）白城地區志》（長春：吉林文史出版社，1992 年 8 月），頁 977。

林》、《增廣賢文》等啟蒙課本；[152]民國時期的安徽舒城縣，在縣城關、桃溪、海河、曉天、張母橋、干漢河等較大集鎮均有私營書店，兼營筆墨紙硯，經營書類有私塾用教科書如「三、百、千」、《四言雜字》、《七言雜字》等；[153]湖南鳳凰縣於民國時書鋪（店）相繼出現，這些書鋪（店）的共同點是出售文具紙張、石印印刷為主，兼營圖書發行，民國初期銷售的書籍有《幼學瓊林》、《三字經》、《包舉雜字》、《增廣賢文》、《龍文鞭影》，以及四書五經、書法字帖等；[154]湖南長沙縣於 1933 年縣內有棃梨文光堂、德茂祥、索和記、鄧玉豐、金井振雅、美東、脫甲橋鴻文、撈刀河美明、崩壩同太、春華山同昌、麻林橋鴻湘等數家書紙印刷店，發行和出售「三、百、千」、雜字、《增廣賢文》、《幼學瓊林》等童蒙讀物和小唱本；[155]河南南召縣於 1924 年有鄒漢臣在城路北開設圖書文具店，發行《三字經》、《百家姓》、雜字和春聯等；[156]山東商河縣於 1920 年在舊城東門附近有一家私人書鋪，名為三民文具店，售文具為主，兼售書籍，多為小學啟蒙教材，如「三、百、千、千（家詩）」、《庄稼雜字》之類者。[157]

也有在裱畫、刻字店裡販雜字書者，如湖北黃崗縣在清末民國

---

[152] 《（廣西）邕寧縣志》（北京：中國城市出版社，1995 年 12 月），頁 694。

[153] 《（安徽）舒城縣志》（合肥：黃山書社，1995 年 5 月），頁 469。

[154] 《（湖南）鳳凰縣志》（長沙：湖南人民出版社，1988 年 12 月），頁 278。

[155] 《（湖南）長沙縣志》（北京：生活·讀書·新知三聯書店，1995 年 10 月），頁 623。

[156] 《（河南）南召縣志》（鄭州：中州古籍出版社，1995 年 9 月），頁 926。

[157] 《（山東）商河縣志》（濟南：濟南出版社，1994 年 8 月），頁 445。

時有若干書店分別經營文具、裱畫、刻字，並兼營「三、百、千」、《五言雜字》、四書及農曆、畫片、唱本等書。[158]更特別的是在中藥店或布疋商號中售雜字書者，如黑龍江木蘭縣於民國時期有和發全、興盛李、永發彤大藥店經銷圖書，多為私塾學生用的「三、百、千」、《庄農雜字》和四書五經等書；[159]福建羅源縣在清末售書以《三字經》、《千字文》、《五言雜字》、《幼學瓊林》等啟蒙讀物為大宗，而經銷者多為經營布疋的商號。[160]

當然，此時也有以售書為主兼營它物的商號，如江西弋陽縣於民國初期縣城始有洪大有一家書店，以發行四書、《幼學》、《民用雜字》等古籍和通俗讀物為主，另兼營文房四寶；[161]吉林通化縣於 1926 年有河北游學者劉廷奎在縣城小學十字街口經營商號義文堂書店，出售唱本、《三字經》、《庄農雜志（字）》等書籍，後兼賣文具、文化用品、雜貨等物；[162]山西平定縣於 1930 年代有山東聊城人鄭德祥和馬長福在學門街合辦九鈺成（久裕成）書齋，經營「三、百、千」、《四言雜字》等書，兼營文具和印刷業務。[163]

也有商號專售啟蒙書籍者，如四川中江縣在民國時有文淵閣書

---

[158] 《（湖北）黃岡縣志》（武昌：武漢大學出版社，1990年11月），頁524。

[159] 《（黑龍江）木蘭縣志》（哈爾濱：黑龍江人民出版社，1989 年 12 月），頁 523。

[160] 《（福建）羅源縣志》（北京：方志出版社，1998年11月），頁839。

[161] 《（江西）弋陽縣志》（南海出版公司，1991年12月），頁502-503。

[162] 《（吉林）通化縣志》（長春：吉林人民出版社，1996年12月），頁732。

[163] 《（山西）平定縣志》（北京：社會科學文獻出版社，1992 年 12 月），頁 555。

店，只經營啟蒙讀本《三字經》、《四言雜字》等書；[164]河南魯山縣在清末民初時私營書店只有一家，主要經營「三、百、千」、雜字與四書五經、古典小說等書籍；[165]山東昌邑縣於 1923 年有青年書社，主要發行小學課本，如「三、百、千」、《唐詩三百首》、《日用雜字》等；[166]惟雜字書在以售書為主及專營書籍者的商號銷售實較在兼營者中販賣來得少見。

書鋪、書店或書局之銷售雜字書或屬自家刻印者，如陝西武功縣於民國初年有羅家、田家兩個書鋪，除經銷四書五經外，還刻印一些啟蒙讀物銷售，如《三字經》、《百家姓》、《弟子規》、《七言雜志（字）》等；[167]河南遂平縣於民初在縣城西街有褚文明木刻《三字經》、《百家姓》、雜字等小冊子銷售；[168]四川珙縣於民國時期有巡場的羅合三、洛表的謝太和，自刻木版印有少量的雜字書和四書出售；[169]甘肅張掖市於清代的個體書店有智盛堂和樹德堂，銷售圖書有四書五經、舊小說，以及書店內用木板印刷的「三、百、千」、《四言雜字》、《七字雜言（七言雜字）》等啟蒙教材；[170]湖南婁底縣於民國時期書店、書局、書社增至 110 家，少數專門售書者以發行《三字經》、《千字文》、《五言雜字》、

---

[164] 《（四川）中江縣志》（成都：四川人民出版社，1994 年 3 月），頁 632。

[165] 《（河南）魯山縣志》（鄭州：中州古籍出版社，1994 年 9 月），頁 735-736。

[166] 《（山東）濰坊市志》（北京：中央文獻出版社，1995 年 1 月），頁 1610。

[167] 《（陝西）武功縣志》（西安：陝西人民出版社，2001 年 3 月），頁 640。

[168] 《（河南）遂平縣志》（鄭州：中州古籍出版社，1994 年 8 月），頁 465。

[169] 《（四川）珙縣志》（成都：四川人民出版社，1995 年 8 月），頁 669。

[170] 《（甘肅）張掖市志》（蘭州：甘肅人民出版社，1995 年 11 月），頁 697。

《增廣賢文》等啟蒙讀物和四書五經等私塾教科書，以及《三國演義》、《西遊記》、《水滸傳》、《封神榜》、《岳飛傳》等古典小說為主。[171]惟難以確認這些雜字書屬該書舖、書店或書局本身編纂之書，抑或翻刻市面上已流通、他人編成之雜字書。

亦有從外地購雜字書至本地銷售者，如河南輝縣於清末由東劉店白振東從安陽、汲縣購進「三、百、千」、《四言雜字》等書及民間流行唱本來輝縣銷售；[172]湖北鄖西縣於 1922 年有縣城人林丕承在南正街立大同石印局兼營圖書，書籍多從武漢、老河口、鄖陽等地購回，類目有古典小說、農村通俗讀物如《三字經》、《百家姓》、各類雜字（如《十言雜字》、《五言雜字》等）及卜卦、算命、測字等小冊子；[173]三〇年代的內蒙古地區，泰康街內的和順祥、裕和祥、和茂發三家私人中藥店經營部分圖書，書從哈爾濱、齊齊哈爾購進，每家年銷量二、三百冊，主要有《三國演義》、《西遊記》等小說，「三、百、千」、《庄農雜志（字）》等識字書以及四書。[174]

更有本地銷售書後甚可外銷它地者，如四川鄰水縣於清末縣城有同文閣與義和祥兩家圖書店板印《啟蒙雜志（字）》和四書五

---

[171] 《（湖南）婁底地區志》（長沙：湖南人民出版社，1997 年 12 月），頁 1351。
[172] 《（河南）輝縣市志》（鄭州：中州古籍出版社，1992 年 9 月），頁 728。
[173] 《（湖北）鄖西縣志》（武漢：武漢測繪科技大學出版社，1995 年 7 月），頁 670。
[174] 《（內蒙古）杜爾伯特蒙古族自治縣志》（哈爾濱：黑龍江人民出版社，1996 年 8 月），頁 625。

經，除在自家門市出售外，還通過書店轉銷縣內各場鎮；[175]河北德林堂書局位於霸縣勝芳鎮，自 1919 年開始營業，初期主要經營圖書和文具，圖書有自己木板印刷的《三字經》、《百家姓》等兒童啟蒙讀物及與農家有關的《五言雜字》、《七言雜字》等書，圖書零售兼批發，日銷書八九千冊，可遠至文安、永清、任丘、大城、靜海等地。[176]

第四節　學校教育中的雜字書

一般而言，明清以來雜字書除部分為官府或上層文人使用外，絕大多數仍通行於庶民大眾，尤其是清末民國以後；而庶民大眾對雜字書的實際採行方式有二，一是透過自我學習，一是經由學校教育。前者可不限時間、地點，只要手握雜字書即可隨時請教識字者逐步學習，如山西地區流行的《俗言雜字》一書，學習方式一般是利用閑暇時找識字之人教讀，每次或一、二行，或三、五行不等，如此日復日、年復年，終可達識字認詞目的；[177]山東蒼山縣無力進學的農家子弟，啟蒙讀物亦學《日用雜字》和應用文、珠算等，以備日後實用。[178]

學校教育模式則主要於私學系統中進行，據筆者對方志資料的

---

[175] 《（四川）鄰水縣志》（成都：四川科學技術出版社，1991 年 10 月），頁 555。

[176] 《河北省志·出版志》，頁 342、433。

[177] 《俗言雜字》，頁 114。

[178] 《（山東）蒼山縣志》（北京：中華書局，1998 年 2 月），頁 563。

觀察可知，明清至民國以後雜字書的使用遍布全國，包括華南的福建、廣東、廣西，西南的四川、雲南、貴州，華中的江蘇、浙江、安徽、江西、湖南、湖北，華北的山東、河北、河南、山西，東北的遼寧、吉林、黑龍江，甚至西北的陝西、甘肅、蒙古、寧夏、新疆等地，總數高達 24 省（地區）共 411 縣（市、村、區、鎮、鄉、州、旗），其中，九成以上應用於私塾教育，而私塾教育中又有六成以上是專門供作蒙館初學者之識字教材；（參見附錄三）如黑龍江慶安縣於清代設有私塾，教材分「啟蒙」與「科考」兩類課本，其中啟蒙者有「三、百、千」和《庄農雜字》（也稱《四言雜字》）等，讀會這些書，大體可識二、三千字，基本可以滿足一般社會交際之用；[179]清末民國時的陝西麟游縣私塾分蒙館與經館，以識字為主的蒙館，入學幼童多在七至十二歲左右，讀的是《三字經》、《百家姓》、《七言雜字》等教材；[180]清末民初甘肅永昌縣的私塾，初入學者先讀「三、百、千」、《五言雜字》等書，以後再讀四書五經；[181]又 1925 年以後的內蒙古地區私塾，對初入塾的蒙學生授以「三、百、千」、《名賢集》、《四言雜字》、《五言雜字》等啟蒙教育讀物，以其文章押韻順口，通俗易懂。[182]

私塾教育中不論專館、散館均可使用雜字書此種識字教材，如

---

[179] 《（黑龍江）慶安縣志》（哈爾濱：黑龍江人民出版社，1995 年 12 月），頁 358。

[180] 《（陝西）麟游縣志》（不明出版社，1990 年 10 月），頁 13。

[181] 《（甘肅）永昌縣志》（蘭州：甘肅人民出版社，1993 年 7 月），頁 676。

[182] 《（內蒙古）杭錦後旗志》（北京：中國城市經濟社會出版社，1989 年 8 月），頁 402。

清末河南新野縣私塾可分為專館、散館，兩者教學內容大致相同，初入學學生以識字為主，一般教材為「三、百、千」與《四言雜字》；[183]河北武清縣不論是塾師自辦的「冬仨月」或一家辦、幾家合辦的「專館」均有以《四言雜字》為教材；[184]而或因採行雜字書為教材者多為數家或一村，乃至相鄰數村聯合辦學之私塾形式，且鄉村按地畝攤銀聘用教師執教，故河北當地有直接稱此類私塾為「雜字校」者。[185]清民國時期吉林農安縣私塾分專塾、散塾兩種，施教目標以識「庄稼字」為主，教材有「三、百、千」、《庄農雜字》等。[186]

也有在義學或義塾中利用雜字書者，如清代江蘇金壇縣義學、義塾兒童入學時，初以識字為主，誦讀「三、百、千」等啟蒙課本，并學寫字和珠算，進而習四書五經，還學雜字、尺牘等；[187]江西安遠縣於清雍正 13 年（1735）在城西大興寺側建五坊義學，招收街坊、修田坊、永安坊、古田坊和濂江坊子弟入學，教學內容為寫字，識讀《家用雜字》，背誦回講「三、百、千」和《孝經》等；[188]

---

[183] 《（河南）新野縣教育志》（鄭州：中州古籍出版社，1991 年 4 月），頁 113。

[184] 《（河北）武清縣志》（天津：天津社會科學院出版社，1991 年 12 月），頁 537。

[185] 《河北省志·教育志》（北京：中華書局，1995 年 6 月），頁 37；《（河北）井陘縣志》（石家庄：河北人民出版社，1986 年 3 月），頁 496；《（河北）涿州教育志》（北京：新華出版社，1992 年 1 月），頁 19。

[186] 《（吉林）農安縣志》（長春：吉林文史出版社，1993 年 2 月），頁 496。

[187] 《（江蘇）金壇縣志》（南京：江蘇人民出版社，1993 年 10 月），頁 611。

[188] 《（江西）安遠縣志》（北京：新華出版社，1993 年 2 月），頁 511。

明清時期河北定興縣義學（又稱義塾）學生主要學習《百家姓》、《千字文》、《雜字》及珠算等，以學會日常用字和計算為主；[189]清代河南濟源市的私塾、義學等開始均讀「三、百、千」、《必須雜字》等；[190]清代山西興縣義學有農家子弟于冬春學習三個月稱冬書房，教學內容係自編的四言、五言、七言各雜字；[191]清民國時期山西鄉寧縣的義學採行教材即有《庄農雜志（字）》；[192]清光緒 28 年（1902）陝西鎮安縣知縣李麟圖主持籌資在縣城辦義學兩處，收貧民子弟，以識字為主，為升學打基礎，教材以實用性書籍為大宗，概括為「三千七百四」，即《三字經》、《千字文》、《七言雜字》、《百家姓》、《四字鑒》；[193]陝西華縣於宣統元年（1909），在上溪灣村有秀才李登高等于西關設義學，由李庄村秀才李煥文主講《三字經》、《百家姓》、《四言雜字》和珠算。[194]

惟義學或義塾中亦見禁用雜字書之例，如江西于都縣嘉慶 21 年（1816）縣令張湄捐 2000 金建義學二所，此義學又稱義塾，一種免費私塾，屬義務性質，經費主要來源於地租，其位置一在磡頭腦孫氏祠左，東北隅學者入此，一在儒學奎星閣，西南隅學者入此，縣令張湄立義學條規曰：「先授以《孝經》、小學，後教以四書、

---

[189] 《（河北）定興縣志》（北京：方志出版社，1997 年 6 月），頁 550。

[190] 《（河南）濟源市志》（河南人民出版社，1993 年 10 月），頁 423。

[191] 《（山西）興縣志》（北京：中國大百科全書出版社，1993 年 10 月），頁 354。

[192] 《（山西）鄉寧縣志》（北京：新華出版社，1992 年 12 月），頁 364。

[193] 《（陝西）鎮安縣志》（西安：陝西人民教育出版社，1995 年 8 月），頁 448。

[194] 《（陝西）華縣志》（西安：陝西人民出版社，1992 年 2 月），頁 532。

五經，其《幼學須知》、《四言雜字》及坊刻庸濫考卷，均不准讀」；[195]然此種情形屬特例，在筆者所見方志資料中僅此一則而已。

同時，社學中亦有採行雜字書者，如明清至民國河南內鄉縣的社學、義學、私塾全係啟蒙教育，開始均讀《三字經》、《百家姓》、《四言雜字》等；[196]清代甘肅和政縣不論社學、義學、義塾或私塾均以《七言雜字》為教材；[197]河南原陽縣於科舉時代各類學校的學生初入學時均讀「三、百、千」、《應事雜字》等啟蒙讀物。[198]

甚至清末以來的改良私塾、私立小學，乃至官方辦的小學堂、民國以後的小學亦均有以雜字書為教科書者，如安徽濉溪縣的改良私塾視學生程度而採行《日用雜字》為教材；[199]湖北陽新縣 1930 年代改良蒙館後，教材雖有變化，仍兼教《三字經》、《雜字》等書；[200]江西浮梁縣於民初農村初小一般只設國文、算術、唱歌三門課，所用教材是國民政府教育部統一編訂的，但也有些學校還用

---

[195] 《（江西）于都縣志》（北京：新華出版社，1991 年 8 月），頁 458；《（江西）貢江鎮志》（內部發行，1995 年 3 月），頁 213。

[196] 《（河南）內鄉縣志》（北京：生活·讀書·新知三聯書店，1994 年 10 月），頁 608。

[197] 《（甘肅）和政縣志》（蘭州：蘭州大學出版社，1993 年 3 月），頁 349。

[198] 《（河南）原陽縣志》（鄭州：中州古籍出版社，1995 年 11 月），頁 503。

[199] 《（安徽）濉溪縣志》（上海：上海社會科學院出版社，1999 年 4 月，2 次印刷），頁 505。

[200] 《（湖北）陽新縣志》（北京：新華出版社，1993 年 8 月），頁 631。

《三字經》、《千字文》、《雜字》作教材；[201]安徽和州私塾於清末起曾多次整飭，光緒 32 年（1906）改良私塾令頒布章程，要求私塾課程革新，但和州私塾並未按章程辦事，仍以《三字經》、《百家姓》、《四言雜字》、《女兒經》、《增廣賢文》、《孝經》、《幼學瓊林》及四書五經等為教學內容；[202]山西鄉寧縣的清末私立小學課程沿襲私塾課程，採普遍行於農村應酬用的四言、五言雜字教材。[203]寧夏省涇源縣於光緒 32 年（1906）改義學為小學堂，同時將縣城東關清真寺改為初等小學堂，并建崇義、官庄、白面三所初等小學堂，教材之一即為《五言雜字》。[204]雖然民國以後有要求改良私塾取消以往的舊教材，如遼寧灤平縣於民國 10 年（1921）從國語講習所培育數十名新師資到各區開辦私塾，取消以往讀的「三、百、千」、《名賢集》、《名言雜字》等舊教材，然民國時期的灤平私塾仍以「三、百、千」及《庄農雜志（字）》為學習教材。[205]

幼學教育外，雜字書也進入成人教育及社會教育體系中被使用，且不限常年學校，冬學也有利用此類教材者，如 1930 年代山東泰安一帶村鎮展開農民教育，學習《百家姓》、《日常雜字》等教材；[206]清末山東高唐縣農村創辦簡易學塾，屬成年者識字用的農

---

[201] 《（江西）浮梁縣志》（北京：方志出版社，1999 年 1 月），頁 668。

[202] 《（安徽）和縣志》（合肥：黃山書社，1996 年 12 月），頁 532。

[203] 《（山西）鄉寧縣志》，頁 374。

[204] 《（寧夏）涇源縣志》（銀川：寧夏人民出版社，1997 年 4 月），頁 294。

[205] 《（遼寧）灤平縣志》（瀋陽：遼海出版社，1997 年 11 月），頁 787、813。

[206] 《（山東）泰安市志》，頁 525。

民教育，採行之教材為《三字經》、《百家姓》、《山西雜字》等；[207]民初河北武邑縣為發展農民教育辦起冬學，由青年農民請私塾老師教《農用雜字》或《百家姓》、珠算，以求識寫姓名和記帳；[208]河南杞縣社會教育始於清末，光緒 34 年（1908）先在縣城天帝廟立簡易識字學堂，繼又在城關鐵瓦寺另辦一所，應用課本為「三、百、千」及各種實用雜志（字）；[209]清末河南南樂縣有民眾識字教育，於冬閑季節辦起一些義務性質的學塾，多以《山西雜字》等為教材；[210]河南開封市清末有為成人而設的平民教育，選用教材實借用塾館的《三字經》、《百家姓》、《日用雜字》等；[211]河南許昌縣於 1927 年在城內各初級小學內附設平民學校，以《三字經》、《千字文》、《日用雜字》為教材，推行識字教育；[212]河南清豐縣於 1937 年七七事變前即有農民業餘教育（冬學），教學內容多為識字、打算盤，課本有《千字文》、《山西雜字》等；[213]遼寧撫順縣晚清以前農村私塾多季節性，即農忙勞動，農閑學習，亦稱冬塾，主要學習識字，以《庄農雜字》為教材；[214]陝西米脂縣自明清至民國年間於較大村莊辦有冬塾，年輕農民利用冬閑時間上冬學，入學農民以識字為主，有時也學珠算、記帳，採用《日用雜

---

[207] 《（山東）高唐縣志》（濟南：齊魯書社，1996 年 8 月），頁 427。
[208] 《（河北）武邑縣志》（北京：方志出版社，1998 年 1 月），頁 655。
[209] 《（河南）杞縣志》（鄭州：中州古籍出版社，1998 年 10 月），頁 695。
[210] 《（河南）南樂縣教育志》（合肥：黃山書社，1998 年 5 月），頁 130。
[211] 《（河南）開封市志》（北京：燕山出版社，1999 年 10 月），頁 131。
[212] 《（河南）許昌縣志》（天津：南開大學出版社，1993 年 5 月），頁 649。
[213] 《（河南）清豐縣志》（山東大學出版社，1990 年 12 月），頁 336。
[214] 《（遼寧）撫順縣志》（瀋陽：遼寧人民出版社，1995 年 12 月），頁 707。

字》為教材；[215]陝西府谷縣舊時的季節性私塾，即利用農閑時節辦的私塾（冬書房、冬學）亦讀雜字。[216]大致而言，雜字書進入成人教育或社會教育中被使用，在山東、河南等北方地區較南方地帶來得普遍。

日校採行外，夜校也可用，如民初的廣東揭西縣，許多農村青少年通過夜校或鄉村先生幫助，學習農村生活常用雜字及珠算等，當時流行的鄉土識字教材為《四言雜字》、《七言雜字》，經此學習而成為能寫會算的農民；[217]而江西德安縣夜書是赤貧人家子女讀的，可配合白天勞動、晚上讀書的時間安排，夜書課程有《百家姓》、《四言雜字》、《教兒經》、《增廣賢文》及珠算等，讀夜書主要是解決生活上識字和記帳的需要；[218]清末民初時的湖南桃江縣，有以夜間教授成人或青年讀書的鄉村私塾教師，課本主要是《捷徑雜字》、《增廣賢文》，也有教《千家詩》、《古文觀止》、《幼學》之類者，此種夜學可使成人學會一些基本農活的用字和社會交往中較高雅的口頭語言，使受教人達到會記帳、會講話之目的；[219] 1908 年冬，山東高密縣康家莊創辦農民夜校，1912 年以後全縣普及，教學以識字為主，學《三字經》、《百家姓》、《日用雜字》等。[220]

---

[215]　《（陝西）米脂縣志》（西安：陝西人民出版社，1993 年 3 月），頁 523。
[216]　《（陝西）府谷縣志》（西安：陝西人民出版社，1994 年 3 月），頁 591。
[217]　《（廣東）揭西縣志》（韶關：廣東人民出版社，1994 年 3 月），頁 512。
[218]　《（江西）德安縣志》（上海：上海古籍出版社，1991 年 5 月），頁 304。
[219]　《（湖南）桃江縣志》（北京：中國社會出版社，1993 年 5 月），頁 388。
[220]　《（山東）高密縣志》（濟南：山東人民出版社，1990 年 10 月），頁 485。

雜字書在上述各式學校教育形式中被採用，除往往與傳統識字教材「三、百、千」同時學習、並列使用外，也有因配合不同目的之需要或與家長商量而成為輔助、選讀、兼教或加教、後續、增學之教材，如清代廣東茂名市私塾教學啟蒙課，初學「三、百、千」、《幼學詩》等，接著學雜字、信札、帖式等生活禮事知識；[221]清末至民國期間，雲南潞西縣漢族聚居地區一般四、五十戶的村寨均設有私塾，學生大致按「三、百、千」、四書五經等順序學讀，有的還選讀《幼學瓊林》、尺牘、珠算、甲子（雜字）、相術等，因課本難買，通常是學生帶什麼，老師就教什麼書；[222]清末民初四川銅梁縣私塾先學《三字經》、《百家姓》，繼而習四書五經，然亦可選讀《女兒經》、《孝經》、《隨身寶》、《千字文》、《大全雜志（字）》、《增廣》、《幼學瓊林》、《古文觀止》等教材；[223]江蘇揚州廣陵區私塾教材一般從「三、百、千、千」，進而教四書，再輔以雜字、尺牘，並習珠算；[224]浙江永嘉縣蒙館教材中一般教材為「三、百、千、千」、《神童詩》、《幼學瓊林》等，有的則會增設雜字、尺牘；[225]清末民國時的山東莒城私塾，學生必

---

[221] 《（廣東）茂名市志》（北京：生活·讀書·新知三聯書店，1997 年 10 月），頁 1348。

[222] 《（雲南）潞西縣志》（昆明：雲南教育出版社，1993 年 9 月），頁 326。

[223] 《（四川）銅梁縣志》（重慶：重慶大學出版社，1991 年 5 月），頁 618。

[224] 《（江蘇）廣陵區志》（北京：中華書局，1993 年 10 月），頁 631。

[225] 《（浙江）永嘉縣志》（北京：方志出版社，2003 年 9 月），頁 1023；又據出生浙江的唐黎標言，雜字、尺牘實乃私塾為滿足童蒙擇業需要而選設的教材，參見唐黎標，〈老來能不憶私塾〉，《文史雜誌》，2006 年 1 期，頁 69。

讀教材是「三、百、千」，而《日用雜字》、《幼學瓊林》、《朱子治家格言》、《千家詩》、《古文觀止》等屬選讀教材；[226]清末山東平邑縣私塾教學多以識字和日常應用為目的，增設有《庄農雜字》、《日用雜字》及珠算、尺牘等教材；[227]山東淄博市淄川區於明清時期私塾的學習內容是將《弟子規》、《千字文》、《千家詩》、《日用雜字》作為選讀的教材；[228]清民國時期山東平度私塾的教材一般是《三字經》、《百家姓》及四書五經，有的則附加《千字文》、《日用雜字》、《幼學瓊林》、《千家詩》、《古文觀止》等不一；[229]河北涿州於清末民初私塾中教學可自行選讀三至六言雜字之教材；[230]清代吉林扶餘縣私塾初學者先讀「三、百、千」，再讀《名賢集》、《庄農雜字》等，並加學珠算；[231]內蒙古赤峰市於清及民國私塾中的啟蒙教材有「三、百、千」，另有選讀的《弟子規》、《名賢集》、《幼學瓊林》、《雜字》等。[232]

或特別強調雜字書是為平民或貧民子弟、農家後代、粗通文墨不走仕宦之途，以及朝經商學徒方向發展者所用，如清末以來福建福州私塾所收勞動家庭學生，但求能識粗字，多選讀《五言什

[226] 《（山東）莒縣志》（北京：中華書局，1999年10月），頁886。
[227] 《（山東）平邑縣志》（濟南：齊魯書社，1997年1月），頁533。
[228] 《（山東）淄川區志》（濟南：齊魯書社，1990年1月），頁799。
[229] 《（山東）平度縣志》（內部印刷，1987年6月），頁509。
[230] 《（河北）涿州教育志》，頁36。
[231] 《（吉林）扶餘縣志》（長春：吉林人民出版社，1993年6月），頁635。
[232] 《（內蒙古）赤峰市志》（呼和浩特：內蒙古人民出版社，1996年12月），頁2595。

（雜）字》、《算盤歌》等實用教材；㉝福建涵江鎮於民國二〇、三〇年代私塾最盛，由於屬商業區，有商人家長只要求子弟識得幾個「草紙字」（常用字）就行，等年齡稍大時當學徒或經商去，故私塾教材除四書及習字、作文外，還學習《五言雜字》及學習珠算；㉞清末民國時四川江津縣農民送子入塾，希望讀點「庄稼書」，私塾常選農民喜愛的《大眾雜志（字）》、《隨身寶》教讀；㉟江蘇泰興縣有私塾主要教「三、百、千」及《四言雜字》，居多學生粗通字詞即告休學；(236)民國初年的湖南婁底市貧苦人家無力送子弟遠道往校讀書，讓子弟就近讀私塾，而一般家長囿於傳統讀書觀念，只要求子弟接受啟蒙教育，讀了「三、百、千」及雜字後，略識文字，能記帳算術即了事；(237)湖北黃石市私塾蒙館還教農民所需要的《增廣賢文》、《魯上譚雜字》、《尺牘》、《千字文》等；(238)江西萬安縣私塾課程，初入學者以「三、百、千」及四書為主要教材，年齡稍大，或讀完上述教材後，預備加入士族階層者，則加讀五經、《千家詩》，不預備加入者，則加讀《幼學》及各種實用雜字；(239)舊時山東德州地區私塾為適應農村的需要，塾師

---

(233) 薩伯森，〈福州清末以來書塾小史〉，收入《福建文史資料》，16 輯（1987 年 8 月），頁 177。

(234) 《（福建）涵江區志》（北京：方志出版社，1997 年 8 月），頁 576。

(235) 《（四川）江津縣志》（成都：四川科學技術出版社，1995 年 6 月），頁 642。

(236) 《（江蘇）泰興縣志》（南京：江蘇人民出版社，1993 年 3 月），頁 744。

(237) 《（湖南）婁底市志》（北京：中國社會出版社，1997 年 7 月），頁 574。

(238) 《（湖北）黃石市教育志》（不明出版社，1990 年 2 月），頁 4。

(239) 《（江西）萬安縣志》（合肥：黃山書社，1996 年 2 月），頁 682。

教學生珠算、雜字及應用文等；[240]河北行唐、涿州一般農民家庭出身的學生，只是或多讀些四、五、六言雜字，且僅讀兩、三年，認識一些常用字，會珠算，能記豆腐帳，即退學為農；[241]河北束鹿縣私塾多為具農村辦學特點的村館，參加學習的主要是平民子弟，教材主要有「三、百、千」、《農用七言雜字》等，并學習打珠算，教記帳或寫契約、書信等日常應用知識；[242]河南商城縣於明清至民國時期一般貧戶子弟入私塾僅求粗通文字，讀完雜字文等書即輟學謀生；[243]河南宜陽及柘城縣私塾凡不準備參加科舉者，加讀《幼學瓊林》及各種實用雜字；[244]陝西西安市一般農、商、手工業者子弟讀完《三字經》、《百家姓》或《弟子規》後，主要讀些雜字書和格言成語匯編如《昔時賢文》之類以應日用；[245]甘肅省及蘭州市於明清時期的私塾教學內容，對準備謀職業者要求讀雜字書（日常運用的雜字）；[246]內蒙古地區清末設有私塾與書院，學生剛入學時讀

---

[240] 《（山東）德州地區志》（濟南：齊魯書社，1992年12月），頁672。

[241] 《（河北）行唐縣志》（北京：中國對外翻譯出版公司，1998年8月），頁555；《（河北）涿州志》（北京：方志出版社，1996年5月），頁584；《涿州教育志》，頁19。

[242] 《（河北）辛集市志》（北京：中國書籍出版社，1996年9月），頁679。

[243] 《（河南）商城縣志》（鄭州：中州古籍出版社，1991年3月），頁299。

[244] 《（河南）宜陽縣志》（北京：生活·讀書·新知三聯書店，1996年8月），頁520；《（河南）柘城縣志》（鄭州：中州古籍出版社，1991年4月），頁372。

[245] 《（陝西）西安市教育志》（西安：陝西人民出版社，1995年9月），頁38-39。

[246] 《（甘肅）蘭州市志·教育志》（蘭州：蘭州大學出版社，1997年12月），頁62；《甘肅省志·教育志》（蘭州：甘肅人民出版社，1991年6

《百家姓》、《三字經》，接著讀四書五經等書，而不準備深造的農村學生另要學《雜字》教材。[247]

甚至雜字書是專為女生所用之識字認詞教科書，如清末民國年間黔北私塾教材中的識字課本有「三、百、千」、《增廣賢文》等書，是傳統的基礎教材，而私塾女生還要加讀《女兒經》、《四言雜字》教材。[248]

又此類教材主要是供學習者辨識、記憶或認讀字詞之外形、發音，而不講解內容；如清末民初湖南桃江縣的蒙館以啟蒙之名，專收七至八歲童蒙，教授「三、百、千」、《女兒經》、《幼學》、《包舉雜字》等簡易課本，都以識字為主，一般是讀「白眼書」，即跟隨塾師唱讀課文，不求解釋；[249]晚清時期湖北蒲圻市私塾蒙館初學教以「三、百、千」、《龍文鞭影》、《女兒經》、《幼學瓊林》、《增廣賢文》及四、五、七言雜字等通俗讀物，一般只讀不講；[249]江西萬載縣私塾盛行於明清時，教材以「三、百、千」、《增廣賢文》、《松軒雜字》、《幼學瓊林》為主，教學不講解，以點讀背誦為常規；[251]江西瑞昌縣清以後私塾增多，兒童蒙學教材多係《三字經》、《千字文》、《賢文》、《四言雜字》等一類傳

月），頁 134。

[247] 《（內蒙古）喀喇沁左翼蒙古族自治縣志》（瀋陽：遼寧人民出版社，1998 年 7 月），頁 587。

[248] 《（貴州）遵義地區教育志》（貴陽：貴州人民出版社，1993 年 3 月），頁 74。

[249] 《（湖南）桃江縣志》，頁 376。

[249] 《（湖北）蒲圻志》（深圳：海天出版社，1995 年 7 月），頁 511。

[251] 《（江西）萬載縣志》（南昌：江西人民出版社，1988 年 10 月），頁 463。

統讀物，塾師只教識字，并不講解，但要求學生把書讀得滾瓜爛熟，能整本背誦；[252]明清時期安徽太湖縣的私塾蒙館以識字為主，塾師只帶讀不開講，採用的教材有「三、百、千」、雜字、《增廣賢文》、《幼學故事瓊林》等；[253]河南義馬村私塾教育，初入學者讀「三、百、千」、《必習雜字》等書，老師只教讀書識字，並不講解；[254]清末民初河南正陽縣私塾主要課程為「三、百、千」、《四言雜字》等，先生多教學生唸書識字，一般不講解課文內容；[255]清代山西大寧縣私塾學習「三、百、千」、《四言雜志（字）》等教材，目的重在識字，教師並不講解；[256]民國時期黑龍江北安縣私塾啟蒙用書是從「三、百、千」、《庄農雜字》、《名賢集》等開始，只求背熟而不講解；[257]明至清代陝西靖邊縣私塾教育分啟蒙與開講兩階段，啟蒙期學讀各種雜字、格言及《三字經》、《百家姓》一類的韻文書。[258]

且雜字書教讀時往往用方言鄉音，如福建建寧縣私塾教學之教材，初學有「三、百、千」、《五言雜字》、《六言雜字》、《七言雜字》、《上簿雜字》、《千家詩》、《昔時賢文》等，塾師用

---

[252] 《（江西）瑞昌縣志》（北京：新華出版社，1990年3月），頁397。
[253] 《（安徽）太湖縣志》（合肥：黃山書社，1995年3月），頁560。
[254] 《（河南）義馬村志》（鄭州：中州古籍出版社，1993年12月），頁195。
[255] 《（河南）正陽縣志》（北京：方志出版社，1996年10月），頁448。
[256] 《（山西）大寧縣志》（北京：海潮出版社，1990年11月），頁372。
[257] 《（黑龍江）北安縣志》（北安：北安報社，1993年），頁598。
[258] 《（陝西）靖邊縣志》（西安：陝西人民出版社，1993年7月），頁351-352。

當地方言帶讀課文，帶讀若干遍後，學生自己讀、背誦；[259]福建華安縣舊時私塾教讀多用方言，教北方官話的塾師極少，教材開始讀《三字經》、《百家姓》，進而讀四書、《四言雜字》、《千字文》、《增廣賢文》、《幼學瓊林》，再讀《詩經》、《古文觀止》、《左傳》等。[260]

此外，也有要求對雜字書內容除識讀外，亦能書寫或將雜字書供作書法習字用者，如清末民國間安徽霍山縣蒙館教授「三、百、千」、《小童蒙》、《四言雜字》、《龍文鞭影》等教材，要求會讀會寫；[261]湖北黃石市私塾書法課是將白紙蒙上《百家姓》、《魯上譚雜字》等字描寫；[262]湖南望城縣於清代蒙館中教授「三、百、千」、《增廣賢文》、《幼學瓊林》及各類雜字，以識字為主兼習字；[263]湖南醴陵市於明清民國時的蒙館，主要教授「三、百、千」、《幼學瓊林》、雜字等，以單個口授、讀書、背誦、習字為主要教學程序；[264]清末湖南邵東縣蒙館以識字、寫字為主，教材有「三、百、千」、《包舉雜字》、《增廣賢文》、《幼學瓊林》等；[265]清末民初河南欒川縣私塾讀「三、百、千」、《四言雜字》

---

[259] 《（福建）建寧縣志》（北京：新華出版社，1995年4月），頁500。

[260] 《（福建）華安縣志》（廈門：廈門大學出版社，1996年4月），頁556-557。

[261] 《（安徽）霍山縣志》（合肥：黃山書社，1993年9月），頁652。

[262] 《（湖北）黃石市教育志》，頁5。

[263] 《（湖南）望城縣志》（北京：生活·讀書·新知三聯書店，1995年7月），頁582。

[264] 《（湖南）醴陵市志》（長沙：湖南出版社，1995年2月），頁694。

[265] 《（湖南）邵東縣志》（北京：中國城市出版社，1993年10月），頁429。

等，一般不開講，讀書兼習字；[266]清民國時的遼寧大安縣私塾，先讀「三、百、千」、《庄農雜字》、《增廣賢文》等韻文，以識字寫字為主，農家塾生為識「庄稼字」，初學階段完成，通常就輟學了；[267]清代黑龍江同江縣私塾設置課程有「三、百、千」、《名賢集》、《四言雜字》及四書五經等，教學方法是由教字開始，只讀寫而不講字義。[268]

私塾教育中使用的雜字書多為塾師自編而成，如河北蔚縣有馬氏私塾，乃民初由清末秀才馬聘臣在西合營西庄馬家花園內設塾教讀，馬聘臣即編有《創業雜字》供初入學童使用；[269]陝西子洲縣瓜園則灣有清末秀才蔡秉璋編成三千餘字的《平民適用雜字》供農家冬學用；[270]內蒙古伊克昭盟達拉特旗、杭錦旗接壤地區有漢人塾師王靈昭，乃山西保德人，出身光緒年間秀才，根據自己多年累積，將日常用語匯集編纂成《剖匯雜字》一書，從開頭「剖匯雜字，眼前緊要，天有晝夜，陰晴旱澇，地有肥□，厚薄高低」數句，可知此雜字書是以首句話命名；[271]山西平定縣私塾使用的《眼前雜字》，從書末言「四言雜學，且應眼前，平定東隅，竇氏新編，字

---

[266] 《（河南）欒川縣志》（北京：生活·讀書·新知三聯書店，1994 年 11 月），頁 472。

[267] 《（遼寧）大安縣志》（瀋陽：遼寧人民出版社，1990 年 3 月），頁 612。

[268] 《（黑龍江）同江縣志》（上海：上海社會科學院出版社，1993 年 10 月），頁 369。

[269] 《（河北）蔚縣志》（保定：中國三峽出版社，1995 年 12 月），頁 593。

[270] 《（陝西）子洲縣志》（西安：陝西人民教育出版社，1993 年 10 月），頁 360。

[271] 全寶山，〈愛留人間——緬懷恩師王靈昭先生〉，頁 5。

錯可改，切莫褒貶，一卷在手，教訓男童」等語，可知此書的編纂者乃縣城東關或縣境東部的竇姓塾師。[272]且不少私塾用雜字書屬抄本流通，如陝西米脂縣自明清以來城鄉啟蒙教育中，人們往往手抄《三字經》、《百家姓》、《日用雜字》等書，[273]故得保存下來流傳後世者有限，只有《一年使用雜字文》、《包舉雜字》、《捷徑雜字》等書今得見完整內容，餘僅據方志資料可知，這些私塾所用的教科書型雜字書內容主要載器物名稱或收錄生產活動常用字詞，[274]而名為《眼前雜字》者係指書籍內容為「眼前」經常看到的事物，《必須雜字》則是以日常生活或生產所用器具名稱為主要內容者，「必須」會認會寫；[275]至於其它雜字書之內容或可由書名略為推知，如名為《三言雜字》、《四言雜字》、《五言雜字》、《六言雜字》、《七言雜字》、《十言雜字》等書，均指內容各為三、四、五、六、七、十等字一句組成者；名為《農業雜字》、《農用雜字》、《農家雜字》、《庄農雜字》、《農村雜字》、《庄戶雜字》、《庄稼雜字》、《莊家雜字》、《庄民雜字》等書，其適用對象應屬從事農務或居鄉村者；而名為《日用雜字》、《常用雜字》、《家用雜字》、《實用雜字》、《民用雜字》、《便用雜字》、《使用雜字》、《平民適用雜字》、《大眾雜字》、

---

[272] 《（山西）平定縣志》，頁 449。

[273] 《（陝西）米脂縣志》，頁 550。

[274] 《（福建）德化縣志》（北京：新華出版社，1992 年 4 月），頁 575；《（湖北）雲夢縣志》（北京：生活・讀書・新知三聯書店，1994 年 6 月），頁 428。

[275] 《（山西）平定縣志》，頁 449。

《居家雜字》、《傳家雜字》、《應事雜字》、《緊要雜字》、《必習雜字》等書，係強調為庶民大眾居家日常生活便用及為處理雜事必用、必習者；至於名為《俚言雜字》、《小菜雜字》、《油鹽雜字》、《五行雜字》、《盤古雜字》等書，則或有可能是藉書籍開頭首句話作為書名，一如《剖匯雜字》、《捷徑雜字》般。[276] 大致而言，私塾用雜字書配合其主要教學對象與目的，具實用特色內容是可想而知的。

小　結

雜字書自漢代出現後，本屬檢索古詞難字的字典或辭典類工具書，歷經魏晉南北朝及隋唐時期，雖仍具字典或辭典類書籍之性質與功能，但在內容上已有通俗化傾向，再發展至宋元時已成為童蒙識字認詞用教材，普遍流通農村鄉塾；其外觀形式或為無韻語不連文的分類字詞匯集，或為四字、七字一句的韻語；內容則以具體名物字詞為大宗，或刊載較多詞訟、衣服等專門事項字詞，惟均可供日常生活便用；而由於雜字書內容偏重具體名物字詞的辨識學習，較無涉宋元理學盛行所強調的道德義理，致當時文人對此種識字認詞教材多無好評，官府甚至加以禁止，然雜字書以具體名物字詞為主的日常生活實用內容，使其獲漢化異族的青睞而流傳域外，影響

[276] 《捷徑雜字》（岳崇德刊，清同治 10 年〔1871〕石印本）首句為「捷徑雜字，家用袖珍」，見《捷徑雜字．包舉雜字》（長沙：岳麓書社，1989 年 11 月），頁 1。

地區及層面更為擴大。

明清時期雜字書發展更盛，不僅刊載不分類或分類字詞內容，更有增加字詞釋義或生活知識於其中者，使雜字書種類繁多，功能與性質亦有拓展，既有專供識字認詞用的教科書型雜字書，亦有兼具檢索字詞意義或生活知識供日用的工具書型雜字書，且其適用對象及施行範疇均因之更為擴大，不論童蒙成人、四民大眾、漢番等族或官府民間均對之加以採用，並不鄙視，雜字書發展至此時與宋元時代的際遇大為不同，可謂達興盛階段。

清代後期及民國以來的雜字書又有演變，其功能與性質再度轉化為以識字認詞用之教科書為主，惟仍強調其實用內容特性，故廣泛為社經地位不一的庶民百姓啟蒙識字用，普遍通行大江南北，且城鄉不拘。事實上，透過現存雜字書文本、親身經歷者體驗及方志資料紀錄所呈現的雜字書之出版行銷及實際運用情形，可清楚掌握此種書籍在當時民間社會的流通分布狀況。

大致而言，明版雜字書以華南的福建為刻印中心，偶及華中的浙江、安徽；清版雜字書印行則從華南的福建擴及廣東，並至華中的江蘇、湖南，以及華北的直隸、山西，甚至達東北的奉天一地；民國以後雜字書的刻印重地已轉至上海，然華南的福建、廣東、廣西，西南的四川，華中的江西、江蘇，華北的河北、山東亦有版本印行，可見雜字書的刊印雖因時代演進而有不同印製重心，然書籍出版地區卻是愈來愈普遍；而出版社之出版書籍多集編纂、刻印工作於一身，惟亦有部分將兩者加以分工者。此外，清代民國以來的雜字書刻印往往相同內容書籍，竟由數家不同省份出版社或相同省份的不同出版社予以印製，似顯示當時的雜字書刻印並無涉版權問題。

至於雜字書的銷售，除流動書販的背籃挑箱，四處叫賣外，另有定點商號，不論是書攤、書鋪或書店、書局之經營方式，惟此時商號之經銷書籍主要並非專營而是兼售，亦即多附於筆墨、紙章等文具店，或是裱畫、刻字店，甚至在中藥店、布疋店內出售雜字書；而經銷商號除自它地採購雜字書滿足本地需求及外地市場，即屬印銷分工模式，亦有自家刻印雜字書出售者，惟不清楚此種雜字書乃經銷商號自行編印或是翻刻市面上已流通、屬它人編纂之雜字書，若情況為前者，則可知當時的經銷商亦可兼出版商，即為印銷合一模式；若情況屬後者，則更證實前述之雜字書印製無涉版權問題，不僅不同出版社可任意刻印相同內容的雜字書，即使是經銷商號亦可因暢銷雜字書之有利可圖而自行刻印書籍販售謀利。

有關雜字書的實際使用情形，除親身經歷者的體驗外，主要是方志資料的刊載，惟兩者呈現狀況多限於清末民國時期。一般說來，雜字書的運用可謂遍布全國，不論是華南的福建、廣東、廣西，西南的四川、雲南、貴州，華中的江蘇、浙江、江西、安徽、湖南、湖北，華北的山東、河北、河南、山西，東北的遼寧、吉林、黑龍江，甚至西北的陝西、甘肅、寧夏、蒙古、新疆等地均有利用紀錄；而雜字書除以請教他人的自學方式習得外，最重要的是在私學體系中應用，此私學體系指的是私塾，特別是蒙館階段的私塾，它如義學、義塾、改良私塾、私立小學，甚至官辦的小學堂、民國以後小學等不同教育場所內亦均普遍採行；幼學教育外，雜字書亦進入成人教育及社會教育中被運用，且不論常年學校、冬學、日校或夜校形式，均以雜字書作識字教材；又雜字書的學習歷程除與「三、百、千」之類的傳統蒙書並列使用外，亦可供作輔助、選讀、兼教、增學、加習、續修之教材，特別是為平民子弟、農家後代、粗通文墨不走仕宦之途者或朝經商學徒方向發展者適用，且無論男女，均可供作識讀教材或習字書籍所用，而其學習的主要目的在便於書信、記帳等生活日用。

明清以來的雜字書因其多樣化的書籍編印方式、變通的銷售管道、不拘形式的學習模式，終能超越地域限制，使雜字書普遍流通全國各地，廣泛為庶民大眾採行，供作識字認詞用教材，並由此導引人們逐漸邁向文字的世界。

第三章

識字與雜用

——雜字書的入門之道

雜字書一般被視為童蒙識字用課本，是與「三、百、千」並行的另外一個系統的蒙學教材，普遍流行於農村及中下層社會，乃傳統正式蒙學教科書「三、百、千」外的「非正式」讀物，較「不登大雅之堂」，往往不被讀書人認可。❶以往研究教育的學者多輕忽雜字書的重要性，偶有涉及語文學習或蒙學書籍討論時略為提及；❷史學界亦多不了解此種資料的性質、意義，難以深入探究而

❶ 此一論點最早為張志公提出，以後有涉及小學教育或蒙學教材課題者多採相同說法。參見：張志公，《張志公文集（4）——傳統語文教學研究》，頁45、48；張隆華等編，《中國語文教育史綱》，頁100；郭齊家，《中國古代學校》，頁117；曲春德主編，《宋代教育》，頁143；毛禮銳等編，《中國古代教育史》，頁381；周德昌編，《中國教育史研究（明清分卷）》，頁208；林治金主編，《中國小學語文教學史》，頁104-105。而一般人對雜字書的觀念亦大致如此，見張鐵弦，〈啟蒙讀物種種〉，《光明日報》，1963年11月30日。

❷ 如專研語文教育的張志公及研究蒙學課本的常鏡海在其著作及文章中有較多

普遍利用。❸直至二十世紀八〇年代以來，中文學界或因西方新史學影響，著重社會生活史、社會文化史課題之討論，研究對象強調下層社會、一般民眾，乃使得流通民間社會、庶民大眾的各式實用史料備受關注，不斷發掘而廣為運用；❹雜字書亦因之令人矚目，相關的資料介紹或研究成果陸續出現。❺

事實上，中國以雜字為名之書早於後漢即出現，經魏晉南北朝至隋唐不斷，唯此時的雜字書今多不存，見諸它書所輯之部分殘卷及原籍殘頁內容，可知當時的雜字書多為難字釋義或訓詁之類書籍，與後來的雜字書應屬不同性質。真正為童蒙識字教材用雜字書至少在宋代已廣泛流行，且為農家冬學課本，此在文人農村詩中指陳歷歷；而雜字書內容頗為實用，甚至受到當時西夏國的重視而有外文本雜字書流傳異域。然今日可見的雜字書多屬明清，乃至民國

篇幅涉及雜字書；參見：張志公，《張志公文集（4）——傳統語文教學研究》，頁 44-49；常鏡海，〈中國私塾蒙童所用課本之研究（上）〉，頁 107；常鏡海，〈中國私塾蒙童所用課本之研究（續）〉，頁 79、82、84。

❸ 日本的酒井忠夫及美國的 Evelyn S. Rawski 曾分別於二十世紀五〇及七〇年代，利用幾種不同版本的雜字書論證明清時期的庶民教育及識字狀況，唯著墨有限，酒井忠夫僅提及四種明版雜字書，Rawski 則主要關注逐字（詞）附圖示的雜字書；參見：酒井忠夫，〈明代の日用類書と庶民教育〉，頁 126-131；Evelyn Sakakida Rawski, *Education and Popular Literacy in Ch'ing China*, Ch.6.

❹ 馮爾康曾為文說明中國社會史研究的材料取用趨勢，提及以往不為人注意或重視的庶民大眾資料，近來已漸為人發掘並運用；參見馮爾康，〈關於建設中國社會史史料學的思考〉，頁 8-9。

❺ 相關說明參見本書第二章，頁 55-63。

以後版本，種類不一，數量甚多。❻

這些明清以來的雜字書內容頗為繁雜，有學者對之加以分類，如張志公依編法將雜字書分為分類詞彙、分類韻語、分類雜言及雜字韻文四種；❼來新夏據匯集情形將雜字書分為不分類的有詞無句、分類的有詞無句、各言詞彙以韻語連屬成句、雜言交錯，以及識字教育、知識教育與學習對仗技巧整合一體的雜字書五種；❽徐梓則將雜字書分為各言雜字、各類雜字及各地雜字三種，雖未明言分類標準，然觀察可知係分別根據雜字書各句的字數、內容及使用地區予以分類。❾上述分類法多憑雜字書的外觀形式區隔，忽略雜字書作為識字教材的內在性質，實當考量與使用者學習歷程互相配合再加以分類，如此乃能因應不同階段的學習需要適當運用。

有鑑於此，筆者曾參考語文教育學者有關漢字系統學習歷程的階段劃分，配合親身經歷者回憶及雜字書的內容差異、字詞量多寡，將明清以來的雜字書區分為兩大類，即內容全屬字詞刊載的教科書型雜字書與內容除字詞外，尚含字詞釋義或生活知識於內的工具書型雜字書。其中，兼載字詞釋義與生活知識內容的雜字書已非單純的識字用教材，而是可供查核字詞意義或檢索生活知識用的字（辭）典類或生活手冊類雜字書，非本章所討論範圍。而雜字書內

---

❻ 有關明清以前雜字書的發展及現存明清以來諸版雜字書，參見本書第二章第一、二節及附錄一。

❼ 張志公，《張志公文集（4）——傳統語文教學研究》，頁46-47。

❽ 來新夏主編，《雜字》（天津：南開大學出版社，1995年9月），〈前言〉，頁6-8。

❾ 徐梓，《蒙學讀物的歷史透視》，頁219-223。

容全屬字詞者，又可細分為集中識字用雜字書及鞏固識字用雜字書兩種，集中識字用雜字書係供初學者識字入門用，全書均屬不分類的字詞刊載，字詞數量較少；鞏固識字用雜字書則全屬分類字詞刊載，各分類的字詞數量相當多，使總合後的雜字書字詞數量實非初學者所能負擔，因而是在集中識字階段完成後的複習及擴展字詞量使用的教材，❿此種鞏固識字用雜字書亦非筆者所要探究者。本章集中討論初學者識字入門用雜字書（即集中識字用雜字書），釐清此種識字教材的淵源，分析雜字書的內容與結構，一窺明清以來民間社會的識字歷程，或可以此作為今日童蒙教育或語文教育工作者對識字教材編寫的參考與借鏡。

第一節　傳統識字教材的發展

中國最早的識字書，可上溯至西周史籀的《史籀篇》，以後陸續有秦代李斯的《倉頡篇》、趙高的《爰歷篇》、胡母敬的《博學篇》，乃至漢代史游的《急就篇》、揚雄的《訓纂篇》、班固（32-92）的《訓纂篇》續編等。一般說來，漢代以前的識字書歷代均有編纂，且新出者往往取代舊有者，主要原因在於當時的中國文字並未定型，各代勢必以新流通的字體編寫識字書供實際需要，識字書因而代代相替。⓫至漢代中國文字定型，當朝編寫的識字書可持續傳抄供後代使用，然漢代產生的識字書，在漢代以後多乏人問津而

---

❿ 有關雜字書的分類及內容，參見本書第二章，頁74-79、第四章，頁175-177。

⓫ 徐梓，《蒙學讀物的歷史透視》，頁33。

亡佚，真正為當時及後代普遍使用而得名於今者僅史游的《急就篇》。

對當時聲名遠不如揚雄、班固等人的史游而言，《急就篇》得負盛名且全文可完整見於今日，中文學者的看法是拜書家之賜，因其書體引人注意，多人臨摹而易傳於世。⓬此一解釋雖部分說明《急就篇》受人重視而流傳後世的背景，卻無法釐清《急就篇》普遍流通當時的原因；而據不斷出土的地下資料顯示，《急就篇》在漢代不僅流通中原一帶與邊疆地區，且使用者尚包括士卒與工匠。⓭有學者自傳統語文教育學習角度分析，認為關鍵在於《急就篇》的字詞量約二千字左右，符合初學者的能力負荷及漢字系統實際閱讀的需要；⓮相較之下，字詞量高達五、六千的《訓纂篇》與

⓬ 陳昭容，〈急就篇研究〉（臺中：私立東海大學中文研究所碩士論文，1982年4月），頁3。

⓭ 從出土的居延漢簡中有《急就篇》殘字可知此識字書已流傳邊地，而邊陲簡牘乃士卒所遺；又據學者研究，《急就篇》不僅為閭里學童所用，亦為漢代邊地士卒文化學習的主要內容。此外，河北易縣及無極縣出土的漢墓墓磚上，有工匠製磚時無意刻畫的《急就篇》內容，也有工人以《急就篇》文字為墓磚編號。相關資料與說明參見：陳直，《居延漢簡研究》（天津：天津古籍出版社，1986年5月），頁145-148；陳曉鳴，〈漢代邊兵的日常生活和待遇問題述略〉，《江西師範大學學報（哲學社會科學版）》，29卷3期（1996年8月），頁69-70；陳昭容，〈急就篇研究〉，頁2-3、30-31。

⓮ 有關漢字系統的學習究竟該認識多少字詞量乃可供閱讀需要，清代學者王筠指出至少二千字；而今人的研究結果顯示漢字數量雖多，但通用者不過數千，若能認識常用字2500個，即可達識字率97.97%，若再加上次常用字1000個，則識字率可達99.48%。參見：〔清〕王筠，《教童子法》，收入《叢書集成新編》（臺北：新文豐出版公司，1985年1月），頁403；見蔡若蓮，〈《三字經》與漢字識字教材〉，《淮陰師範學院學報（哲學社會科

續編，即使有才名高張的文士執筆，亦無法為人接受，最終面臨淘汰命運。⓯

《急就篇》自漢代後仍不斷流通，⓰然南朝梁周興嗣（?-521）的《千字文》產生後則漸被取代，至唐代顏師古（581-645）為《急就篇》作注時，觀察到當時人們對此書的看法是「縉紳秀彥，膏粱子弟，謂之鄙俚，恥於窺涉」，唯「蓬門野賤，窮鄉幼學，遞相承稟，猶競習之」。⓱亦即唐代的上層社會、文人雅士多鄙視《急就篇》此種識字教材，而採以《千字文》；《急就篇》僅為一般庶民大眾認同，流通農村或下層社會；這一發展趨勢不僅關係《急就篇》的沒落與《千字文》的興盛，更涉及傳統識字教材朝士庶分化、雙軌發展之途邁進；而令人頗感好奇，欲一窺究竟的是：《急就篇》與《千字文》有何差異？何以不同社會層級的人會有如此選擇？

欲解答此一問題必須對《急就篇》與《千字文》兩書做深入探討，而有關此二書的個別研究前人已有若干成果可供參考。一般而言，《急就篇》與《千字文》在組織結構上並無太大不同，均是將字詞多以韻語連文方式呈現，方便童蒙誦讀及記憶，只是語句結構

學版）》，2000年2期，頁105-106。

⓯ 張志公，《張志公文集（4）——傳統語文教學研究》，頁51。

⓰ 顧炎武《日知錄》曾言：「漢魏以後，童子皆讀史游急就篇」，顧氏並舉出魏晉南北朝時文人採用《急就篇》之實例。顧炎武，《日知錄》（臺北：臺灣商務印書館，1946年4月），頁82。

⓱ 〔唐〕顏師古，〈急就篇注敘〉，收入《四部叢刊續編（II-11）》（上海：上海書店，據商務印書館1934年版重印，1984年6月），頁1下。

及文意上《千字文》較為完整典雅，[18]兩書最大差異仍在內容。

據二十世紀六〇年代大陸學者沈元對《急就篇》的內容分析，此書原文共三十一章，以敘諸物者最多，占全篇百分之六十左右；其中，屬工具及日用器物的名詞凡一百個，關於武器、車器、馬具的名詞凡七十個，關於衣履和飾物的名詞凡一百二十五個，關於建築物和室內陳設的名詞凡五十二個，關於人體生理及疾病醫藥的名詞凡一百四十個，關於農作物的名詞凡三十六個，關於蟲魚鳥獸及六畜的名詞凡七十七個。除敘諸物外，全書尚有敘姓名者六章，敘刑法者三章，敘職官、地理等知識者三章有餘，以及若干訓誡之辭。沈氏的綜論是該書「對知識技能的教育是非常重視，所欲傳給兒童的有關物質世界的知識是相當廣泛而全面的。與此相反，篇中有關道德倫理的直接訓誡非常之少」。[19]

八〇年代臺灣學者陳昭容進一步對《急就篇》的詞彙作量化分析，將文中涉及姓氏及虛字孤詞等部分去除，其餘內容可分二十五項，各項目依所占比重排列如下：衣服與采帛、器用（包括床帳）、刑法、疾病與醫藥、動物（蟲魚鳥獸畜）、形體、飲食、車輛、宮室、官制、地理（天、地、州國、山、水）、草木、首飾、姿容、伎樂、社會地位、度量衡、卜祀、書契與典藝、商業、兵革、喪制、冶金、親屬、道路。陳氏對此書的整體觀念是：書中「諸物」的詞彙最多，占全篇的二分之一強；次為「姓氏」，接近全篇的五分之

---

[18] 徐梓，《蒙學讀物的歷史透視》，頁50。

[19] 沈元，〈《急就篇》研究〉，《歷史研究》，1962年3期（1962年6月），頁70-71。

一；第三部分是「官制和刑法」，約占全篇的五分之一。[20]由沈氏及陳氏的分析可知，《急就篇》的內容一如此書開頭所言乃：「急就奇觚與眾異，羅列諸物名姓字」，[21]是以羅列諸物及姓氏為該書大宗內容，而諸物中實含食衣住、器物用具、動植物及身體醫療等項。

有關《千字文》的研究，可以九〇年代臺灣學者宋新民的成果加以說明，據宋氏分析《千字文》內容含天文、四時、氣象等四十字，金玉珠寶、果菜、河海等三十二字，人君德政功業七十二字，德教修養、倫常等二百六十四字，京都景觀一百二十字，歷史上的君臣、將相功績八十字，中國疆域及地理形勢四十字，農事二十四字，先賢修養、仕官及歸隱自然界的生滅變化情形一百一十二字，古人好學精神及居家生活情形一百二十八字，有關世俗的前人技藝發明、美色及人臣容儀等八十八字。[22]其中，可列入「諸物」者包括金玉珠寶、果菜、京都景觀、農事、技藝發明等，占全文不到三成；而有關君臣、先賢先聖的功績、懿行嘉舉、道德修養、倫常觀念、好學精神等內容卻占全文一半以上。無怪乎前述的沈元曾觀察《千字文》與《急就篇》內容後，認為兩者的寫作旨趣迥然不同。[23]而大陸的張鐵弦也指出《千字文》與《急就篇》有三點內容

---

[20] 有關統計表及整體詞彙分析，參見陳昭容，〈急就篇研究〉，第七章。

[21] 〔漢〕史游，《急就篇》，收入《四部叢刊續編（II-11）》，頁1上-下。

[22] 有關字詞分類及統計數據，參見宋新民，〈敦煌寫本識字類蒙書研究〉（臺北：私立中國文化大學中文研究所博士論文，1990年6月），第三章第三節。

[23] 沈元，〈《急就篇》研究〉，頁73-74。

上的變化：首先，《千字文》中關於自然界和器物的字句較少；其次，《千字文》新增歷史典故；最後，《千字文》中關於封建道德的說教增多。㉔

由於前人研究成果的分類不同，很難置之一個標準作絕對比較，然若將前述各項研究成果置於中國傳統對知識的分類系統中，即將整體知識分天地、人事、名物三大項，㉕其中，天地指的是天文氣象、宇宙地理等屬人們對生活環境的了解，人事含社會生活層面的各式公私人際關係及社會地位、人際交往中應對進退的行為規範等內容掌握，名物則是物質生活中涉及食衣住、器物用具、動植物及身體醫藥等具體形物的認識。則可知《急就篇》與《千字文》二書在上述知識系統中的三大項均有相應內容刊載，然兩相比較，《急就篇》內容多屬物質生活中的具體名物，《千字文》內容則多為社會生活中的倫理道德訓誡或前人功績懿行的典範學習；亦即前者強調實用性，便於世俗生活的實際運用；後者著重勸諭功能，有益道德修養及學術生涯的發展。

《急就篇》所以在內容上會與《千字文》有如此差異，原因之一或在於編寫者的出身背景及編纂書籍預期對象的不同。如《急就

㉔ 張鐵弦，〈啟蒙讀物種種〉。

㉕ 中國傳統對知識的分類可參考綜合性類書內容，如戴克瑜及唐建華以《太平御覽》為例加以分析，認為該書內容大體承襲前代類書，取天、地、人、事、物的次序而成。戴克瑜、唐建華主編，《類書的沿革》，頁 45。又有外國學者認為中國書籍分類簡單但知識分類複雜，見彼得·柏克（Peter Burke）著，賈士蘅譯，《知識社會史——從古騰堡到狄德羅》，頁 166-167；然實際上，中國傳統對書籍的分類是經、史、子、集四大類，而對知識的分類則是天、地、人、事、物五類或可概分為天地、人事、名物三大類。

篇》是由位居黃門令的宦官史游編寫而成，黃門乃宮中負責傳遞侍候及奔走內廷雜役諸事，亦掌對宮中服御諸物、衣飾寶貨、珍膳日用等物記載及山海地澤貢給登錄之部門；由於職司文書工作，涉及識字能力培養，故史游編纂《急就篇》以資利用。㉖而編纂《千字文》的周興嗣乃漢太子太傅周堪後代，十三歲即遊學京師，積十餘年而「博通記傳，善屬文」；後官拜給事中，應梁武帝（在位 502-548）要求作出「教諸王書」，為王室識字用教材，故自王羲之（321-379）手跡取千字以成《千字文》。㉗兩相比較，自有一定差異。

惟《急就篇》在唐代的地位固不若以往，但《千字文》在唐代的重要性亦未獨占鰲頭；事實上，當時的識字教材雖朝士庶分化、雙軌發展，卻不如此涇渭分明，因史料證明，雖然唐代文人社會中已有以《千字文》為酒令內容的娛樂方式，㉘但庶民大眾亦有接受《千字文》以啟蒙識字，否則，滿腹經書的文人顧蒙，因戰亂流落廣州街頭時，何以能靠教《千字文》於俗世而維生？㉙同時，唐代

㉖ 張麗生，《急就篇研究》（臺北；臺灣商務印書館，1983年6月），頁3。

㉗ 有關周興嗣生平及《千字文》成書過程，參見：〔唐〕姚思廉，《梁書》（臺北：鼎文書局，1975年1月），列傳43，文學上，頁697-698；〔唐〕李綽，《尚書故實》（上海：上海商務印書館，1936年6月），頁13。

㉘ 〔宋〕王讜，《唐語林》（上海：上海古籍出版社，1991年12月），頁157-158，載曰：「薛濤者，辯慧知詩，嘗有黎州刺史作千字文令，帶禽魚鳥獸，乃曰有虞陶唐，坐客忍笑不罰；至薛濤云，佐時阿衡，其人謂語中無魚鳥，請罰；薛笑曰，衡字尚有小魚字，使君有虞陶唐無一魚字，賓客大笑」。

㉙ 王保定，《唐摭言》（上海：上海商務印書館，1936年1月），卷10，頁

仍有內容如《急就篇》系統的《開蒙要訓》識字書流通使用，（詳見後述）此書在出土的敦煌文書中有二十七個寫本，僅次於三十四個寫本的《千字文》，㉚且《開蒙要訓》在敦煌的官學及私學教育中均曾為人使用。㉛

繼《千字文》後，宋代又有強調道德訓誡及古人懿行典範的識字書《三字經》的出現，㉜唯其產生後並未取代《千字文》地位，反再加上專言姓氏的識字書《百家姓》，形成「三、百、千」系列的識字書傳統，自宋元以後歷經明清，直至民國時仍通行不輟。㉝

98，載曰：「顧蒙，宛陵人，博覽經史，慕燕許刀尺，亦一時之傑，……甲辰，淮浙荒亂，避地至廣州，人不能知，困於旅食，以至書千字文授於聾俗，以換斗筲之資」。

㉚ 敦煌文書中有關《千字文》與《開蒙要訓》的寫本數量說法不一，本文採汪泛舟之說法；另有說《千字文》寫本四十三件、五十六件不一，《開蒙要訓》寫本三十三件，唯可知敦煌文書中《千字文》的寫本確較《開蒙要訓》的寫本來得多。參見：汪泛舟，〈《開蒙要訓》初探〉，《敦煌研究》，1999 年 2 期（1999 年 5 月），頁 142；朱鳳玉，〈敦煌寫本字書緒論〉，《華岡文科學報》，18 期（1991 年 11 月），頁 91、93。

㉛ 高明士，〈唐代敦煌的教育〉，《漢學研究》，4 卷 2 期（1986 年 12 月），頁 260-263；顏廷亮，〈關于敦煌文化中的教育〉，《蘭州教育學報》，1999 年 1 期，頁 26-28。

㉜ 有關《三字經》全文的內容分析及其濃厚之道德意味，參見梁其姿，〈《三字經》裡歷史時間的問題〉，收入黃應貴主編，《時間、歷史與記憶》（臺北：中央研究院民族學研究所，1999 年 4 月），頁 34-36。

㉝ 清末以來雖有新式教科書的編印，但「三、百、千」類的識字教材仍為多人採用，特別是在私塾教育中，如民國時浙江私塾所用課本即有傳統的「三、百、千」；見張彬、秦玉清，〈近代浙江的私塾改良〉，《浙江大學學報（人文社會科學版）》，31 卷 3 期（2001 年 5 月），頁 116、118。

此一現象，語文教育學者就識字的學習過程解釋，認為原因在於《千字文》、《百家姓》、《三字經》的字詞量各為一千、四百多、一千二百多，若個別分開學習，則字詞量不足以作為閱讀基礎，若三者整合，去除重複字詞，恰達二千字左右，乃可進行後續學習。[34]歷史學者則從書籍產生的時代背景推論，認為此類識字教材的發展，尤其是《三字經》一書的出現與盛行，似與宋元以來理學的發展成熟及科舉制度的影響密切相關。[35]無論如何，宋元之後，以「三、百、千」為代表，著重社會生活中的倫理道德訓誡及前人功績懿行典範學習內容為主的識字入門教材成為主流蒙書，普遍為人們認同；然以往《急就篇》所強調的由物質生活中具體名物內容為主的識字入門傳統並未因此中斷，仍有此一系統識字書的傳承，前述之《開蒙要訓》即為重要代表。

《開蒙要訓》為東晉至宋齊間馬仁壽所撰，[36]因敦煌藏卷出土

---

[34] 張志公，《張志公文集（4）——傳統語文教學研究》，頁42-43。

[35] 梁其姿，〈《三字經》裡歷史時間的問題〉，頁33。

[36] 有關《開蒙要訓》的作者及時間，在敦煌文書的寫本中並未刊載，史志亦不錄此書，然在同屬敦煌文書的《雜抄》中有一則編號「伯 2649」者明載「開蒙要訓，馬仁壽撰之」；而《敦煌遺書總目索引》及《日本國見在書目錄》中言《開蒙要訓》是六朝時仁壽馬氏撰（馬氏字仁壽）；然羅常培認為《日本國見在書目錄》刊載此書時，將之列於王義之《小學篇》後與周興嗣《千字文》前，故《開蒙要訓》成書時間應介於東晉與齊梁間，而羅氏據書中音注內容考證，進一步推論《開蒙要訓》時代近於王義之而遠於周興嗣。相關資料參見：黃永武主編，《敦煌寶藏》（臺北：新文豐出版公司，1986年），冊 129，頁 460；王重民等編，《敦煌遺書總目索引》，收入黃永武主編，《敦煌叢刊初集》（臺北：新文豐出版公司，1985 年），冊 2，頁461；矢島玄亮，《日本國見在書目錄—集證と研究—》（東京：汲古書院，

而得見於今。該書明言是為童蒙學習，且內容「易解難忘」；㊲而據數個寫本所載時間，可知其流通唐及五代間。現存《開蒙要訓》較完整的寫本為五代後唐明宗天成四年（929）敦煌郡學士郎張某抄錄而成；全書三百五十句，共一千四百字，四字一句，韻語連文。㊳據宋新民的研究，此書全文可分數個部分，即：天文、地理、四時景象及山岳河川等自然名物與知識九十六字，人文社會、人君德政、賢臣功勳、宴會歡樂、人倫關係一百五十二字，寢處、衣飾一百九十二字，人體器官及各種疾病一百三十六字，珍寶、品物、稼穡等事一百二十八字，卷契、賒債、車馬交通及雕鑿工具一百二十八字，飲食器具、五穀、雜糧、調味料及烹調方法一百九十二字，房屋結構、農耕植物一百四十四字，昆蟲、魚類、飛禽走獸一百零四字，以械鬥、偷竊、賭博之害告誡一百二十八字。㊴其中，可列入諸物者包括寢處、衣飾，人體器官及各種疾病，珍寶、品物、稼穡等事，車馬交通及雕鑿工具，飲食器具、五穀、雜糧、調味料及烹調方法，房屋結構、農耕植物，昆蟲、魚類、飛禽走獸等，占全文一半以上。九〇年代大陸學者汪泛舟亦曾對《開蒙要訓》作研

1987 年 12 月，2 刷），頁 67；羅常培，《唐五代西北方音》（臺北：中央研究院歷史語言研究所，1991 年 5 月，景印臺 1 版），頁 12、132、185。

㊲ 《開蒙要訓》，收入黃永武主編，《敦煌叢刊初集》（臺北：新文豐出版公司，1985 年 4 月），冊 15，頁 311。

㊳ 有關《開蒙要訓》各不同寫本的編號及介紹，參見：汪泛舟，〈《開蒙要訓》初探〉，頁 138-140。而有關此書較完整寫本（即編號「伯 2578」者）的全文，參見黃永武編，《敦煌叢刊初集》，冊 15，頁 305-311。

㊴ 有關的字詞分類，參見宋新民，〈敦煌寫本識字類蒙書研究〉，第五章第三節。

究，認為該書涵蓋內容甚廣，然特別令人矚目者乃編入許多生產及生活知識內容。[40]

若將宋氏對《開蒙要訓》的分類仔細觀察，並同樣置入中國傳統的知識分類系統—天地、人事、名物三大項中，亦可發現《開蒙要訓》之內容與《急就篇》一樣，強調識字入門自物質生活中的各式具體名物著手，而非如《千字文》般地重視社會生活中的道德訓誡及古人懿行典範。

《開蒙要訓》流傳至宋代亡佚，然承襲此識字書傳統者又有雜字書的發展。宋元時雜字書有名為《四言雜字》、《衣服雜字》者；前者據史料刊載，內容「皆詞訴語」，後者從書名看來似屬專論衣服內容的雜字書；而從宋代江西地方稱《四言雜字》乃「方言俚鄙」，[41]元代官府甚至不許村莊冬學教授《衣服雜字》看來，[42]此類書籍的內容應頗為通俗，採行者偏農村社會的庶民大眾，唯其確切內容於今不見，僅可自當時流通於西夏國的漢文及西夏文雜字書內容略窺一二；[43]目前能得見之完整內容雜字書多屬明清，乃至民國以後版本，數量頗多，內容亦繁，而其著書目的主要是提供給不走仕宦之途的一般民眾，不論是「習生理、習工藝或事於農務

---

[40] 汪泛舟對《開蒙要訓》的內容分析及總結說明，參見汪泛舟，〈《開蒙要訓》初探〉，頁 140-142。

[41] 〔清〕徐松輯，《宋會要輯稿》，166 冊，卷 21779，刑法 2 之 150，頁 6570。

[42] 《通制條格》，頁 80。

[43] 相關說明參見本書第二章，頁 70-73。

者」所用。㊹

第二節　雜字書的內容呈現

明清以來識字入門用雜字書的編寫及學習目的，無關舉業大事，㊺係方便童蒙識字認詞，供日常生活中的「家用」、「急用」或記「日用帳」，應眼前的需要，使下筆無困擾；㊻故承繼《急就

㊹ 據清咸豐年間刊行，屬鞏固識字用類型的雜字書《新增一串珠雜字》中之序言及例言可知，雜字書的編寫並非為往科考功名之路者所用，實為「初學粗淺者而作」；相關史料及說明參見：邵儒彬，《新增一串珠雜字》（崇德堂，清咸豐 11 年〔1861〕序刊本），序、例言；本書第二章第四節、第四章，頁 173-174。

㊺ 《六言雜字》（上海普通書局，民國石印本），收入李國慶校注，《雜字・俗讀》（濟南：齊魯書社，1998 年 12 月），頁 51，云：「不做舉業大事，也習雜字專心」；又此雜字書亦有不同出版者，見《繪圖六言雜字》（上海天寶書局，民國石印本）。

㊻ 雜字書中的相關內容刊載有下列數種：

㈠「雜字急用，且（具）應眼前；童蒙勤學，可以相傳」；見《新刻四言雜字》（杭州徐龍峰梓行，明刊本）、《魁本音訓四言雜字》。

㈡「捷徑雜字，家用袖珍」；見《捷徑雜字》，頁 1。

㈢「要記日用帳，先把雜字觀」、「專心記此字，落筆不犯難」；見《莊農日用雜字》（清抄本）；王爾敏，〈《莊農雜字》所反映的農民生業生活實況〉，頁 101、105。又《莊農日用雜字》另有名《莊農雜字》、《日用五言雜字》、《山東雜字》、《莊稼雜字》、《日用雜字》；本文統稱之為《莊農日用雜字》。相關資料參見：寒光，〈山東雜字〉，王廣健，〈續說「莊稼舊用雜字」〉；周鈞英、劉仞千纂，《（山東）臨朐續志》，卷 15-16，頁 766。

㈣「常讀熟記，上帳不難」；見《四言雜字》（民國石印本），收入李國慶

篇》、《開蒙要訓》傳統，強調以物質生活中的具體名物為識字入門基礎。如明版《新編對相四言》全文除「天雲雷雨，日月斗星」屬天文氣象，「士農工商，儒釋道人」屬職業類別及「跛跎高矮，肥瘠方圓」屬形容詞外，餘均各式具體名物，㊼主要分為四大項，即食衣住方面的「瓜姜葡菜」、「衣衫鞋襪，裩袴裙襖」、「樓臺屋廟，觀寺橋亭」；器物用具方面的「椀楪壺瓶，盞杔匙筯，斧鏟銼釘，鋸鑿鉗戟」；動植物方面的「牛羊犬馬，鵝鴨雞豬」、「竹荷梅柳」；身體醫藥方面的「手腳身眉，頭鬚口指」等。㊽

又明版《魁本音訓四言雜字》全文除若干表動作之句如「買賣交相」、「典質賒放」、「收割上場」、「開張庫鋪」、「置買田庄」，或形容名物之句如「闊狹短長」、「粗細好惡」、「疎密厚

校注，《雜字·俗讀》，頁 37。又此雜字書另有名《山西雜字》、《山西雜字必讀》或《常用雜字》，本文統稱之為《四言雜字》，相關資料參見張河、牧之編，《中國古代蒙書集錦》（濟南：山東友誼書社，1990 年 6 月，2 次印刷），頁 30；陸養濤編，《中國古代蒙學書大觀》（上海：同濟大學出版社，1995 年 12 月），頁 53；宋洪、喬桑編，《蒙學全書》（長春：吉林文史出版社，1996 年 11 月，2 次印刷），頁 53。

(五)「以上言言千句，諸般雜字皆完，若肯常常誦記，舉筆用字何難」：見《新刻校正通用六言雜字》。

㊼ 張志公曾分析《新編對相四言》認為全書除「士農工商，儒釋道人」八個字與人沾上邊外，餘皆自然名物與民間應用的衣飾器物之類。參見張志公，〈試談《新編對相四言》的來龍去脈〉，頁 58-59；此文亦見於張志公，《張志公文集（4）——傳統語文教學研究》，頁 174-187。

㊽ 《新編對相四言》（明刊黑口本）；此書又名《魁本對相四言雜字》，見國立國會圖書館編，《國立國會圖書館漢籍目錄》（東京：國立國會圖書館，1985 年 3 月），頁 50；本文統稱之為《新編對相四言》。

薄」等外，亦均屬上述四大項的具體名物刊載，且內容涉及範圍更多樣化；如飲食項中即可細分為穀物的「秈禾糯米」、「麻豆粟麥」、「饅頭蒸餅」，水果的「青梨紅柿」、「楊梅桃李」，調味料的「鹽豉椒薑」，飲料的「酒醋茶湯」；器物用具項除一般家常用具如「燈檠衣架，洗箒笟篱」、「鐵瓶火筯，熨斗香匙」外，還有農事專用的「茶焙蚕筐」、「絲機紗籰」、「簁簸篩颺」、「碓杵手臼，揷米礱糠」等物。㊾

各式名物字詞的基礎認識外，雜字書還進一步將與名物相關之生活經驗、實用知識融入文中，方便童蒙誦讀知曉以供日後隨時應用；如說明食物口味者有屬水果類的「柑子甘蔗酸甜味」、「西瓜香瓜甜似糖」，㊿有屬葷食類的「羊肉腥膻，犬肉反味」；51解釋食物性質者如「銀魚烏鯽皆海物」、「蘑菇金針是齋菜」；其中，菜蔬類的「菘菜白菜性帶涼」，52獸畜類的「牛肉保養，豬肉生啖，驢肉敗血」；53而涉及食物調理者則有：

> 屠宰廚烹，割殺燙刨，刮削劈剉，撬骨打髓，摘斷拗脫，砍斫剁丸，煮滾炖爛，肥精醋蘸，煨熬煎炒，庶免餿臊，鹽滷腌腌，揉擦搗攤，挪融扯碎，糟蒸日晒，當風吹眼，渥熟盦

㊾ 《魁本音訓四言雜字》。

㊿ 《繪圖七言雜字》（上海天寶書局，民國石印本），頁2下、3上。

51 《四言雜字》，頁22。

52 《繪圖七言雜字》，頁1上。

53 《四言雜字》，頁22。

鮓，烤干焙枯，烘炕燒燜，酸辣鹹淡。[54]

此段文字實將日常生活中各式烹調技術介紹殆盡。

也有提及物品用途者，如衣飾類中「青靛藍靛染衣裳」，「蘇木紅麯染赤色」，家用項中「火刀火石取火用」，「簑衣斗笠防天雨」。[55]而言及作物栽種方式及物品來源、特產者尤多，前者如「南地谷子，北地高糧」，表明南北地理環境不同，栽種的穀物頗有差別；又不同農作物成長各有不同習性，如「糜子稗子，別種高崗」、[56]「蘿白栽畦脊，茼蒿最怕乾；芹菜得早種，辣菜喜晚天」、「扁豆爬箔幛，蓖麻在園邊」、[57]「苦蕒莧菜，栽種聯畦；蘿蔔蒟蒻，牛蒡蕨萁」、[58]「葫蘆絲瓜藤上吊」。後者則指出各地著名特產，如衣飾方面有「頭繩鞋面京廣貨」、「絲絨織絨出浙江」、「絹紗苧麻出湖南」，飲食方面有「核桃柿子出北方」、[59]「金華火腿，高郵鹹蛋，曹州羹餅，濟寧庄煙」、[60]「武夷陳茶，

---

[54] 《包舉雜字》，頁 23-24。

[55] 《繪圖七言雜字》，頁 1 下。

[56] 《莊農雜字》（民國刊本），收入李國慶校注，《雜字・俗讀》，頁 39。此雜字書另有不同版本，見《繪圖莊農雜字》（上海錦章書局，民國石印本）；又此書在清末亦有，惟同一書有《庄農雜字》（書封面）、《（新刻）俗言雜字》（書內）兩種名稱，見《庄農雜字》。

[57] 《莊農日用雜字》，頁 102。

[58] 《魁本音訓四言雜字》。

[59] 《繪圖七言雜字》，頁 1 上-下、2 上-下。

[60] 《四言雜字》，頁 22。

松蘿六峒」；(61)更有將特產獨道之處加強說明者，如「南京好針，鼻小純鋼」、「南京木紅，作帖更強」、「南京好畫，貼金淡妝」、「東山核桃，有尖有長」。(62)

大量物質生活中各式具體名物認識及相關知識掌握外，雜字書中還有部分屬社會生活內容，此主要是各種人際關係的名謂稱呼及應對進退的交往之道。有關各種人際關係的名謂稱呼方面，如血緣姻親關係中的「家親宗族，高曾祖考，父母伯叔，同胞兄弟，配偶夫妻，嬸姨姑嫂，姐妹甥舅，媳婦侄孫，岳丈男婿」；(63)公事私務關係中的「撫院布政，按察府縣，衙道司廳，吏戶禮部，兵刑六工，閣老宰相，翰林學政，總督提督，副將總兵，同知守備，把總千總，舉人進士，生員貢生，狀元榜眼，探花監生」；或各行各業的「丫鬟媒人，儒教釋教，三教道人，讀書學士，庄稼農人，買賣客商，百工匠人」。(64)

至於應對進退的交往之道方面，則是為維持各種人際關係以穩定社會秩序的行為規範，如對血緣姻親者要：

> 孝順爹娘，不敢怠慢。爺爺奶奶，伺候當先。祖宗坟塋，祭掃必虔。伯母嬸母，只得重看。要待繼母，親娘一般。問安視膳，不笑不言。看見父兄，站立一邊。端茶打座，點火裝

---

(61) 《包舉雜字》，頁 24。

(62) 《莊農雜字》，頁 45、46。

(63) 《包舉雜字》，頁 17-18。

(64) 《新增繪圖必須雜字》（上海尚古山房、昌文書局，民國石印本），頁 1 下-2 上。

煙。

而觀察各色人等更要區別不同特點以知所應對，如「村粗愚魯，庄家老漢。弄巧成拙，傻瓜憨蛋。精細伶俐，必定吊蛋。淺嘴薄舌，東誆西騙」，(65)或「邪僻人，暗算計，奸巧滑壞動心機。虜騙人，巧言論，坑崩（綳）拐騙真可恨。刁惡人，心似狼，小人行險最難防」。(66)

各種應對進退之道中，有屬傳統命定觀或道德訓誡的語句，如

> 咱若運好，何至貧寒。倘是命薄，難省枉然。兄寬弟忍，靠天吃穿。端莊正直，狗竇莫鉆。欺老滅少，背後指咱。強梁必敗，軟弱靡悶。分厘毫絲，吃虧非憨，兌換結交，便宜勿占。指掌家業，莫輕揭錢。出進賬項，定要勤算。耕地讓畔，莫刨地邊。偷挖替己，老天有眼。(67)

或「誦詩讀書，抑末崇本，孝弟忠信，禮義廉恥，好善惡惡，積德累仁，辭受取與，恭敬樸誠」。(68)

若人際交往無法透過上述規範正常運作，則一旦衝突發生，只有訴諸官府，故雜字書中對官府衙門的審案斷訟亦有說明，如

---

(65) 《四言雜字》，頁 27、29。

(66) 《天津地理買賣雜字》（天津聚文山房發莊，民國 18 年〔1929〕刊本），收入來新夏主編，《雜字》，頁 283。

(67) 《四言雜字》，頁 30-31。

(68) 《包舉雜字》，頁 18。

官無大細，敲梆坐堂，小廝伢子，站立伺候，號令告訴，禁止喧嘩，跪稟蒙准，朱票拘訊，審斷據理，曲輸直贏，奸盜故殺，謀叛劫傷，桚夾監候，剮罪絞斬，凶毆鬪棍，誘拐竊賊，訪拿捉治，刑罰枷責。[69]

而「衙門公差同計較，仵作撿驗看傷痕，證見兇手上刑具，趕捉擒拿問根源，仔細從頭來審究，什麼事體逞剛強，挖枷戴鎖受冷餓，刑罰拷掠實難當」等字句，[70]更是道出訴訟過程的冗長與艱辛。

此外，雜字書中為維持社會秩序而有的行為規範，也有涉及古人懿行嘉言典範之內容，如「斷機把子教，孟母也三遷」、「紂愛妲姬女，失了錦江山。幽王寵褒姒，烽火戲浪煙」、「無顏娘娘醜，齊王坐金鑾。周朝八百載，也是后妃賢」；[71]或云「西漢司馬，南陽臥龍。青枚煮酒，討論英雄。臥薪嘗膽，有志竟成」，「香山九老，竹林七賢。蚩尤作亂，女媧補天。造指南車，創自軒轅。夸父逐日，愚公移山。吳牛喘月，杞人憂天」；[72]然這些內容刊載，在現存明清以來諸版識字入門用雜字書中並不普遍，所占比

---

[69] 《包舉雜字》，頁25。

[70] 《繪圖七言雜字》，頁5下。

[71] 《中華改良雜字》（民國刊本），收入李國慶校注，《雜字·俗讀》，頁113-114。又《中華改良雜字》另有名《山東雜字》、《改良日用雜字》；本文統稱之為《中華改良雜字》。相關資料參見：王克孝，〈重讀「山東雜字」憶往〉，頁79；〈王克孝劉子交先生通函談《山東雜字》〉，《山東文獻》，20卷4期（1995年3月），頁159。

[72] 《民國雜字》（民國刊本），收入李國慶校注，《雜字·俗讀》，頁118-119。

重亦不大，若以時代區隔觀察，則民國以後版本有較多此類內容的刊載；如清代普遍流通山東各地的《莊農日用雜字》，到民國以後有改編為《中華改良雜字》一書，即在內容上加入不少道德說教的文字。[73]

至於生活環境中對天文氣象或宇宙地理的內容掌握則著墨有限，僅為基礎名詞認識而已，如前述《新編對相四言》所載若干字句外，另有涉及天干地支、四時廿四節氣、各式氣象變化及方位、山河者，如

> 歲時日月，春夏秋冬，時有子丑，寅卯辰巳，午未申酉，戌亥皆是，合以甲乙，丙丁戊己，庚辛壬癸，數周合始，乾剛坤柔，合并旋轉，風雲雨露，閃電雷霆，霜晴霧暗，雪雹冷冰，暴寒冷凍，酷暑亢陽，熱燥潮濕，溫暖乘涼，朝起晚睡，晝興夕眠，東西南北，江河山林，陡墈磡岸，巢窟坪岡，田園岭坳，沟池圳港，墳坉堤牐，塘涵溜筒。[74]

值得注意的是，明清以來識字入門用雜字書非僅流通鄉村農家，城居市民亦須熟讀便用，[75]而配合城鄉地區或不同職業者需要，雜字書多有不同內容呈現，如適用於城市或經商者使用的《天津地理買賣雜字》大量介紹天津各街道及商家：

---

[73] 譚景玉、王志勝，〈《中華改良雜字》述略——兼答王克孝先生〉，頁121。

[74] 《包舉雜字》，頁17。

[75] 如《繪圖七言雜字》，頁6下云此雜字書乃「市鄉人人須熟讀」。

> 點心鋪，一品香，勝蘭齋來四遠香。大丰巷，郭家門，袜子胡同同文仁。南斜街，磨盤街，毛賈夥巷鍋店街。要穿鞋，日升齋，美華鑫的都認買。仁義和，靴鞋庄，物彩華的真是強。要戴帽，北德馨，馬聚源的也時興。售品所，北門東，龍亭商場萬壽宮。

不僅本國商家的介紹，清末以來，因外力入侵而開設的各個不同國家之公司行號及其地理位置，書中也花費相當篇幅說明：

> 有大阪，有大倉，三井洋行木料庄。有中村，有中山，頭痛膏藥賣得歡。有小林，有平野，增田洋行在旭街。有巴昔，有加藤，町田洋行合順隆。……有惠羅，有美豐，太古洋行在正東。麥加利，有匯豐，道勝正金各國通。烏利文，亨達利，播喊有喊鐘表貴。……欲縫紉，謀得利，勝家公司帶機器。大俄國，煤油灌，鐵錨美孚鷹牌散。[76]

主要為鄉村或農民採行者則在書中強調務農的重要性，如云「人生天地間，莊農最為先」、[77]「三教九流固好，無如耕田為高」；[78]或提倡耕讀並重，如「讀書最高，莊稼衣強」、[79]「人生

---

[76] 《天津地理買賣雜字》，頁 277、288-291。

[77] 《莊農日用雜字》，頁 101。

[78] 《六言雜字》，頁 48。

[79] 《莊農雜字》，頁 39。

世間，耕讀當先。……先教認字，後學耕田」、[80]「養子必教讀書，不讀就要學耕」。[81]且雜字書中涉及之農具、農事甚多，內容極其詳盡，如流行山東農村的《莊農日用雜字》云：

> 開凍先出糞，製下鍁和楸。扁桓槐木解，牛筐草繩拴。抬在南場裡，倒碎使車搬。糞簍太也大，春天地又暄。祇得把牛套，拉繩丈二三。肚帶省背鞅，搭腰四指寬。二人齊上絆，推了十數天。一箇撒著糞，一個就擰鞭。撇繩皮抓口，籠嘴荊條編。拖車載犁耙，鑱頭鏍子按。耮條溼的好，索頭連橫杆。……領墒黑罩角，先去耕河灘。耩子拾掇就，種金尖又尖。耧（漏）斗錘拴好，耧倉板休偏。下首種蓟秫，早穀省的翻。黍子共穇稻，打砘不怕乾。綿花嚴搪耮，芝麻種須攙。[82]

全文提到許多當地特有的技術與物品，如「窨」是農民在大雪封地前將蔬菜儲存之方法；「搭腰」指牲口拉繩所用繩套最前端的套頭子部分；而「麻山」乃豆餅。[83]這些頗具地方特色的技術與物品，若非生活當地且具使用經驗者實無法確切了解。

由上述說明，可知明清以來識字入門用雜字書實承襲《急就

---

[80] 《四言雜字》，頁 18、36。

[81] 《六言雜字》，頁 52。

[82] 《莊農日用雜字》，頁 101-102。

[83] 王廣健，〈為曹繼曾鄉長進一解〉，頁 131；劉德麟，〈為曹繼曾鄉長進一解〉，頁 128、130。

篇》傳統，書中內容以物質生活中各式具體名物為大宗；其次是社會生活中的人際關係與人際交往之道，其中，有屬道德訓誡或古人懿行嘉言典範之刊載，但並不普遍；最後，則是屬天文氣象、宇宙地理方面的內容，著墨亦有限。

大致而言，雜字書中具體名物內容頗為多樣化，涉及食衣住、器物用具、動植物及身體醫藥各項，且配合實際生活，不同行業、地域者需求而有不同刊載，具生活性、實用性及地域性等特色。事實上，雜字書的編著絕非一成不變，書中往往提及書籍篇幅有限，難以概括所有之字，歡迎後人隨時添補，以應需要；此尤見於民國以後諸版，如《新增繪圖必須雜字》曾言：「蕭氏俚言，賢人再添，儒者見笑，童稚喜傳」；[84]《中華改良雜字》有云：「中華雜字，這是另編」；[85]《四言雜字》亦云：「雜字難盡，故錄數千。儒者見笑，童稚喜念」；[86]《繪圖七言雜字》更明白指出：「古今字義無窮盡，一人之見說不完，但將世上緊要字，淺略新編百餘行」，「其中或有差誤處，高明先生請削刪」；[87]而同一雜字書因不斷增刪、重刊及廣泛流通致有各式不同名稱，時可見之，[88]由此亦可得知雜字書的持續性與時代變動性。

---

[84] 《新增繪圖必須雜字》，頁 6 下。

[85] 《民國雜字》，頁 119。

[86] 《四言雜字》，頁 37。

[87] 《繪圖七言雜字》，頁 6 上-下。

[88] 參見註[46]中《莊農日用雜字》與《四言雜字》、註[48]中《新編對相四言》、註[71]中《中華改良雜字》的不同名稱說明。

第三節　雜字書的組織結構

就筆者目前所能掌握的資料而言，明清以來識字入門用雜字書的出版情形不一，有刊本亦有抄本，而刊本又分木刻本及石印本兩種，如清版《莊農日用雜字》、《新刻校正通用六言雜字》為抄本，明版《魁本音訓四言雜字》、清版《包舉雜字》為木刻本，至於清版《捷徑雜字》及民國以後諸版雜字書則多屬石印本。

雜字書板面排印或單層、雙層、三層，甚至四層，大致而言，多層排印是配合釋義圖例刊載，也有正文本身的多層排列。刊印這些雜字書的出版社遍布大江南北，如福建、浙江、江蘇、山東、河北、奉天等地，然民國以後版本的雜字書以上海出版者為多。而不論是何地刊行的識字入門用雜字書其書面長寬差距不大，約在 25 至 15 公分範圍內，展書閱讀或隨身攜帶均頗為方便。

又各版雜字書的字詞量亦不相同，有不足一千字者，如明版《新編對相四言》、民國版《新增繪圖必須雜字》；也有多達三千、四千字者，如清版《一年使用雜字文》、[89]民國版《四言雜字》；然較普遍的是一千多至二千多字者，如明版《魁本音訓四言

---

[89] 《一年使用雜字文》，頁 881-885。此雜字書因開頭第一句為「元初一，早開門」，故當地人習以《元初一》稱此書，然縣志版本將首句的「元初一」改為「年初一」；見林建明，〈林梁峰《一年使用雜字文》用韻〉，頁 35。又此雜字書另有上杭馬林蘭所藏木刻本，內容與前者略有不同；馬林蘭藏版見林建明供稿，〈一年使用雜字文（上杭馬林蘭藏板）〉，頁 47-59；而兩個版本的比較見林建明，〈林梁峰《一年使用雜字文》新《武平縣志》版與"馬林蘭藏板"的比較〉。

雜字》、清版的《莊農日用雜字》、《捷徑雜字》及民國版的《天津地理買賣雜字》、《中華改良雜字》、《繪圖六言雜字》、《繪圖莊農雜字》、《繪圖七言雜字》等。（參見附錄四）

由明清以來雜字書字詞量可知，大部分識字入門用雜字書是頗符合漢字系統達到足以閱讀前所必備的基礎識字量二千字左右；而若干字詞量較少或較多的雜字書，則可依學習者不同程度的需求個別採用或搭配使用。當然，不同字詞量的雜字書價格因成本考量亦有高低之別，唯此類書籍多未標明定價，亦難得知售價，故目前可知的價格資料僅二則，均屬民國版本者，一是《民國雜字》，此版共 288 句 1152 字，定價大洋三分；[90]另一是《繪圖莊農雜字》，此版共 600 多句 2400 餘字，售價洋貳分。[91]若以此標準視之，則字數高達三、四千字的雜字書定價亦不過一角多，售價則可低於一角，而此種價格的書籍，一般百姓購買應不困難，亦即雜字書在市場上的流通應是頗為普遍的。

明清以來各版識字入門用雜字書雖出版情形不一，字詞量有別，然為方便童蒙誦讀、辨識及記憶，在組織結構上均承繼《急就篇》「分列部居不雜廁」的以類相從方式排次，[92]且多採三言、四言、五言、六言、七言或混言一句之韻語；[93]如《魁本音訓四言雜字》四字一句地將各式禽鳥魚蟲以部首相從，分門排列：

---

[90] 《民國雜字》，頁 119。

[91] 《繪圖莊農雜字》，頁 9 下。

[92] 〔漢〕史游，《急就篇》，頁 1 下。

[93] 混言一句的雜字書，如《新刻校正通用六言雜字》是三、六言，《一年使用雜字文》是三、七言，《天津地理買賣雜字》則是三、三、七言。

> 鱅鰱鯉鯇，鮎鮮鯸鮧。鱘鰉鯖鮊，鯋鯽鰟魮；魛鯨鱖鯽，鰟蟹鰻鰶。……鵓鳩鴉鵲，鴿子雀兒；青鴿白鶴，鸂鶒鷺鷥。白鷳烏鴿，野雉茆雞；鸕鶿鸚鵡，鳴鷹班鳩。

亦有將各式藥材以「陽韻」結句：

> 修合藥料，龍腦麝香；烏頭附子，紫苑白薑。麻黃白芷，厚朴檳榔；紫蘇甘草，豆鼓塩湯。當歸鶴虱，遠志蛇床；茱萸桔梗，虎骨蜂房。硇砂滑石，杏仁桂穰；白礬白朮，桓山雄黃。人參紫桂，莨蕩茴香；芸薹海蛤，豆蔻牛黃。[94]

由於明清以來各版識字入門用雜字書有不同使用地區，故此種用韻往往不限一種發音，如廣泛流通山東各地的《莊農日用雜字》使用山東方言發音，自然與普遍為閩西地區客家人採用的《一年使用雜字文》以客語發音有所不同。[95]

純粹名詞組合外，也有將名詞配上動詞或形容詞者使句子文意完整，更形活潑，如「粉皮粉乾處處出」、「茄子辣椒樣樣種，萵苣葍子行對行」、「雞魚蝦蟹四味美，肝肚腑子滋味長」、「笋油麻油頂好吃」、「醬油豆油和五味，生油菜油潤肝腸」；[96]此種行

---

[94] 《魁本音訓四言雜字》。

[95] 有關《莊農日用雜字》與《一年使用雜字文》方言發音的相關說明，參見：王其和、譚景玉，〈《庄農日用雜字》方言語詞匯釋〉；林建明，〈林梁峰《一年使用雜字文》用韻〉。

[96] 《繪圖七言雜字》，頁 1 上、1 下。

文方式閱讀起來實較《急就篇》、《開蒙要訓》來得通順悅耳。

為便於分類以利辨識字詞，書中行文往往以某句為首，引出各式相關名物，如一句「迎婚嫁女」後接「釵釧梳篦，頭帤冠子，胚粉臙脂，銀朱秣額，環佩羅幃，紅衫綉帔，隔織紡絲，裹肚勒帛，蓓紋縚絁，綿被絮襖，五幅單衣，針工裁造，典沒台衣，搏換估折，價例便宜」等衣飾梳妝事。[97]一句「將見形體」後接「耳目鬢髮，腦頸臉嘴，額額腮舌，喉嗓唇齒，肩肋腰脅，胸背肚臍，臀股腿膝」等身體各部位名稱。[98]

也有以某一事為主題，導入各式相關名物者，如宴請賓客，即須擡桌搬椅，置辦各式吃食，故一句「治酒席，請賓朋」，後接

> 抬桌子，搬板凳，鋪氈條，豎圍屏，拿木炭，生火盆，燒壺茶，或香片，或松蘿，或黃金；果碟子，用柿餅，和核桃，棗兒紅，黑栗子，有生熟，香水梨，山梨紅，有黑棗，紅櫻桃，瓜子仁，乾葡萄，好沙菓，合蘋菓，榛穰子，爛杏子，酸李子，連松子，石榴子，連蓬子；論菜蔬，有葷素，黃花菜，木耳筍，蘑菇藕，新香椿，葫蘆條，豆腐粉，海白菜，山蕨菜，炒麵觔，藕乾子，贅南瓜，炖茄子。

而作媒說親，須備妥各項華衣美飾以為聘儀，故一句「要過禮」，後接

---

[97] 《魁本音訓四言雜字》。

[98] 《包舉雜字》，頁19。

> 鍍金冠，鬓鈎子，丁香兒，金墜子，蠻子家，無鉺子，拔絲花，連環子，大珍珠，銀釵子，緞包頭，耳挖子，龍頭簪，銀戒指，偏正鳳，包頭連，挑鬢枝，荷葉花，芙蓉簪，海棠花，與鬏髻，香色衫，青廠衣，紫緞襖，藍襯子，紅綾褲，花裙子，興踅子，紅紗羅，黃絹子，五色緞，俱成疋，黃葛布，細羅布，洗白布，漂白布，平機布，水線布，蒸與飪，無其數。[99]

更有全書韻語連文，設計精巧，甚具創意者，如清版《一年使用雜字文》以時間為綱，配合一年中各式日常活動、生活內容組織全文。其時間排序法有屬廿四節氣或十二月份者：

> 立春已過雨水來，燒燈送神切莫呆；各人散班尋本事，好供子女奉爺　。……
>
> 二月驚蟄浸穀種，摱下穀子就生芽；大家請人掂穀子，扯得直行無粒差。春分時節思祖公，上墳祭墓一般同；先在祖堂宰牲血，後擔籃子到墳中。……
>
> 四月立夏日子長，早粘田地做完場；連踪管要蒔大糯，男婦大小起早床。小滿到來塞糞時，單用匏杓與糞箕；整光坎頭度稗草，連根丟卻半天飛。

[99] 《最新繪圖三言雜字》（上海尚古山房、昌文書局，民國石印本），頁 1-2、3-4。

也有屬特定節日者：

> 年初一，早開門；放爆竹，喜氣新。點蠟燭，裝香燈；像前拜，燒紙錢。……
>
> 正月十五是元宵，沖天蹻子半天高；金盞銀盤綿綿轉，花筒金菊夜來燒。……
>
> 五月五日是端陽，菖蒲藥酒與雄黃；門掛葛藤插艾草，裹粽送了寒衣裳。……
>
> 九月九日是重陽，寒露到來菊花黃；霜降天氣要晴暖，糯禾收割也停當。

相應此結構的內容安排亦往往配合時節氣氛，巧妙安插，如正月過年歡樂氣氛濃厚，多言飲食、衣飾及娛樂等事：

> 豬肉食完并腊鴨，蒸醋魚凍共三牲；浸酒開罈用大碗，歡歡喜喜賽嘩拳。……
>
> 客人頭上戴綏帽，身穿袍套闊和長；棉綢茧綢羊皮襖，汗巾烟袋在身旁。……
>
> 笙簫笛子同吹起，彈琴唱曲兩相和；風流浪子臺上跳，花鼓雙雙兩公婆。……

年節過完，開始規劃工作事，於是各行各業各有所務，多言百業事：

> 于今來講農事家，钁頭鐵鉅與犁耙；耕田正愛好秧地，作陂開圳水路佳。……
>
> 也有從師學錫匠，酒壺兜壺好模樣；鼎杯粉盒及油壺，緊關用者講幾樣。……
>
> 也有生活做裁縫，剪刀尺子在身中；或做綢緞用熨斗，粗布烙鐵大家同。又有屠戶常打屠，朝朝宰殺剮牛豬；白刀插入紅刀出，滾水刮毛剝皮膚。

歲末年終，百業收成，又是結算清帳，完糧納稅及家家戶戶清掃、採買準備過年時：

> 十二月來又一年，小寒大寒節氣完；百般生意討賒帳，速速收清莫延纏。……
>
> 納錢糧，到庫房，徵銀本色并秋糧；免得經承圖差到，買田又愛稅契房。……
>
> 入年家，愛掃屋，抹淨神龍回神福；窮人籴米來過年，富人封倉不粜穀。開清人戶大小帳，不欠人錢便是福；愛買幾件小東西，酒鹽椒醬及爆竹。[100]

此版雜字書實將閩西鄉村社會各式生活面貌、民情風俗完全融入以自然時序及人文節慶的時間架構中呈現，這種編書方式，不僅令當時的學習者易於識字認詞，更提供日後欲了解當地社會文化史者絕

---

[100] 《一年使用雜字文》，頁 881-885。

佳之研究材料。[101]

除行文結構的精巧及多樣化外，圖像的增添，亦使雜字書更具吸引力，而此尤見於民國以後版本。民國以後的識字入門用雜字書不僅因石印技術普遍，字體更為清晰，且刊書觀念甚為進步，往往以大量圖例供辨識各類字詞及解說文句意義，並可由此增加書籍的活潑感、新鮮度；這些圖例除以往置於書內，為配合文字說明而有之釋義圖，如明版《新編對相四言》一字詞一圖例地左右對照刊載，或如民國版《新增繪圖必須雜字》以頁為單位，各頁均分上圖下文兩層方式印行外；民國以後諸版雜字書還新增書面上紅底黑線條的封面圖，圖案或學生彎身向師長請益、[102]或師長立旁督促學生們勤讀、[103]或牧童獨坐牛背苦讀；[104]而更多的是童稚群聚嬉戲笑鬧，或放風箏、或玩玩具、或擲紙牌；[105]（參見圖版三、四、五、六、七）此種刊有兒童天真無邪封面的雜字書，實更能吸引童蒙注意，甚而引發興趣樂於閱讀。

對於這些結構精心，布局完整，甚具巧思與創意的雜字書，欲考編寫者姓名甚為困難；研究蒙書的大陸學者徐梓認為主要原因有二：一是此種書籍多出於市井之手，非知名文人；一是雜字書多非

---

[101] 《一年使用雜字文》所載內容的真實性已為田野調查及其它歷史資料證實，而其反映的閩西鄉間社會情形亦已為學者說明：參見劉大可，〈《年初一》所反映的閩西鄉村社會〉一文。

[102] 《新增繪圖必須雜字》，封面。

[103] 《最新繪圖三言雜字》，封面。

[104] 《繪圖莊農雜字》，封面。

[105] 分見於：《繪圖六言雜字》，封面；《繪圖七言雜字》，封面；《繪圖四言雜字》（上海天寶書局，民國石印本），封面。

圖版三：《新增繪圖必須雜字》

圖版四：《最新繪圖三言雜字》

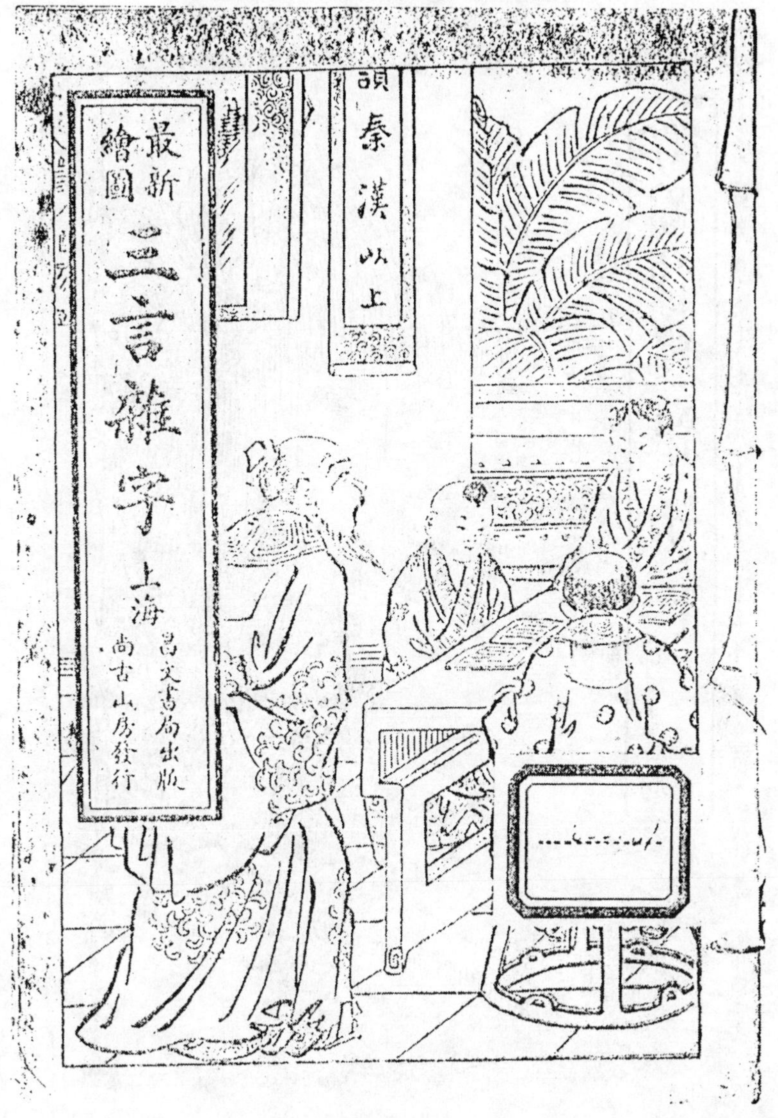

圖版五：《繪圖莊農雜字》

圖版六：《繪圖六言雜字》

圖版七：《繪圖七言雜字》

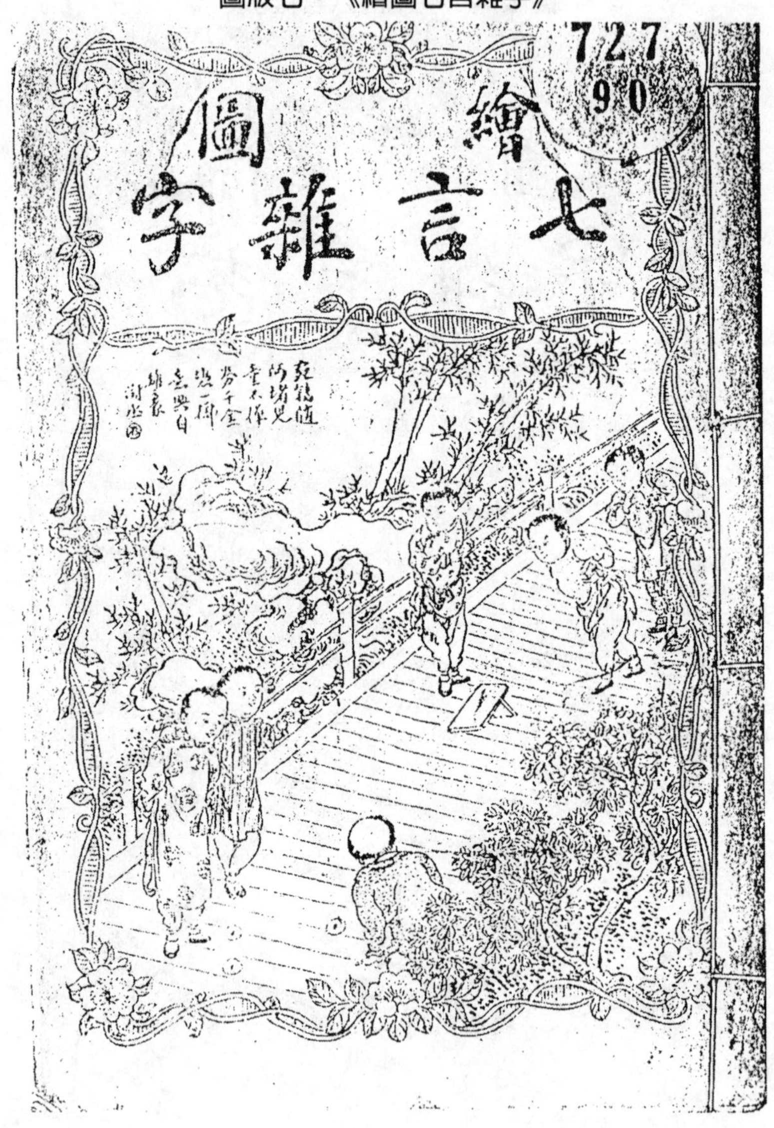

一人一時所著，不便署上某一人之具體名字。[106]而筆者據目前可掌握之資料，能較詳細了解編寫者訊息者有二，一是編寫《一年使用雜字文》的林寶樹，一是編寫《莊農日用雜字》的馬益著，透過此二人的了解或可掌握雜字書編著者狀況。

林寶樹，字光階，號梁峰，出生清康熙年間福建省武平縣農家，幼年曾因不識字遭人恥笑而發憤讀書，二十三歲考上秀才，二十六歲高中舉人，唯其後並未由此踏上仕宦之途，反留居家鄉故里，靠舉子微薄廩俸生活，閒時潛心著述，並熱心公益，常為鄉人提供婚喪喜慶紅白司禮、逢年過節大字春聯，或其它文契字據、計算往來帳目等免費文墨。

對於林氏的辭官不就，一說是因分發官職在距家鄉甚遠的遼寧海城，為顧及年邁父母，故辭官不受；也有說是其曾走馬上任三月，因看不慣官場黑暗而掛冠求去。無論如何，林氏後來遠離官場，長年鄉居生活的結果，使其著述甚豐，尤其是影響深遠的這部《一年使用雜字文》；由於深入鄉間生活，頗能體會庶民大眾不識字的痛苦，故運用客家方言，參照日常生活情形而編成七言韻文的雜字書。此雜字書最早刻於雍正七年（1729），後一再翻刻，為蒙館常用課本，廣泛流通於客家人聚居的汀屬八縣，廣東梅江流域和江西會昌、尋烏、安遠諸縣，至民國時仍普遍使用。[107]由客家地區曾流行這樣的諺語：「寧失千兩金，莫失雜字本」，[108]可見此書之

---

[106] 徐梓，《蒙學讀物的歷史透視》，頁219。

[107] 《（福建）武平縣志》，頁592、801-802。

[108] 魏德毓、李華珍，〈四堡雕板印刷業與商品經濟關係初探〉，《福建商業高等專科學校學報》，2002年1期（2002年2月），頁50。

受重視。

與林寶樹同樣出身農村的馬益著，字錫朋，又字梅溪，為清乾隆年間山東省臨朐縣胡梅澗村人，年輕時中過秀才，然此後屢試不第，後雖被選為歲貢，[109]亦絕意仕途，終生以耕讀為業，年逾八十仍筆耕不輟。[110]據現存馬氏著作可知其多以方言從事寫作，[111]故《莊農日用雜字》亦充滿方言語詞，若非當地人實難了解，然此書與農村社會結合的通俗內容，使之甚受農民歡迎，時有《五字經》之稱，[112]可見人們對之重視程度不下《三字經》。《莊農日用雜字》一書流傳甚廣，從清代至民國以後持續通行，抄本、刻本均有使用，[113]使用範圍不僅是山東各地，更因清末以來山東人民的移居

---

[109] 馬益著被選為歲貢的時間說法不同，一說其乃乾隆丁丑歲貢，該年為乾隆 22 年（1757），馬氏時年 35；一說其至乾隆 45 年（1780）才被選為歲貢，時年 58；相關資料參見：周鈞英、劉仞千纂，《（山東）臨朐續志》，卷 15-16，頁 766；譚景玉，〈《莊稼雜字》作者考辨——兼述馬益著生平及著作〉，頁 14。

[110] 有關馬益著生平可參見：周鈞英、劉仞千纂，《（山東）臨朐續志》，卷 15-16，頁 766；《（山東）臨朐縣志》（濟南：山東人民出版社，1991 年 5 月），頁 697-698；譚景玉，〈《莊稼雜字》作者考辨——兼述馬益著生平及著作〉，頁 13-17；譚景玉，〈關於《莊農雜字》的幾個問題〉，《近代中國史研究通訊》，36 期（2003 年 12 月）。

[111] 現存馬益著作品有《舌耕傳》、《佐酒諧談》、《庚戌水災鼓兒詞》、《子華使于齊全章鼓詞》，參見中國人民政治協商會議山東省臨朐縣委員會編，《文史資料選輯》，4 輯（1985 年 12 月），頁 81-116。

[112] 《山東省志·教育志》（濟南：山東人民出版社，2003 年 3 月），頁 29。

[113] 如王爾敏所說的版本是抄本，呂世聖則提及此書有木刻本，而寒光所言者乃民國時上海廣文書局的刊本。參見：王爾敏，〈《莊農雜字》所反映的農民生業生活實況〉，頁 98；寒光，〈山東雜字〉，頁 10；呂世聖，《新編農村

東北而遠傳關外，[114]且該書亦影響日後山東地區其它雜字書的編寫，如中共政權下的《新編農村日用雜字》即受馬益著《莊農日用雜字》一書影響而成。[115]

此外，《天津地理買賣雜字》在民國時期共有 9 年（1920）、18 年（1929）及 26 年（1937）三個不同版本流通，均由聚文山房印行；該書局創辦於辛亥革命時期，原先是出售書籍和筆墨紙張的商號，不久即買來木刻書板，雇工印刷，自行銷售，其曾發行許多鼓詞、唱本等通俗讀物，經辦人為張廷書。[116]據握有這些版本的大陸收藏家王慰曾先生之研究，認為三書結尾部分提及之人名，如張廷書、張景珊及孫滿常等，應即為該書之編輯者或承印人，而這些人的身份均是經營書店的文化工作者。[117]至於明刊本《新刻四言雜字》一書係由杭州徐龍峰梓行，徐氏身份不甚清楚，應亦屬經營坊刻的文人，除刊有此識字入門用雜字書外，亦刊有屬鞏固識字用的雜字書如《新刻五言雜字》、《新刻六言雜字》、《新刻七言雜字》。[118]

由上述實例可知，明清以來識字入門用雜字書編寫者的出身應屬民間社會的市井文人，因仕途不順或官場失意而隱居當地，全心

日用雜字》（濟南：山東教育出版社，1986 年 3 月），〈編者的話〉，頁 1。

[114] 譚景玉，〈《莊稼雜字》流傳地域述略〉，頁 4-9。

[115] 呂世聖，《新編農村日用雜字》，〈編者的話〉，頁 2。

[116] 《河北省志·出版志》，卷 83，頁 431。

[117] 來新夏主編，《雜字》，〈序〉，頁 10-11。

[118] 《新刻五言雜字》；《新刻六言雜字》；《新刻七言雜字》（杭州徐龍峰梓行，明刊本）。

著述；也有經營文化事業，投身編纂或出版工作者的努力成果。這些市井文人因具一定教育程度及知識水準，故能貢獻所學造福庶民大眾，在民間社會扮演知識傳播與文化承續的中介者角色，此實具重大意義且影響深遠。[119]

小　結

對習慣拼音文字的外國人而言，學習中文無疑是相當困難的，主要原因就在於大量形音無關的字詞，要靠逐字逐詞地記憶乃可為日後的閱讀奠基；故外國人對漢字系統通常不予好評；如清高宗乾隆 8 年（1743）訪問中國的英國准將喬治·安生（George Anson）抱怨中文「創造出太多生字，根本不是人腦所能記憶」；法國學者孟德斯鳩（Baron de Montesquieu，1689-1755）直言中文學習「最困難的應該是龐大的生字」；即使是對中國文化甚為推崇的法國哲人伏爾泰（Voltaire，1694-1778）也指出中文是「艱澀困難」的；能夠像曾經使華的英國勛爵馬戛爾尼（George Macartney，1737-1806）般認為「中文學習應該不難」者，實屬少數。

由於恐懼大量的中文字詞，外國人對中文字詞量的多寡也有差距甚為懸殊的估算，如明世宗嘉靖 35 年（1556）底在中國廣東待過幾週的道明會修士賈西帕·克魯茲（Gasper da Cruz，?-1570）認為中文

---

[119] 明清以來生活鄉間的市井文人對當地社會的貢獻與影響，在學界愈受重視，相關的研究成果可見：胡成，〈禮教下滲與鄉村社會的接受和回應——對清中期江南農村地區的觀察（1681-1853）〉，《中央研究院近代史研究所集刊》，39 期（2003 年 3 月），頁 80-85。

大約五千字左右；德國的學者兼歷史學家約翰·戈特弗萊·赫德（Johann Gottfried von Herder）認為中文多達八萬個生字，而孟德斯鳩更估計中文字詞量超過八萬個。[120]

外國人的觀點容有偏差或誤解，然不屬拼音文字的漢字系統確實在學習過程中要克服字詞辨識及記憶問題，在相當字詞量的基礎上，才得進入閱讀階段；因此，如何方便童蒙識字認詞，在較短時間內具備足以閱讀的字詞量，就成為編寫識字教材者的重要目標。

史游以前的識字教材因現存資料有限，難以深入分析了解，然自《急就篇》開始，中國識字教材已建立出一種立基於生活中具體名物掌握的識字入門管道，且對這些內容多採韻語連文及以類相從方式呈現。就前者而言，實配合中國傳統知識分類系統，對知識掌握由具體而抽象，由近而遠地逐步學習，故識字教材內容係以名物為主，次人事與天地。且具體名物的學習，不論是涉及食衣住、器物用具、動植物或身體醫藥等方面，均可配合日常生活中的實際體會與感觀經驗，方便童蒙掌握，而在此原則下，中國傳統識字書的編寫，多不考量字詞筆畫的繁簡問題，因學習的困難與否關鍵並非在字詞本身筆畫數的多寡，主要仍在是否能與日常生活中的實際經驗相結合。再就後者而論，採用韻語連文及以類相從方式呈現，實方便誦讀，有益字詞辨識與記憶，而這些基本工夫乃漢字系統閱讀前的必備條件。唯此一識字傳統至《千字文》出現後，逐漸產生變

---

[120] 史景遷（Jonathan D. Spence）著，阮淑梅譯，《大汗之國——西方眼中的中國》（臺北：臺灣商務印書館，2000年6月），頁41、71、76、115、124、126。

化。

《千字文》的內容重心已轉而強調社會生活中的倫理道德訓誡與前人功績懿行的典範學習，偏離童蒙日常生活環境中可與實際經驗相結合的各式具體名物。此一演變，促成識字教材內容的分途發展及識字入門的方式不一，這種情況至宋代《百家姓》及《三字經》出現後，漸與《千字文》整合成「三、百、千」系列的蒙書系統而確立；宋元以後，「三、百、千」成為童蒙識字入門的主流教材，雜字書則成為中下階層的啟蒙讀物，被視為不登大雅之堂者，然細究書中內容可知，真正承繼《急就篇》的識字傳統者應為雜字書；此一淵源相承軌跡，乃本文特要指出者。

明清以來識字入門用雜字書，由於承繼以往《急就篇》、《開蒙要訓》傳統，在內容上著重自日常生活中的各式具體名物著手，再加上部分人事領域內有關公私人際關係的建立與維持等事，及若干對天文氣象及地理等生活環境的掌握；即雜字書的學習內容及過程是由具體、親近而抽象、疏遠地層次推展，乃可配合童蒙的認知歷程，便於初學識字者採用。同時，具體名物學習階段，除單純的識字認詞外，亦整合與各式名物相關的生活經驗與實用知識予以呈現，如言及食物的口味、性質、調理法，或物品的用途、來源、產地、特性；又雜字書使用者不限農民，適用範圍非僅鄉村，而為配合農商、城鄉等不同職業及生活地域的個別需求，在內容規劃上往往有不同著墨。凡此種種，均使雜字書頗為多樣化，更貼近四民大眾的日常生活，顧及地域特性，方便各色人等實際利用，且不時配合時代需要作內容刪增變化。亦即，明清以來識字入門用雜字書實將「識字」與「雜用」二者相互結合，既透過生活雜用內容以識字認詞，亦可將認識的字詞內容實際應用於日常生活中。

組織結構上，明清以來識字入門用雜字書的字詞量，多能符合漢字系統達到閱讀前所必須具備的基礎識字量；而為使童蒙在學習過程中易於誦讀、辨識及記憶，雜字書強調多用韻語連文及以類相從等方式。在字句安排上由同部首的名詞組合，以轉折語句引出各式分類相關名物；到靈活地配上動詞、形容詞使句子文意完整，更形生動活潑；甚至以時間為綱，搭配一年中生活各項內容貫串全文地精心設計，甚具創意與巧思。同時，隨著印刷技術的日益進步，民國以後的雜字書有大量的圖像運用，不論是配合字詞的釋義圖或置之書首的封面圖均不斷增加且鮮明可愛，實提高書籍的可讀性並吸引童蒙注意，產生學習興趣與效果。

明清以來識字入門用雜字書在內容呈現及組織結構上的水準提升，除因物質方面印刷技術增進之促成外，實得益於市井文人的相繼投入。這些文人或失意於科考、不得志於仕途，或致力出版事業、文化工作，無世俗之功名利祿，往往默默無聞於當道，然其投身基礎教育事業，專注知識傳播及文化承續工作，卻是嘉惠庶民大眾，造福人群社會，其努力與成就實可為今日童蒙教育或語文教育工作者之借鏡。

第四章

清代民間生活知識的掌握

——從《萬寶元龍雜字》到《萬寶全書》

民間社會生活與大眾文化內涵為近來學界競相投入的研究領域，然由於庶民大眾的重要性不若帝王將相、文人雅士及富商巨賈，且其無法親自留下各式文字資料供後世參考了解，故相關史料往往闕如，使此一領域的研究頗感困難。

以往學界關注庶民大眾或民間社會課題時，常須借助正史、檔案、方志、族譜，乃至文人的日記、札記、筆記、文集等資料，或從話本、戲曲、小說、寶卷之類的文學作品，及經卷、善書、功過格、陰隲文之類的宗教材料，來呈現庶民大眾的生活風貌及思想觀念。近年來，筆者嘗試透過庶民大眾利用的生活手冊，尤其是《萬寶全書》這種四民通用的民間日用類書，以觀察明清時期民間生活實況及其演變。❶由於明末以來生活環境的變動，配合商業發展、印刷術進步等物質條件，及文人觀念轉換，願意投身俗書的編纂、

---

❶　參見吳蕙芳，《萬寶全書：明清時期的民間生活實錄》一書。

出版等工作，促成民間日用類書的產生並持續發展。明清時期流通的民間日用類書，於今可見者仍有七十多種不同版本，❷若以其出版時間範圍視之，則平均每隔四年左右即有新版問世，可見此種書籍在當時的需求程度。唯民間日用類書的參考運用涉及使用者的識字能力，除了經由中介者的轉達，❸庶民大眾若要親自由書本上閱讀取得生活知識，就必須克服文字的障礙；而在此一考量下，不免令人質疑：當時的庶民大眾是否有足夠的識字能力閱讀此種書籍？民間日用類書的使用對象是否真如其書名或書旨中所言是為「四民捷用」？❹

對於明清以來民眾閱讀能力及識字程度的了解，學界多參考二十世紀七〇年代美國學者 Evelyn S. Rawski 的研究成果，Rawski 指出：十九世紀八〇年代的中國識字率男性可達 30 至 45%，女性則有 2 至 10%，當然，城市內的識字率應高於此一平均值，且城市人民的識字程度亦較鄉村民眾普遍得多；為論證其觀點的正確性，Rawski 以清代啟蒙教育的普遍發展、籌辦教育機構的經費充裕及

---

❷ 較新的明清時期各版《萬寶全書》目錄，可參見吳蕙芳，《萬寶全書：明清時期的民間生活實錄（修訂版）》，下冊，頁 355-383。

❸ 在中國某些地區即有儒者扮演此種中介者的角色；參見：James Hayes, "Specialists and Written Materials in the Village World", in David Johnson、Andrew J. Nathan、Evelyn S. Rawski eds., *Popular Culture in Late Imperial China*（臺北：南天書局，1987 年 10 月），頁 76；王爾敏、吳倫霓霞，〈儒學世俗化及其對於民間風教之浸濡〉，《明清社會文化生態》（臺北：臺灣商務印書館，1997 年 7 月），頁 47-52。

❹ 有關民間日用類書中書名及書旨的說明，參見吳蕙芳，《萬寶全書：明清時期的民間生活實錄》，頁 72-74。

來源廣泛、學校數目遞增、師資充裕、學費不貴、書籍印刷進步、俗文學讀本廣傳、自修及進修教材齊備等現象加以解說，此本立基豐富史料與細膩分析的研究論著，確實獲得學界相當的重視；然因漢字系統的識字標準界定不一，及採用資料仍有若干爭議性，使得 Rawski 估算出來的識字率仍引起人們的質疑，認為有值得商榷之處；❺也因此，明清以來標示著為四民大眾共通使用的民間日用類書，真正的適用對象及普及程度仍是可以再討論的。

本章之撰寫並非企圖解決上述爭議，提出清代庶民大眾的確切識字率或閱讀能力；筆者只是透過相關資料，嘗試了解庶民大眾經由閱讀方式掌握生活知識的可能性，意欲勾勒民間社會獲取生活知識的途徑之一，亦藉此呈現民間生活知識的傳遞管道。

第一節　雜字書：識字基礎的奠定與鞏固

漢字系統與拼音文字系統不同，在達到足以閱讀全文時，勢必要經過一個識字階段，此識字階段又分為前期的集中識字及後期的鞏固識字兩部分。其中，集中識字是在短時間內迅速認識一定數量的字詞，以為閱讀奠基；此段時間通常是一或二年，字詞數量則為二千字左右。鞏固識字即在此二千字基礎上予以複習，加深印象，

---

❺ Rawski 的研究可見其著作，Evelyn Sakakida Rawski, *Education and Popular Literacy in Ch'ing China*, pp.10-17、140；而相關的評論可參考：呂仁偉，〈評介羅著「清代中國的教育與大眾識字」〉，《食貨》，10 卷 4 期（1980 年 7 月），頁 46；張朋園，〈勞著「清代教育及大眾識字能力」〉，《中央研究院近代史研究所集刊》，9 期（1980 年 7 月），頁 457-460。

甚至由此擴展字詞數量，便於日後閱讀。

漢字系統此種較特殊而艱難的學習過程，促成中國蒙學教育中大量識字課本的編寫；從先秦兩漢時的《史籀篇》、《倉頡篇》、《凡將篇》、《急就篇》，到南北朝時的《千字文》，乃至唐宋以後的《百家姓》、《三字經》等等，無不是針對漢字學習過程中集中識字之考量而來，其中尤以「三、百、千」的普及程度與流通範圍最廣。大致而言，在經由「三、百、千」三部基本識字書的學習後即可擁有約二千字左右的字詞基礎，唯此一識字根基並不穩固，還須進一步地利用其它教材來加強並擴大識字基礎，乃可進入閱讀階段。在鞏固識字部分中，另有一些教材的採用，如訓誡類的《弟子職》、《弟子規》、《女兒經》、《太公家教》，掌故、歷史類的《龍文鞭影》、《幼學須知》、《蒙求》及其它仿《蒙求》形式而成的各式讀物等等；這些屬鞏固識字用的教材與集中識字用的教材一樣，均以韻語方式呈現，才能普遍為兒童接受，產生學習效果，達到學習目的。❻

上述學習過程在相關童蒙教育的研究中指陳歷歷，人們並不陌生，唯此一學習過程的適用者，主要是士人階層，亦即將來欲走向仕宦之途者的必經之路。然一般的田夫牧民子弟，無意於科舉，或是家境不良，僅求能粗通文字，記帳維持生理者，又是何種的學習歷程呢？由於漢字系統的學習勢必經由集中識字及鞏固識字階段，才有足夠的能力閱讀；因此，田夫牧民子弟自不可例外於此，唯學

❻ 有關傳統語文教育的各階段發展及所用教材，參見張志公，《張志公文集（4）——傳統語文教學研究》，頁20-103。

習教材則可能有不同的選擇；其中，雜字書即扮演了相當重要的角色。

有關雜字書的性質，學者的研究認為是與「三、百、千」並行的另外一個系統的識字課本，一般只流行在當時的中下層社會；乃正式蒙學課本「三、百、千」以外的「非正式」讀物，較之「三、百、千」「不登大雅之堂」，是不被讀書人認可的教材。❼前人此一論點，並未確切說明依據為何，而筆者在難得一見的雜字書之序言與例言中得到證實；清版《新增一串珠雜字》中有〈序〉曰：

> 世人教子弟有兩等焉，一則望其學問有成，為考試取功名之路，其餘望他曉其道理，不過識多箇字耳。村中子弟未必盡能讀書求名，及長都是習生理、習工藝或事於農務者居多；或讀兩三年，或讀四五年；學力未精，字義尚多未曉，一旦執筆，心裏茫然，難免搔首問天之嘆。在經書字為作文章用，未必盡合時宜，世上當行之字，至粗至俗為至緊要，不盡載於四書五經，所以別有雜字相傳也。

〈例言〉中又強調「此書專為初學粗淺者而作」，因：

> 他書字眼，識之未必能曉用，此則說來直白，不用註腳便能曉得；如此用法，子弟若作工商等藝，將此雜字習熟曉寫，勝過讀多兩卷經書。此書約二十篇，功程有限，為館師者於

❼ 張志公，《張志公文集（4）——傳統語文教學研究》，頁 45、48。

> 誦讀之暇，教識三五行，使子弟默識在心，隨時習熟，他時執筆用字，不須苦索深思。❽

至於雜字書的施行狀況，近人的親身體驗甚多；如出生華北，幼年受過私塾教育並閱讀過《六言雜字》、《七言雜字》的民俗學者郭立誠指出，雜字書是在「三、百、千」三部識字「小書」的基礎上，另外學習的最淺一種的實用書。❾出生於清末甲午戰敗之時，同樣有過私塾教育經歷的張秀熟則將雜字書與《百家姓》、《千字文》並稱為「村塾雜字書」，然雜字書的字詞最多，將生活與工作方面的相關事物分別錄出供學習，其中許多字還是字典所沒有的；此與純為識字用，最為通行的《三字經》及編得頗為好讀的《千字文》有所不同。❿出生農村的辛建領提及，其學習過程是唸完了《三字經》、《百家姓》後才開始讀雜字書。⓫出生於二十世紀四〇年代，父、祖輩均屬稍識文墨者的毛志成，在五歲時亦入塾開蒙，一開始即學習《三字經》、《百家姓》、《千字文》、《六言雜字》之類，專門為識字、練字的教材。⓬

---

❽ 邵彬儒，《新增一串珠雜字》，序、例言。

❾ 郭立誠，〈談私塾〉，頁 179；郭立誠，〈保存本省民俗史料的千金譜〉，頁 71。

❿ 張秀熟，〈清末民間兒童讀物〉，收入中國人民政治協商會議全國委員會文史資料研究委員會編，《文史集萃》，1 輯（北京：新華書局，1983 年 10 月），頁 190。

⓫ 辛建領，〈噩夢般的童年：重要的一課〉，《山東教育》，2000 年 28 期，頁 1。

⓬ 毛志成，〈也算我的自傳〉，《文學自由談》，2000 年 1 期，頁 113。

由上可知，雜字書性質確是一種適用於中下層社會，僅以粗通文字，供實際生活需要的實用性識字教材；其普遍流行於私塾教育中，與「三、百、千」的關係，可能有前後學習階段的差異，也可能並列為同一階段的學習教材。

事實上，中國以雜字為名之書，早於後漢即出現，經魏晉南北朝至隋唐不斷，惟此時的雜字書今多不存，而見諸他書所輯之部分殘卷內容，可知當時的雜字書多為難字釋義或訓詁之類書籍，與後來的雜字書應屬不同性質；真正供作識字教材的雜字書在宋代已廣泛流行，且普遍為農家冬學用課本，此在文人農村詩中指陳歷歷；而雜字書內容頗為實用，甚至受到當時外族西夏國的重視而有漢文雜字書與西夏文雜字書的流通使用。⓭

明清以來雜字書的發展更盛，種類亦繁，今日可見之雜字書，多屬此時期版本，目前筆者所能掌握的雜字書可大致區分為下列幾類：

一是內容全屬字詞者，字詞無分類亦無釋義；此又分附有圖例的明版《新編對相四言》、⓮民國版《繪圖莊農雜字》，⓯及附有注音的明版《魁本音訓四言雜字》；⓰也有既無注音亦無圖例的明版《新刻四言雜字》、⓱清版《捷徑雜字》、⓲民國版《四言雜

⓭ 相關雜字書的淵源說明參見本書第二章，頁63-73。

⓮ 《新編對相四言》。

⓯ 《繪圖莊農雜字》。

⓰ 《魁本音訓四言雜字》。

⓱ 《新刻四言雜字》。

⓲ 《捷徑雜字》。

字》等。⓳（參見附錄四）此類雜字書可說是較為簡單的一種雜字書，特別是附有圖例者，對初學識字者幫助甚大，屬較初級的識字課本，即集中識字用雜字書或識字入門用雜字書；此類雜字書可與「三、百、千」並列學習，如前述張秀熟、毛志成的例子可知。

二是內容全屬字詞者，字詞仍無釋義然有分類；此又分附有圖例的清版《幼學雜字》、⓴民國版《士農工商買賣雜字》；㉑不附圖例的明版《新刊廣輯居家緊要日用雜字》、㉒清版《雜字便用》、㉓民國版《時行課幼大全雜字》；㉔附有注音的清版《日用雜字》；㉕及不附注音的清版《七言雜字》、㉖民國版《便用雜字》等。㉗此類雜字書多無圖例說明，且內容因有分類字詞亦較多，故學習起來實較前者困難，屬較深一級的識字課本，即鞏固識字用雜字書；惟此類雜字書雖字詞內容較集中識字用雜字書為多，然觀察書中各分類項目可知，其一如集中識字用雜字書或識字入門用雜字書般，全書內容仍是以具體名物字詞為大宗，亦方便學習者配合實際需要辨識更多字詞供生活日用。（參見附錄五）此種鞏固識

⓳ 《四言雜字》，頁 18-37。

⓴ 《幼學雜字》，頁 1-17；書中刊印未附圖例，然原書有圖例。

㉑ 《士農工商買賣雜字》（不明出版項）。

㉒ 《新刊廣輯居家緊要日用雜字》（萬卷樓重梓，明末書林余松軒發行）。

㉓ 《雜字便用》（清光緒年間刊本）。

㉔ 《時行課幼大全雜字》（重慶古文書局，民國石印本）。

㉕ 《日用雜字》（文洽堂，清宣統元年〔1909〕刊本）。

㉖ 《七言雜字》（廣州黃翰經堂刊，以文堂藏版）。

㉗ 《便用雜字》（民國刊本），收入李國慶校注，《雜字·俗讀》，頁 120-128。

字用雜字書是在「三、百、千」的識字基礎上才能學習，如前述郭立誠、辛建領的例子可得證。

三是內容除有大量不分類或分類、釋義、注音的字詞外，還刊載若干各式生活知識者；此又分有圖例的明版《新增幼學易知高頭雜字大全》、㉘清版《東園雜字》；㉙及無圖例的明版《新鐫鰲頭備用雜字元龜》、㉚清版《萬寶元龍雜字》等。（參見附錄六）此類雜字書就性質而言，已非純粹教學用的識字課本，其功能有如今日字典、辭典可檢索字詞意義或如家庭生活百科全書可查閱生活知識之類的工具書；亦即，雜字書發展至此一階段應已橫跨「識字認詞」與「生活雜用」兩個範疇，屬兼具教科書與工具書兩種性質與功能的雜字書類型。其中，《東園雜字》、《新增幼學易知高頭雜字大全》仍有大量篇幅的對相識字，即一字詞一圖例的內容刊載，方便學習者認識字詞，保留較多的識字教材意義；而《萬寶元龍雜字》則不論是字詞釋義或生活知識內容，全屬文字刊載，實較偏向工具書之類的參考應用價值。

第二節　《萬寶元龍雜字》：識字與雜用的混合

《萬寶元龍雜字》由徽郡徐三省（益吾）編輯，戴啟達（惺菴）增訂；全書分上、下、外三卷，以上、中、下三層排印。該書原板

㉘　《新增幼學易知高頭雜字大全》（明萬曆44年〔1616〕，文萃堂梓）。

㉙　《東園雜字》（廣州以文堂，清乾隆8年〔1743〕刊本）。

㉚　《新鐫鰲頭備用雜字元龜》（明萬曆甲午年〔22年，1594〕梓行）。

為徽郡所屬，然由蘇州、揚州、南京、徽州、北京等地的不同書坊刻印流通，可見其普及性及代表性；而此書刊行各版雖有時間差異，唯內容大致相同，且以乾隆 30 年（1765）序刊本較為普遍。㉛

《萬寶元龍雜字》一書的來源、性質與適用對象，由序文中已可知其大要；蓋此書係在他書基礎上增補而來；性質非僅單純的識字教材，實含參考稽查之用；適用範圍則擴及士宦商賈，不限庶民童蒙。㉜事實上，《萬寶元龍雜字》此種以它書為基礎增補而來及士庶並用的特色，於全書各部分書名、各字詞類目與內容中可得到證實。如就前者而言，全書各部分書名中不時有「新刻增訂」、「增補」、「重刻增補」、「增刻」等詞，並提及「四民便用」之意。再就後者而論，《萬寶元龍雜字》的字詞部分源自流通當時、雅俗

㉛ 《萬寶元龍雜字》又名《增補元龍通考雜字》、《（新刻）增訂釋義經書便用通考雜字》，現有若干版本如下，本文以清乾隆 30 年金閶三槐堂印行版本為依據。

㈠徐三省輯，黃惟質增訂，康熙年間刻本，敦義堂重訂。

㈡徐三省輯，戴啟達增訂，乾隆 30 年序刊本，金閶三槐堂印行。

㈢徐三省輯，戴啟達補，乾隆 30 年序刊本，金閶丹山堂印行。

㈣同治 8 年（1869）刊本，秣林授經堂印行；見鄧嗣禹編，《中國類書目錄初稿》（臺北：古亭書屋，1970 年 11 月），頁 119-120。

㈤同治年間（1862-1874）刊本，北京琉璃廠文盛堂印行；見李致忠，《歷代刻書考述》（成都：巴蜀書社，1990 年 4 月），頁 358。

㈥徐三省輯，戴啟達增訂，清刊本，揚州轅門橋邱氏文富堂藏本。

㈦徐三省輯，戴啟達增訂，清刊本，南京李光明庄刻。

㈧清刊本，歙縣仇村黃文儀梓行，開日堂增訂；見王振忠，〈一個徽州山村社會的生活世界——新近發現的“歙縣里東山羅氏文書”的研究〉，頁 140。

㉜ 《萬寶元龍雜字》的序文內容參見本書頁 82。

合併的字典或辭典類書籍《諸書直音世事通考》一書，然將其中的四書五經難字悉數盡除，卻保留急用古字，且新增疑字及易聲兩類屬訓詁內容者；又刪去不少生活中的消費性字詞，增加許多實際且頻繁應用的各類器具字詞；而各類字詞可分由士農工商、四民大眾各自選擇利用；亦即《萬寶元龍雜字》的字詞種類及內容與其淵源書籍相較，有朝通俗而實用方向發展，以符合士庶並用需求。[33]

若再仔細分析《萬寶元龍雜字》字詞部分的內容呈現，實已非如教科書型雜字書；蓋教科書型雜字書，不論分類與否、注音或圖例有無，全屬字詞的形體刊載，利於認識與辨識；且全文多以韻語及連屬成文方式呈現，俾便童蒙誦讀學習。如無分類的《繪圖莊農雜字》部分內容為：

> 南地谷子，北地高糧。快的慢的，全憑種糧。穈子稗子，別種高崗。
>
> 黃豆黑豆，綠豆種上。谷子粘的，少種不妨。幾天洼地，無水再講。
>
> 地皮乾了，預備犁丈。懷耙先走，隨後揚上。葫蘆點種，輥子軋光。
>
> 蘇子出油，種地頭上。芝麻多種，價錢高強。棉花要種，好做衣裳。[34]

---

[33] 吳蕙芳，〈《萬寶元龍雜字》的內容與性質〉，頁136-139。

[34] 《繪圖莊農雜字》，頁39。

有分類的《日用俗字》，〈莊農章〉部分內容為：

> 朝廷自古重耕田，生意百行他占先。庄稼忙亂無頭启，只有冬月稍清閑。
>
> 堞道坨堐防作蹋，填堰還恐水沖坍。正月暖和才化凍，挑壕出糞用筐杴。
>
> 打開輞轒換車輻，轐轆加楔禦牢堅。糞堆倒蹬兩三遍，上靽𦨴來地里搬。
>
> 豌豆紅花不出九，扎挂繩索用木杆。犁轅木上犁牙筍，鞋底環旁蠐螬環。㉟

而《萬寶元龍雜字》則是如字典或辭典般地分類字詞個別刊載，有注音、釋義，卻完全不用韻，亦不連屬成文。如〈農業類〉的字詞共五十一個，分列如下：

> 佃種、耕耘、耖耙、撒穀、扳秧、擇樿、栽禾、鋤園、接樹、㭁桑、打塹、踏草、燒灰、車水、捋粟、㓮地、壅水、澆麥、潑糞、捍土、插豆、𢫬山、砍柴、斫樹、拕柴、扛石、擡轎、挑脚、擔担、製簰、擔土、砌磡、填路、監割、交租、曬暴、荒蕪、築田塍、夾籬笆、破松明、穧稻稈、泡石灰、開屋基、做墮泒、塞田滹、掘田堀、稄、芟、畝、耦、畤。

㉟　《日用俗字》，頁 62-63。

其中個別釋義者，如「佃種，神農氏始教天下耕種五谷而食」、「耰，種也」、「芟，去草也」、「畇，耕田起土也」等。㊱

《萬寶元龍雜字》的字詞釋義除上述較簡單，針對字詞本義直接說明外，也有涉及功能、淵源、性質等較複雜的解說者；如〈蔬菜類〉中「蔓菁」是：

> 蘿蔔也。諸葛所居之地，而幗合軍土人種之，故又名諸葛菜，又名五美菜。初出可以生醃，一美；果生長可以煮食，二美；久居隨以滋長，三美；其根甘美可以充飢也，又能消食化氣，四美；多食無厭，五美也。

〈宮室類〉中「寺觀」為：

> 漢明帝時，西域僧摩騰、竺法蘭，以白馬馱經來朝，初止于鴻臚寺，遂以僧居為寺，黃帝置元始真容于高宮，上言可觀望其上也，故乎（呼）道居為觀。

〈雜貨類〉中「胡椒」係：

> 出摩伽陀國，番人呼為昧履支；其苗蔓生，莖極柔弱，長寸半，有細條與葉齊，條上結子，兩上相對，其葉晨開暮合，合則裹其子于葉中，是以不沾陰氣，故甚辛辣，六月採之。

㊱　《萬寶元龍雜字》，上卷，〈農業類〉。

有些甚至指明字詞出處，如〈釋道類〉中「觀音」一詞乃：

> 出香山傳，乃妙莊王第三公主，削髮為尼，后因父疾，剔目斷臂以救其父，上蒼格其誠心，仍復其手眼，又加千手千眼乃千無量。百千萬億眾生受苦惱者，念是菩薩，觀其聲音，即能救護眾生，故因以是名曰觀世音菩薩。[37]

《萬寶元龍雜字》此種字詞內容的呈現及相應而來的字詞數量，實無法純粹為童蒙以識字課本性質採用，而發展成字典或辭典類工具書，可供童蒙或成人日常生活之檢索應用。惟《萬寶元龍雜字》的分類字詞刊載方式雖與教科書型雜字書有不同，然觀察其各分類項目中之字詞一如教科書型雜字書般，[38]仍以日常生活中的各式具體名物為大宗，亦即，其學習方式也是與實際生活互相且密切配合的。

除分類字詞部分外，《萬寶元龍雜字》也有部分篇幅刊載生活知識內容，包括史地知識、官秩律令之類對生活環境的認識，謀生技藝、玄理術數、醫療保健等屬實用智能的學習，人際交往的書柬運用、關禁契約的訂定之類有關社交活動的歷鍊，以及酒令游戲的

---

[37] 《萬寶元龍雜字》，下卷，〈蔬菜類〉、〈宮室類〉、〈雜貨類〉、〈釋道類〉。

[38] 《萬寶元龍雜字》的字詞分類及數量可參見吳蕙芳，〈《萬寶元龍雜字》的內容與性質〉，頁 142，附錄；唯此一字詞數量僅為各類字詞的總合，不含各個字詞下釋義部分的字詞數量，若要加上各個字詞下釋義部分的字詞，則總數更為龐大。

休閒興趣培養四大領域。（參見附錄七）這些內容均配合人們實際需求而刊載，如以玄理術數項為例，當時為方便出行者選擇良辰外出以避災遠禍，書中列有逐月出行吉日、出行忌日、出行吉凶日圖及各種凶敗日、耗日、荒蕪日、休廢日，甚至刊出喜神方位圖、鶴神方位圖、出行忌歌、祈福吉日歌訣等內容提供需要；一旦事急無法擇日時，亦可採「事急出行不暇擇日當作縱橫法」出門以驅凶歸吉。而不論出門在外或居家在內，若不幸遇不測之怪，可用硃砂畫符壓怪處，或以男左女右佩帶之，則諸怪均可遠遁以保平安。[39]設若對未來之事好奇，欲提前知吉凶以防範未然，則可利用種種占卜法，如根據來占時間，配合一定推算過程的諸葛孔明馬前課、六壬課，以烏鴉方位或燈火變化為準的占鴉經斷法、占燈花，及依身體變化判定的逐時斷耳熱、眼跳、面熱、噴嚏等方法以預知吉凶好壞。[40]再以醫療保健項為例，書中刊有瘡腫科的對口瘡、疥瘡、膿窠瘡、頭上瘡、口舌瘡、癩痢瘡、楊梅瘡、疳瘡、痔瘡、血瘋瘡、足瘡，內科的痢疾、瘧疾，傷科的夾打損傷、跌打損傷、爆竹打傷，以及其它涉及頭面、四肢等部位之患病治療法。[41]

這些生活知識內容往往可與分類字詞部分互相配合；如謀生技藝中學習珠算的四則運算法，實須以數目類中之各度量衡，包括億兆、鈞、鎰、秉、斛、石、升斗、合勺、抄撮、分兩、毫釐、絲忽等字詞之明白為基礎；採用各治方療法時，除對病症類中各項病名

---

[39] 《萬寶元龍雜字》，外卷，〈剋擇類〉。
[40] 《萬寶元龍雜字》，外卷，〈課占類〉。
[41] 《萬寶元龍雜字》，外卷，〈藥方類〉。

及由來有基本了解外，亦要掌握藥類中各色藥物，不論是動物、植物、礦物藥，或冷熱寒涼各藥的特性及功用；而人事類、人物類中各種因血緣親疏、法律關係形成的家族成員、親屬稱謂，及對人情事故的形容描述、遣詞用句，更是運用書柬活套以維繫人際往來的必備字詞須知。[42]

大致而言，《萬寶元龍雜字》一書中關於生活知識的內容刊載，除對人們生存環境的掌握外，主要是與現實生活直接而密切相關的物質生活、社會生活等部分，至於精神生活部分僅略為涉及；然這些生活知識內容的出現，已使《萬寶元龍雜字》就性質而言，具有如《萬寶全書》系列民間日用類書的家庭生活百科全書功用；而此一變化實有別於其它雜字書。

第三節　《萬寶全書》：生活知識的獲取

《萬寶全書》系列民間日用類書是由類書系統演變而來，供四民大眾日常生活便用的家庭百科全書；此種家庭生活百科全書，最早產生於明末的萬曆年間，時名稱不一，卷數甚多，內容繁雜；然發展至清代已統稱之為《萬寶全書》，且內容有簡化及制式化趨勢，以便推廣使用。[43]

清代流通的《萬寶全書》系列民間日用類書數量甚多，今日可

[42] 《萬寶元龍雜字》，上卷，〈數目類〉、〈病症類〉、〈人事類〉、〈人物類〉，下卷，〈藥類〉。

[43] 有關《萬寶全書》的產生與演變，參見吳蕙芳，〈民間日用類書的淵源與發展〉，頁 1-18。

見者近四十種，以江蘇坊刻本為大宗，也有福建坊刻本；內容有屬三十四卷版、三十二卷版、三十卷版、二十四卷版、二十卷版及以二十卷版為基礎增補而成的續卷版；其中，以二十卷版本最為普遍。[44]

《萬寶全書》系列民間日用類書的士庶通用、四民便用特性早於明代即已確認，此不僅見諸書名、書旨，亦證之於內容、排版與發行量；然隨著書籍的普遍流通，廣泛使用，人們對此種書籍性質均已熟知，故發展至清代版本的《萬寶全書》時，無論是書名或書旨均已不刻意強調士庶並用、四民通用之意。[45]

不同於《萬寶元龍雜字》之內容是以字詞為主，附帶生活知識的刊載；《萬寶全書》本屬民間日用類書性質，故內容全屬日常生活知識，而這些生活知識亦可分為對生活環境的認識、實用智能的學習、社交活動的歷鍊及休閒興趣的培養四大領域，惟其涵蓋範圍較《萬寶元龍雜字》來得廣泛。如生活環境的認識中，《萬寶元龍雜字》僅史地知識及官秩律令，《萬寶全書》則增加天文曆法的了解、天候氣象的觀察。實用智能學習部分的謀生技藝項中，《萬寶元龍雜字》有珠算運用的基本計數能力培養，卻無《萬寶全書》有關農業、畜牧、商業知識的學習；玄理術數項中，《萬寶元龍雜字》有擇日與雜占，但欠缺《萬寶全書》有關命理、相法、風水的掌握；醫療保健項中，《萬寶元龍雜字》有正統藥方與民俗療法，

---

[44] 較新的清版《萬寶全書》出版情形及卷數統計狀況，可參見吳蕙芳，《萬寶全書：明清時期的民間生活實錄（修訂版）》，上冊，頁 41-42、52-53。

[45] 吳蕙芳，《萬寶全書：明清時期的民間生活實錄》，頁 72-74。

然無《萬寶全書》有關養生及醫學內容，特別是婦科、兒科知識的刊載。又社交活動的歷鍊，《萬寶元龍雜字》有書柬應用及關禁契約的訂定，而《萬寶全書》增加法律知識以為輔助基礎，並有勸諭內容以止訟息爭，維持社會秩序的穩定。至於休閒興趣的培養，《萬寶元龍雜字》僅酒令文戲一種，《萬寶全書》除書法、繪畫、音樂、詩對、笑話等怡情養性內容外，還有棋藝、骰戲、牌術、技法及風月等娛樂活動，以增加生活樂趣。亦即，《萬寶元龍雜字》主要是日常生活中最直接而迫切需要使用的知識，《萬寶全書》則將生活中各層面的應用知識均包含在內。（參見附錄八）

值得注意的是，《萬寶全書》中各類生活知識的獲取往往可以《萬寶元龍雜字》裡相關字詞釋義為基礎而開展。如以生活環境認識中有關天文曆法的刊載為例，《萬寶全書》中的天文曆法知識含太極說、太虛論、兩儀說、兩曜說、晦朔弦望說、日蝕月蝕說、璿璣玉衡說、七政說、日月說、分天說、星說等天文理論，風說、霧說、雷說、電說、霜說、露說、雪說、水說、雨說、霰說、節氣時刻等氣象理論；而《萬寶元龍雜字》中的天文類及時令類洋洋灑灑列出一百三十個相關字詞的介紹或釋義，可為了解上述理論的背景知識。如先知乾坤、太極、二氣、兩儀、二曜、五星、星斗、二十八宿等詞之義，[46]才可進一步明白宇宙理論乃：

> 天地未分之前，元氣混而為一，二氣既分之後，阳氣居上為天，明〔陰〕氣居下為地，謂之兩儀。太極未判，天地人混

[46] 《萬寶元龍雜字》，上卷，〈天文類〉。

沌，太極既判，輕清者為天，重濁者為地，清濁混者為人；輕清者氣也，重濁者形也，形氣合者人也，故凡氣之發見於天者，皆太極中自然之理。運而為日月，分而為五星，列而為二十八宿，會而為斗極，莫不皆有常理，與人道相應，可以理而知也。㊼

先知四時、八節、二十四氣、候等詞之義，㊽才可進一步了解候氣原理乃：

伏義律八節以支應候，……，伏義造八卦，作三畫，以象二十四氣；……，鮑景翔云，五日一候者，一月六候，五六五五日也，五日為候，三候為氣，八氣為時，四時為歲也。㊾

再以休閒興趣培養中有關娛樂活動的刊載為例，先將《萬寶元龍雜字》中有關蹴踘、象棋、圍棋、雙陸、牙牌、硃窩等游戲項目的名稱、由來加以了解，㊿再進一步參考《萬寶全書》中上述各項游戲的實際玩法規則及布局範例，51則使用起來更為得心應手。

除了類目的刊載有不同外，《萬寶元龍雜字》與《萬寶全書》

㊼ 《萬寶全書》（學庫山房刻，光緒 21 年〔1895〕刊本），卷 1〈天文門〉，頁 2 下。

㊽ 《萬寶元龍雜字》，上卷，〈時令類〉。

㊾ 《萬寶全書》（光緒 21 年刊本），卷 10〈時令門〉，頁 1 上-下。

㊿ 《萬寶元龍雜字》，下卷，〈玩器類〉。

51 《萬寶全書》（光緒 21 年刊本），卷 12〈四譜門〉。

在相同類目中的內容也有多寡詳略、層次區分及重點強調的差異。如生活環境認識中有關地理知識的了解，本國地理方面，《萬寶元龍雜字》與《萬寶全書》各自配合出版所在地的需要列出以徽州、杭州、蘇州或盛京、北京、南京為中心的十數條交通路線供參考使用，然後者更加上國都及重要都城介紹、南北各地路程往來的口訣、歌訣、歌賦方便掌握實際狀況。[52]外國地理方面，《萬寶元龍雜字》僅列出五十三個外國國名，《萬寶全書》則增加各國風土民情、特產介紹，甚至以圖例輔助文字說明，幫助了解。[53]

再以生活環境認識中有關歷史知識的了解為例，不論是《萬寶元龍雜字》及《萬寶全書》均列出自上古、三皇、五帝、三代至宋、元、明、清歷代帝王總紀，含各朝國祚、帝王名號、重要事蹟等內容。然《萬寶元龍雜字》中只刊奉正朔朝代，不列非正統政權，故東周僅周天子世系，無春秋五霸及戰國七雄功蹟；西晉政權後是偏安江南的東晉及南朝政權，沒有記載同時代而盤據北方的五胡十六國及北朝內容；唐代後的分裂局面，有五代歷史卻無十國紀錄；與兩宋政權對峙且不時交戰的遼、金等胡人政權亦無著墨；而《萬寶全書》則不論是正統、胡漢政權，統一、分裂局面，或南、北方不同地理位置，只要是實質存在之政權即予刊載。[54]

---

[52] 《萬寶元龍雜字》，下卷，〈水陸路程便覽〉；《萬寶全書》（光緒 21 年刊本），卷 2〈地理門〉。

[53] 《萬寶元龍雜字》，下卷，〈諸譯國名〉；《萬寶全書》（光緒 21 年刊本），卷 4〈外夷門〉。

[54] 《萬寶元龍雜字》，上卷，〈歷代帝王總紀〉；《萬寶全書》（光緒 21 年刊本），卷 3〈人紀門〉。

又《萬寶元龍雜字》及《萬寶全書》對各朝代各帝王均有出身、名號、在位年限等敘述，然《萬寶元龍雜字》對朝代更迭的轉折原委、特殊個別帝王的關鍵事蹟均加以凸顯說明；如西周亡國之君幽王「欲褒姒笑，無故舉蜂〔烽〕火徵諸侯，褒姒大笑，及太戎內寇，徵兵不至，遂遇弒，周室不振，東遷之過也」；東漢國勢衰弱實因「閹宦為禍，桓靈更盛，卒以十常侍亂」；而「唐國家事不可為，始自德宗」。[55]《萬寶全書》則偏無涉史識的一般性說明，除各朝開國君王記載較詳外，餘皆數語交代，如前提數位關鍵性君王「幽王，名官湦，宣王子，在位十一年」；「桓帝，名志，章帝曾孫，在位二十一年，壽三十六；靈帝，名宏，肅宗玄孫，在位二十二年，壽四十四」；「德宗，名适，代宗長子，在位二十年，壽六十四」。[56]相較之下，《萬寶元龍雜字》係在有限篇幅中，選擇關鍵性內容刊載，強調重點掌握，便於了解；《萬寶全書》則在版面寬裕情況下，儘量全面刊載，著重多樣化認識，便於查閱。唯因《萬寶全書》對各種性質政權、各類帝王均全面刊載，故篇幅巨大，為方便人們掌握，書中往往以短短數句歌訣呈現一朝發展概況，如周、漢、唐的歌訣分別為：

> 文武成康典昭穆，共懿孝夷厲宣幽，平桓莊厘惠襄傾，匡定簡灵景敬悼，元貞哀思考欣烈，安定顯慎赧東周，滅烈以後為戰口，平王以後為春秋。

---

[55] 《萬寶元龍雜字》，上卷，〈歷代帝王總紀〉。

[56] 《萬寶全書》（光緒 21 年刊本），卷 3〈人紀門〉，頁 3 下、6 上、9 下。

高祖呂后文景興，武昭宣元成哀平，光明章和陽安継，順沖質相灵献更，西漢高帝起浦豐，東漢光武成中興。

唐大高武中睿玄，肅代德宗憲穆傳，敬宗文武宣宗續，懿僖昭帝典昭宣，高宗以後多女乱，肅宗以後多強藩。(57)

類似歌訣在《萬寶元龍雜字》裡完全不見。

它如實用智能的學習中《萬寶元龍雜字》與《萬寶全書》均有關於計算能力的掌握，然前者僅載筭法的基本單位、定位、算盤用法、基礎四則運算法及若干實例說明；後者則增加快速計算的舖地錦、袖裏金、金蟬脫殼等法，並附以算盤、捷算法的相關圖示，(58)方便應用。休閒興趣的培養中《萬寶元龍雜字》與《萬寶全書》均有酒令文戲，然前者只載以千家詩為內容的變化，後者則將酒令玩法擴及各人名、鳥名、藥名、骨牌名、曲牌名，乃至四書、俗語等內容，(59)令游戲進行更為多樣化而有趣。

小　結

文人張岱（1597-1684）曾提及與蘇杭地區夜航船中庶民大眾的接觸經驗是：

---

(57) 《萬寶全書》（光緒 21 年刊本），卷 3〈人紀門〉，頁 3 上、5 上、9 上。

(58) 《萬寶全書》（光緒 21 年刊本），卷 8〈筭法門〉，頁 1 上-6 下。

(59) 《萬寶全書》（世德堂刻，乾隆 4 年〔1739〕刊本），卷 15〈酒令門〉，頁 31 上-35 上。

> 天下學問，惟夜航船中最難對付。蓋村夫俗子，其學問皆預先備辦，如瀛洲十八學士，雲臺二十八將之類，稍差其姓名，輒掩口笑之。彼蓋不知，十八學士、二十八將雖失記其姓名，實無害於學問文理。[60]

這位飽學之士的實際體會，反映出民間知識的部分內容與民間識字率的一定程度，因雲臺二十八將之類的歷史人物即屬見諸《萬寶元龍雜字》、《萬寶全書》的民間生活知識。[61]庶民大眾透過一定的學習過程即可取得這些知識，隨時應用；而在此一學習過程中，雜字書實扮演關鍵角色。

雜字書至少在宋代即為庶民大眾童蒙教育用識字課本，廣泛流行於農村及中下層社會。然其蓬勃興盛應在明清時期，時雜字書已發展成數種不同類型。最初級的識字入門用雜字書，屬集中識字階段用書，專供童蒙入學開蒙識字用；書中內容不分類，多以韻語及連屬成文方式呈現。較深一級的雜字書，是在前述已認識一定數量字詞基礎上予以複習加強，或再增加認字數量以擴充識字根基而使用的，屬鞏固識字階段用書；此種雜字書內容已有分類，故各類字詞數量明顯增加，但仍多以韻語及連屬成文方式呈現，便於童蒙誦讀學習。上述兩類雜字書在內容上雖有分類與否、數量多寡，及因此而產生的難易之別，唯性質上均屬庶民大眾識字認詞用的教科書

---

[60] 〔清〕張岱，《夜航船》，〈序〉，見《續修四庫全書》編輯委員會編，《續修四庫全書》（上海：上海古籍出版社，1997年），頁469。

[61] 《萬寶元龍雜字》，外卷，〈先賢名士類〉；《萬寶全書》（光緒 21 年刊本），卷3〈人紀門〉，頁5上-下。

型雜字書。

真正與前者迥異，且可由此與民間日用類書接軌的雜字書以《萬寶元龍雜字》為代表。此雜字書並非將字詞以韻語連屬成文，而是分類釋義的個別字詞刊載，此種方式自不適於童蒙誦讀，且字詞附有釋義解說，使書籍成為辨識字詞及查核字詞用的字典或辭典類工具書；尤其，書中內容還新增若干生活知識，令書籍更趨向家庭生活百科全書性質，具檢索功能。雜字書發展至此已成工具書型雜字書，在適用對象上亦有擴展；《萬寶元龍雜字》一書無論就書名、書旨、書籍來源與內容觀察，均明白顯示其已轉型為士庶並用而非庶民專用，適用層級不限童蒙應可跨入成人領域。

此一轉變使得《萬寶元龍雜字》類兼具教科書與工具書性質的雜字書可與《萬寶全書》系列民間日用類書互相銜接。因《萬寶元龍雜字》的字詞釋義可為了解《萬寶全書》中各種生活知識內容的基礎，而《萬寶全書》的生活知識涵蓋範圍較《萬寶元龍雜字》來得廣泛，更適於庶民大眾檢索相關訊息以應付日常生活的需要。

故清代民間社會對生活知識的掌握，是由認字識詞用的教科書型雜字書開始集中識字及鞏固識字，奠定閱讀基礎；再經由《萬寶元龍雜字》類兼具教科書與工具書性質的雜字書辨識、查核字詞，並檢索部分生活知識內容；最後，透過《萬寶全書》系列民間日用類書達到全面而多樣化生活知識的掌握運用。

結　論

綜觀明清以來民間生活知識的建構與傳遞過程中，民間日用類書與雜字書實扮演重要角色。民間日用類書本源於宋元時的日用類書《事林廣記》，此書首將「日用」生活知識內容與「類書」知識體系架構兩相結合，並配合時代發展、社會需要，日趨實用與通俗。為朝實用與通俗方向邁進，日用類書逐漸掙脫「類書」所強調的傳統知識體系架構中天、地、人、事、物各類知識的完整呈現，而著重與實際生活密切相關的「日用」內容之刊載，並愈為關注這些生活知識的為「民」所用；至晚明終於發展出普遍為四民大眾生活便用的《萬寶全書》系列民間日用類書。

《萬寶全書》系列民間日用類書從晚明至清代刻印不斷，並持續刊行至民國以後，除內容朝更實用與通俗方向發展外，亦重視書籍的廣泛性與普及程度，因而考量童蒙與初學識字者運用此類書籍的需要；故自清代《新增懸金萬寶全書》中開始加入部分識字認詞內容，至《萬事不求人》系列民間日用類書中更大量刊載識字認詞內容，以便童蒙與初學識字者可按步就班地從根本的識字認詞學習著手，進而具備基礎之閱讀能力，終可達檢索生活知識供實際生活應用之目的。

值得注意的是，民間日用類書中增載的識字認詞內容除傳統的

「三、百、千」教材外，尚有雜字類書籍。雜字書漢代即出現，原為文人檢索古詞難字之字典或辭典類書籍，經魏晉南北朝至隋唐不斷，此時期雜字書雖仍屬字典或辭典類性質之書籍，內容上已有通俗化傾向；發展至宋元時雜字書轉型為童蒙識字認詞用的啟蒙教材，普遍流通農村鄉塾，惟其字詞內容刊載以日常生活實用的各式具體名物為主，頗受理學盛行下強調道德義理學習的文人鄙視，甚至遭到官府禁抑。

明清時期的雜字書可謂達興盛階段，不僅如以往般有載識字認詞內容的教科書型雜字書，亦增加刊有字詞釋義與生活知識內容的工具書型雜字書，使雜字書的種類多樣化、功能多元化，並可透過教科書型雜字書完成集中識字及鞏固識字階段，奠定基礎識字認詞能力，再經由工具書型雜字書進一步檢索字詞意義及部分生活知識內容，最後則是連貫民間日用類書的應用，以查閱其中之各式生活知識應日常生活所需，如此學習路徑實民間社會掌握生活知識的重要管道。清末民國以後的雜字書發展雖以識字認詞用的教科書型雜字書為主，然配合與《萬事不求人》系列民間日用類書間的交互學習，再接續至《萬寶全書》系列民間日用類書，亦可完成生活知識之掌握歷程。

若將明清以來民間社會透過民間日用類書與雜字書掌握生活知識的學習路徑以表呈現，可展示如下：

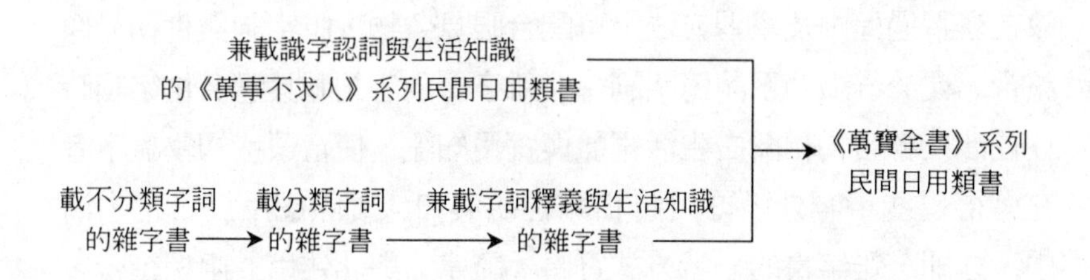

集中識字用　　鞏固識字用　檢索字詞意義與生活知識用
識字入門用

教科書型雜字書　　　　工具書型雜字書

其中，《萬事不求人》系列民間日用類書與雜字書兩條路徑彼此間可視學習需要而互通，亦即，兩種系列的書籍利用是活潑而順暢的；又在此學習歷程中，雜字書的普遍流通及其學習方式頗值得重視；以往涉論童蒙或初學者啟蒙教育課題時，一般關注的是廣為人知之傳統識字教材「三、百、千」，少有人重視雜字書的角色扮演，然實際情形是，雜字書自宋代轉型成普遍為鄉村學塾童蒙識字認詞用教材後，持續發展至明清時期，乃至民國以後，且愈為蓬勃興盛，此時雜字書因形式、內容的多樣化及性質、功能的多元化，使其適用對象大為擴展，不僅童蒙、成人均可應用，且普及士庶、漢番兼採，官府與民間都有使用，故雜字書之流行程度、普及狀況實不亞於「三、百、千」。

大致而言，雜字書能普遍為人採行的重要關鍵，在其學習內容可與日常生活相結合，不同於傳統識字教材「三、百、千」，尤其是《三字經》一書，是以道德訓誡或古人功績懿行的典範學習等字詞為主，雜字書內容係以實際生活中的各式具體名物字詞為大宗，故在學習過程中及學習方法上可配合眼見各物，將字詞與實物形像整合，便於辨識乃至記憶字詞；又雜字書內容刊載具體名物字詞時往往涉及各名物相關之生活經驗與實用知識，使童蒙或初學識字者在習得這些字詞外，亦可將相關經驗與知識實際應用於日常生活中，亦即，雜字書的學習方式實將「識字」與「雜用」兩相結合，既透過生活雜用內容以識字認詞，亦將認識的字詞內容實際應用於日常生活中，此一特點不僅呈現於刊載不分類字詞的識字入門用雜字書中，亦可見於刊載分類字詞的鞏固識字用雜字書內，因觀察後者的分類大項亦以各式具體名物為主，即其字詞內容的刊載特色一如前者。

若將上述雜字書的特點與其書籍名稱相連，或可說雜字書之名稱由來即是指將「識字（認詞）」與「（生活）雜用」兩相結合的書籍之意，且此一說法不僅適用於教科書型雜字書的入門之道、學習特點，亦可用以指稱雜字書的不同性質與功能，因明清以來雜字書不僅有刊載不分類及分類字詞的教科書型雜字書，亦有兼載字詞意義與生活知識的工具書型雜字書，而教科書型雜字書是以識字認詞為主要功能，不論是集中識字或鞏固識字階段使用，工具書型雜字書則除可檢索字詞意義外，尚可查閱生活知識內容以供日用，故就明清以來雜字書的性質與功能而言，其亦是兼具「識字（認詞）」功能的教科書與「（生活）雜用」功能的工具書。

此外，明清以來雜字書的普遍流通及廣為人用，市井文人的角色扮演亦具關鍵性，雜字書無論是就書籍的編纂、印行、銷售，乃至傳授階段，均有市井文人的參與其中，且貢獻甚大。蓋科舉制度發展至宋代，乃至明清時期，因教育普及、印刷術改良等因素，仕宦之途的競爭實較以往激烈，文人在科場的不順心比比皆是；面對現實生活的生存壓力，流落民間社會的市井文人以其自身擁有之一定教育程度及知識水準，因應社會大眾由於長期以來經濟發展、社會環境變化而產生的對文化商品及識字能力之大量需求，投身坊刻之出版事業中，或專心致力於私塾教育，亦理所當然、順理成章之事，此不僅解決生存問題，亦可不離本業地自另一角度貢獻所學。事實上，晚明以來隨著商品經濟發展、社會風氣變遷及價值觀念的轉化，傳統文人的角色扮演日益多樣化；梁其姿的研究呈現文人在社會救助及慈善事業上的努力，❶ Cynthia Brokaw（包筠雅）的研究則觀察出文人經由功過格之類的善書在道德標準與社會秩序上的維護；❷而筆者認為：明清以來市井文人藉著對雜字書之編纂、刊印及銷售、傳授發揮自身功能，導引庶民大眾得進入一個文字的世界，無疑地成為其肯定自身存在價值及地位之重要方式之一，同時，亦有利於民間社會中庶民大眾的被啟發。

最後，透過前述雜字書及民間日用類書的學習途徑與歷程，經由書籍媒介及市井文人導引下之庶民大眾進入文字世界後，是否可

---

❶ 梁其姿，《施善與教化：明清的慈善組織》（臺北：聯經出版事業公司，1998年3月，初版2刷）；又相關此書之說明可參見李孝悌，〈評介梁其姿的《施善與教化：明清的慈善組織》〉，《臺大歷史學報》，23期（1999年6月）。

❷ 包筠雅，〈明末清初的善書與社會意識型態變遷的關係〉，《近代中國史研究通訊》，16期（1993年9月）；Cynthia J. Brokaw, *The Ledgers of Merit and Demerit, Social Change and Moral Order* (Princeton University, 1991)；中譯本見〔美〕包筠雅著，杜正貞、張林譯，《功過格：明清社會的道德秩序》（杭州：浙江人民出版社，1999年9月）。

以因此改變自身原有之社會地位，從一般民眾走向仕宦之途，晉升精英階層，促成明清以來社會的大幅流動？對於此一問題，研究書籍史的 Cynthia Brokaw 曾提出相關說明。

Brokaw 透過對十七至十九世紀中國南部鄉村的書籍生產及書籍流傳之研究，指出當時中國的書籍生產與流通已從核心地區向偏遠地帶發展，不論市級、鎮級或鄉級行政單位，均有普遍的圖書出版業及其圖書網絡的建立，而在此影響下，圖書消費市場及使用人口亦大為擴展，不僅通都大邑、文人雅士得享受書籍此種文化商品，連窮鄉僻壤、一般民眾亦屬書籍的消費範圍與對象。惟此種書籍發展的結果，雖可造成庶民大眾因識字程度與閱讀能力之提升而增加的實質獲利，然並未改變其職業或社會地位，反更加鞏固或加強現存職業和原有社會階層之差異；因庶民大眾的閱讀往往限於某一專門領域內的書籍，如農業用書或商業手冊，而那些主要用於傳授某一領域或行業常用字的書籍（即 Brokaw 所稱的 The texts that offered specialized and limited literacy），不僅使人們遠離科舉考試的道路，且同時使人們無法獲得更為複雜的職業教育。❸

---

❸ Cynthia Brokaw 對中國南部鄉村書籍流通之研究早見於其對福建四堡鄒家及馬家的探討，後再以此為基礎作更深入的分析，相關專文、專書與論點可參見：Cynthia Brokaw, "Commercial Publishing In Late Imperial China: The Zou And Ma Family Business Of Sibao, Fujian", *Late Imperial China*, June 1996.、"Book Markets and the Circulation of Texts in Rural South China, 17th-19th Centuries（17-19 世紀中國南部鄉村的書籍及書籍流傳）"，宣讀於「中國近代知識轉型與知識傳播學術研討會」（南港：中央研究院近代史研究所主辦，2003 年 12 月 17 日），頁 23-24、"Reading the Best-Sellers of the Nineteenth Century: Commercial Publishing in Sibao", in Cynthia J. Brokaw and

對於 Brokaw 的說法，筆者予以認同，然值得注意的是，明清以來庶民大眾對識字程度或閱讀能力的需求，其目的並非著眼於本身職業的轉換或經由科舉考試提高社會地位，而主要是為生活上的便利考量。蓋科舉考試雖自宋代以來成為激勵庶民大眾讀書識字的重要動力，惟隨著明清時期的發展，科舉考試又邁向因經濟條件差異而逐漸形成之僵化，庶民大眾甚難經由此一途徑改變社會地位；且雜字書的學習內容實配合日常生活需要，從各式具體名物字詞入門，最後銜接刊載各類日常生活知識的民間日用類書，以發揮檢索應用以解決生活困境之功能，而非科舉應試所需要的以儒家經典為主之學術思想內容；事實上，據學者的研究指出，明清時期要精通科舉考試科目（四書五經），必須熟記的古文字在四十萬字以上，為參加科舉考試必須接受中等以上水平的教育（此一教育包括從五歲開始學習識字寫字，十一歲學背四書、五經，十二歲會詩賦，以後再學習八股文），❹

Kai-wing Chow ed., *Printing and Book Culture in Late Imperial China* (Berkely and Los Angeles: University of California Press, 2005)、*Commerce in Culture: The Sibao Book Trade in the Qing and Republican Period* (Cambridge, Mass.: Harvard University Asia Center, 2007)。事實上，Brokaw 此一論點是呼應 Alexander Woodside 的說法，Woodside 曾指出：以《三字經》和《千字文》這樣教材為主的教育，和另外一系列只教授某一領域或行業常用字（specialized literacies）的初級教材的存在，既維護了一小部分文化精英對教育的絕對壟斷地位，也限制了人們對更高教育程度（尤其是古文教育）的追求。相關說明參見 Alexander Woodside, "Real and Imagined Continuities in the Chinese Struggle for Literacy", in Ruth Hayhoe, ed., *Education and Modernization, The Chinese Experience* (Oxford, New York: Pergamon Press, 1992), PP.30-37.

❹ 〔美〕B. A. 埃爾曼著，衛靈譯，〈明清時期科舉制度下的政治、社會與文化更新〉，《明清史》，1993 年 1 期，頁 19-20。

才有可能往仕宦之途發展，而此種學習內容與方式所耗費的時間與金錢，並非一般庶民大眾能負擔。

故明清以來庶民大眾透過雜字書與民間日用類書的學習途徑，經由市井文人的媒介及私塾為主的教育環境逐漸邁向文字世界後，主要是運用於書信往來、記帳計算之類，乃至查閱各式日常實用知識以供生活便利需要，而非讀書應試取得科舉功名；此種運用於書信往來、記帳計算之類及查閱各式實用知識之文字能力，確有助於日常生活的實際應用，增進其便利性，卻無法在科舉考試中獲利，晉身仕宦階層，因而明清以來庶民大眾此種識字程度與閱讀能力的普遍，實無法作為此時社會大幅度流動的一個觀察依據。

附　錄

附錄一：明清以來經眼雜字書目錄❶

㈠明版

01. 《新編對相四言》（明刊黑口本）。
02. （應城）陳士元輯，《古俗字略》，卷 7〈俗用雜字〉，收入《續修四庫全書》（上海：上海古籍出版社，1995 年，據北京大學圖書館藏明萬曆刻歸雲別集本影印），經部，小學類，冊 238；亦收入《四庫全書存目叢書》（臺南縣：莊嚴文化事業有限公司，1997 年），經部，冊 190。
03. 《新鍥鰲頭備用雜字元龜》（明萬曆甲午〔22 年，1594〕梓行），收入來新夏主編，《雜字》（天津：南開大學出版社，1995 年 9 月）。
04. 《新增幼學易知高頭雜字大全》（明萬曆 44 年〔1616〕，文萃堂梓），3 卷 1 冊，23.7×14.2cm.。
05. 〔明〕楊慎編，《雜字韻寶》（明萬曆年間刊本），5 卷 1 冊。
06. 〔明〕謝榮登撰，《新刻釋義群書六言聯珠雜字》（明崇禎庚

---

❶ 本雜字書目錄未含以下三種雜字書版本，即明清時期四夷館或四譯館所編之雜字書、日治時期臺灣的雜字書、江戶時期日人編纂的雜字書；而相關後二者的雜字書介紹與說明，參見：吳蕙芳，〈日治時期臺灣的雜字書〉，《海洋文化學刊》，創刊號（2004 年 12 月）；吳蕙芳，〈中國雜字書的日本流傳〉，宣讀於「第十屆海洋史國際學術研討會」（臺北：中央研究院人文社會科學研究中心海洋史研究專題中心主辦，2006 年 8 月 25-26 日）。

辰〔13 年，1640〕序刊本，建陽書林熊安本梓），2 卷 1 冊，25×15.5cm.。

07. 〔明〕曹銘、徐三省編，《新刻訂補直音雜字世事通考》（明崇禎年間刊本，三台館余開明梓），2 卷首 1 卷萬花谷 6 卷 2 冊，12.8×10.5cm.。

08. 〔明〕余一夔輯，《增補類編音釋四民切用便讀雜字》（明末書林詹鍾瑞刻本），4 卷 1 冊，14×25cm.。

09. 《居家必備日用雜字》（明刊，吳門四知堂梓，日本江戶時小野職博錄，手抄本），1 卷 1 冊，14.8×9.3cm.。

10. 《新刊廣輯居家緊要日用雜字》（萬卷樓重梓，明末書林余松軒發行），20.2×12.8cm.。

11. 《新刻四言雜字》（杭州徐龍峰梓行，明刊本），1 卷，24×13.8cm.。

12. 《新刻五言雜字》（杭州徐龍峰梓行，明刊本），1 卷，24×13.8cm.。

13. 《新刻六言雜字》（杭州徐龍峰梓行，明刊本），1 卷，24×13.8cm.。

14. 《新刻七言雜字》（杭州徐龍峰梓行，明刊本），1 卷，24×13.8cm.。

15. 《增補易知雜字大全》（明刊本），2 卷 1 冊，23.5×14cm.。

16. 《新鐫增補類纂摘要鰲頭雜字》（明刊本），5 卷 3 冊，23.7×13.7cm.。

17. 〔明〕曾楚卿編，《莆曾太史彙纂鰲頭琢玉雜字》（明刊本），3 卷首 1 卷 1 冊，24.2×13.7cm.。

18. 《增補素翁指掌雜字全集》（明積玉堂刊，李卓吾註釋，書林王仰庭梓行），27×16cm.。
19. 《魁本音訓四言雜字》（明刊巾箱本）。
20. 《新鐫便蒙群珠雜字》（屯溪開益堂梓行）；收入來新夏主編，《雜字》。
21. 《新刻增校切用正音鄉談雜字大全》（明末刊本），20.7×11.5cm.。

㈡清版

01. 〔清〕蒲松齡編，《日用俗字》（清刻本）；收入李國慶校注，《雜字‧俗讀》（濟南：齊魯書社，1998年12月）。
02. 《新鐫卓吾先生通考指掌雜字》（清丙辰年習善堂梓，康熙15年〔1676〕或乾隆元年〔1736〕刊本），1卷1冊，27×16.5cm.。
03. 《增補幼學須知雜字大全》（清康熙17年〔1678〕，書林瑯嬛閣梓），3卷首1卷1冊，23.5×14.8cm.。❷
04. 《東園雜字》（廣州以文堂，清乾隆癸亥〔8年，1743〕新鐫），2卷2冊。
05. 〔清〕翟灝著，《通俗編》，卷36〈雜字〉；收入《續修四庫全書》，經部，小學類，冊194。
06. 〔清〕徐三省輯，黃惟質增訂，《增補元龍通考雜字》（清康

❷ 此書末頁載「戊午歲孟秋新鐫」，圖書館編目將之定為明神宗戊午年，即萬曆46年（1618）梓，然據書中〈歷代帝王總紀〉載至神宗後的光宗、熹宗、思宗等人，可知此書非明萬曆年間刊行者，應再往後延至下一個戊午年，即清聖祖康熙17年（1678）才是。

熙黃惟質刻本，敦義堂重訂），2 卷外 1 卷 1 冊，23.5×13cm.。

07. 〔清〕徐三省輯，戴啟達增訂，《萬寶元龍雜字》（徽郡原本，金閶三槐堂印行，乾隆 30 年〔1765〕序刊本），2 卷 2 冊，24×15.2cm.。

08. 〔清〕徐三省輯，戴啟達補，《萬寶元龍雜字》（徽郡原本，金閶丹山堂印行，乾隆 30 年序刊本），2 卷外 1 卷 2 冊，25.2×16cm.。

09. 〔清〕徐三省輯，戴啟達增訂，《增補元龍通考雜字》（揚州轅門橋邱氏文富堂藏本，清刊本），3 卷 2 冊，24.2×15.2cm.。

10. 〔清〕徐三省輯，戴啟達增訂，《元龍通考雜字》（李光明庄刊，木刻本），2 卷+1 卷 2 冊。

11. 林梁峰，《一年使用雜字文》（乾隆年間刊本，上杭馬林蘭儀記藏本）；見《（福建）武平縣志》（北京：中國大百科全書出版社，1993 年 3 月），頁 881-886。

12. 馬益著，《莊農日用雜字》（清抄本），見王爾敏，〈《莊農雜字》所反映的農民生業生活實況〉，《近代中國史研究通訊》，33 期，2002 年 3 月，頁 101-105。

13. 《新出對像蒙古雜字》（京都打磨廠文成堂梓行）。

14. 《建新雜字》（聚文堂刻本，清道光 28 年〔1848〕），1 冊，24×15cm.。

15. （同安）閒村野人，《居家寶要雜字集句》（徐文中藏板，清咸豐 11 年〔1861〕，手抄本），17.5×11.5cm.。

16. 《新增一串珠雜字》（第七甫崇德堂，咸豐 11 年鄧玉華序刊本）。
17. 《新鐫眉公先生四言便讀群珠雜字》（南京李光明家曉星樵人梓），不分卷 1 冊，23×13.5cm.。
18. 《增訂日用便覽雜字》（墨海堂梓，清同治丙寅年〔5 年，1866〕刊本），1＋1 卷 1 冊，22.5×12cm.。
19. 《增訂日用便覽雜字》（墨海堂梓，清同治丁卯年〔6 年，1867〕刊本），1＋1 卷 1 冊，22.5×12cm.。
20. 《捷徑雜字》（清同治 10 年〔1871〕，岳崇德〔林庵〕石印本）；收入《捷徑雜字·包舉雜字》（長沙：岳麓書社，1989 年 11 月）。
21. 《俗言雜字》（山西平遙，光緒 17 年〔1891〕，抄本），收入史若民、牛白琳編，《平、祁、太經濟社會史料與研究》（太原：中國古籍出版社，2002 年 5 月），頁 631-640。
22. 《（新刻）俗言雜字》（奉天文盛書局，清光緒 27 年〔1901〕，刊本），18.5×11cm.。【外題書名《庄農雜字》】
23. 《新刻人物通考啟童雜字》（清光緒年間刊本），1 卷 1 冊，20×13.5cm.。
24. 《新刊居家緊要全備日用雜字》（清光緒年間刊本），1 卷 1 冊，23×12.2cm.。
25. 《備用雜字》（清光緒年間刊本），1 卷 1 冊，20×12.3cm.。
26. 《日用雜字》（文治堂藏板，清宣統元年〔1909〕重鐫）。
27. 《雜字便用》（寶慶詳隆書局石印本，清宣統元年），1 卷 1 冊，21.5×12cm.。

28. 《五言雜字》（清宣統元年，日新堂藏板），18.5×11.7cm.。
29. 《新增幼學雜字》（南京李光明庄刻本），1 冊，23.3×13.5cm.。
30. 《新刻校正通用六言雜字》（清抄本），1 卷 1 冊，25.5×15.5cm.。
31. 〔明〕吳心盤輯，《新刊正音註解日誦總類大全雜字》（清抄本），4 卷 4 冊，25.5×15.5cm.。
32. 《包舉雜字》（清刊本）；收入《捷徑雜字·包舉雜字》。
33. 《七言雜字》（廣州以文堂藏板，省城黃翰經堂發行）。

㈢民國版

01. 《算法雜字撮要》（廣州以文堂板，1913 年）。
02. 《天津地理買賣雜字》（天津聚文山房發庄，1929 年）；收入來新夏主編，《雜字》。
03. 《歷朝雜字歌》（雷陽印書局，1931 年），2 冊。
04. 《方言分類簡便雜字》（1934 年 4 月賴聲揚序刊本，另有鹿華藻之序）。
05. 《農村雜字》（民國版，手抄本）；收入《捷徑雜字·包舉雜字》。
06. 《中華改良雜字》；收入李國慶校注，《雜字·俗讀》。
07. 《民國雜字》；收入李國慶校注，《雜字·俗讀》。
08. 《四言雜字》（民國石印本）；收入李國慶校注，《雜字·俗讀》。
09. 《繪圖六言雜字》（上海天寶書局，民國石印本），20×13.2cm.。

10. 《六言雜字》（上海普通書局，民國年間石印本）；收入李國慶校注，《雜字・俗讀》。
11. 《繪圖六言雜字》（上海廣益書局），19.8×13cm.。
12. 《繪圖莊農雜字》（上海錦章書局藏板，民國石印本），20×13.5cm.。
13. 《益幼雜字》（南京李光明庄刊本，民國年間木刻本），1冊，23×13.5cm.。
14. 《日用時行雜字》（保寧恒言堂藏板，民國石印本），24.5×16.5cm.。
15. 《便用雜字》；收入李國慶校注，《雜字・俗讀》。
16. 《時行課幼大全雜字》（重慶古文書局，民國石印本），1 卷 1 冊，22.5×14.5cm.。
17. 《新增繪圖必須雜字》（上海尚古山房發行，昌文書局出版，民國石印本），19.5×12.5cm.。
18. 《繪圖幼學雜字》（上海大一統書局），20×13.4cm.。
19. 《最新繪圖共和幼學雜字》（上海天寶書局，民國石印本），20×13cm.。
20. 《最新繪圖三言雜字》（上海尚古山房發行，昌文書局出版，民國石印本），18×12.5cm.。
21. 《繪圖四言雜字》（上海天寶書局，民國石印本），20.2×13cm.。
22. 《繪圖四言雜字》（上海廣益書局），20×13cm.。
23. 《繪圖五言雜字》（上海天寶書局，民國石印本），19×13cm.。

24. 《五言雜字大全》（不明出版項），20.3×13.4cm.。
25. 《繪圖七言雜字》（上海天寶書局，民國石印本），20×13cm.。
26. 《繪圖中西日用雜字》（上海校經山房），19.8×13cm.。
27. 《士農工商買賣雜字》（不明出版項），20×13.5cm.。
28. 《訓蒙七十二行雜字》（香港五桂堂書局民國石印本），18.8×13cm.。

附錄二：明清以來雜字書分類表

教科書型雜字書		工具書型雜字書		兼具教科書與工具書型雜字書
不分類字詞	分類字詞	字詞釋義	生活知識	混合內容
明版雜字書（共 21 種）				
01.《新編對相四言》	09.《居家必備日用雜字》	02.〈俗用雜字〉（萬曆）		03.《新鍥鰲頭備用雜字元龜》（萬曆）
11.《新刻四言雜字》	10.《新刊廣輯居家緊要日用雜字》	05.《雜字韻寶》（萬曆）		04.《新增幼學易知高頭雜字大全》(萬曆)
19.《魁本音訓四言雜字》	12.《新刻五言雜字》	06.《新刻釋義群書六言聯珠雜字》(崇禎)		07.《新刻訂補直音雜字世事通考》(崇禎)
	13.《新刻六言雜字》	08.《增補類編音釋四民切用便讀雜字》		15.《增補易知雜字全書》
	14.《新刻七言雜字》	21.《新刻增校切用正音鄉談雜字大全》		16.《新鐫增補類纂摘要鰲頭雜字》
				17.《莆曾太史彙纂鰲頭琢玉雜字》
				18.《增補素翁指掌雜字全集》
				20.《新鐫便蒙群珠雜

				字》
統計：3	5	5	0	8
比例：14.3%	23.8%	23.8%	0	38.1%
合計比例：	38.1%			61.9%
清版雜字書（共33種）				
11.《一年使用雜字文》（乾隆） 12.《莊農日用雜字》 13.《新出對像蒙古雜字》 15.《居家寶要雜字集句》（咸豐） 20.《捷徑雜字》（同治） 21.《俗言雜字》（光緒） 22.《庄農雜字》（光緒）【《（新刻）俗言雜字》】	01.《日用俗字》 14.《建新雜字》（道光） 16.《新增一串珠雜字》（咸豐） 24.《新刊居家緊要全備日用雜字》（光緒） 25.《備用雜字》（光緒） 26.《日用雜字》（宣統） 27.《雜字便用》（宣統）	05.〈雜字〉《通俗編》	23.《新刻人物通考啟童雜字》（光緒）	02.《新鐫卓吾先生通考指掌雜字》（康熙或乾隆） 03.《增補幼學須知雜字大全》（康熙） 04.《東園雜字》（乾隆） 06.《增補元龍通考雜字》（康熙） 07.《萬寶元龍雜字》（乾隆） 08.《萬寶元龍雜字》（乾隆） 09.《增補元龍通考雜字》

28.《五言雜字》（宣統） 30.《新刻校正通用六言雜字》 32.《包舉雜字》	29.《新增幼學雜字》 33.《七言雜字》			10.《元龍通考雜字》 17.《新鐫眉公先生四言便讀群珠雜字》 18.《增訂日用便覽雜字》（同治） 19.《增訂日用便覽雜字》（同治） 31.《新刊正音註解日誦總類大全雜字》
統計：10	9	1	1	12
比例：30.3%	27.3%	3%	3%	36.4%
合計比例：	57.6%			42.4%
民國版本雜字書（共 28 種）				
02.《天津地理買賣雜字》（1929） 06.《中華改良雜字》 07.《民國雜字》	05.《農村雜字》 14.《日用時行雜字》 15.《便用雜字》	04.《方言分類簡便雜字》（1934）	01.《算法雜字撮要》（1913） 03.《歷朝雜字歌》（1931）	13.《益幼雜字》 18.《繪圖幼學雜字》 19.《最新繪圖共和幼學雜字》

08.《四言雜字》 09.《繪圖六言雜字》 10.《六言雜字》 11.《繪圖六言雜字》 12.《繪圖莊農雜字》 17.《新增繪圖必須雜字》 20.《最新繪圖三言雜字》 21.《繪圖四言雜字》 22.《繪圖四言雜字》 25.《繪圖七言雜字》	16.《時行課幼大全雜字》 26.《繪圖中西日用雜字》 27.《士農工商買賣雜字》 28.《訓蒙七十二行雜字》			23.《繪圖五言雜字》 24.《五言雜字大全》
統計： 13	7	1	2	5
比例： 46.4%	25%	3.6%	7.1%	17.9%
合計比例	71.4%			28.6%

附錄三：方志所載雜字書使用情形表❸

縣份	雜字書	時間	學校性質	頁碼	縣份	雜字書	時間	學校性質	頁碼
華南地區									
1.福建省	四言、五言、六言、七言雜字、一年使用雜字	至清	私塾	55、56					
建甌縣	四言雜字	至清	蒙館	749	寧化縣	四言雜字		蒙館	664
寧德市	五言雜字	明清民初	私塾初學	724	南安縣	五行雜字	明清	蒙學	673
鯉城區	五言雜字	清民國	私塾初學	813	柘榮縣	五言雜字	明清民國	私塾初學	576
壽寧縣	五言雜字	明清民國	私塾初學	642	古田縣	五言雜字	明清	私塾啟蒙	710
平潭縣	五言雜字	至民國	私塾初學	576	永泰縣	五言雜字	宋明清	啟蒙私塾（蒙館）	658
上杭縣	一年使用雜字文（年初一）	明清	私塾啟蒙	691	仙遊縣	六言雜字	宋元明清	蒙館	45

❸ 方志中刊載相關資料時，某些雜字書名稱筆者認為係印刷錯誤所致，如《日用雜字》刊成《日用雜文》，《四言雜字》刊成《四字雜言》、《四言雜詩》、《四言雜志》，《五言雜字》刊成《五言什字》、《五言雜句》，《雜字》刊成《甲子》、《雜子》、《雜家》、《雜學》等，本表製作時實將正誤兩者同列之，以明確提供後人參考使用。

南平市	四言、五言或七言雜字	至清末民初	私塾	1254	建寧縣	五言雜字、六言雜字、七言雜字、上簿雜字	至民國	私塾初學	500
光澤縣	雜字	科舉時期	私塾初級	370	尤溪縣	雜字	封建時代	私塾啟蒙	548
漳平縣	雜字	明清	私塾	649	浦城縣	四言、五言雜字	舊式教育	蒙館	951
德化縣	雜字	科舉時代	私塾初學	575	華安縣	四言雜字	舊式教育	私塾	557
羅源縣	五言雜字	至民國	私塾初學	773	長汀縣	四言雜字	至清	蒙館	684
龍岩地區	四言雜詩(字)	古代	私塾啟蒙	1157	涵江區	五言什(雜)字	民國	私塾	576
2.廣東省									
茂名市	雜字	清	私塾啟蒙	1348	揭西縣	農村生活常用雜字(四言雜字、七言雜字)	民國	農村掃盲教育	512
連南瑤族自治縣	五言雜字	民國	漢鄉私塾	567	曲江縣	四言雜字	清民國	蒙館	911
徐聞縣	雜字	晚清	私塾	703	浦北縣	雜字	清末民初	私塾啟蒙	626
電白縣	雜學(字)	清民國	私塾啟蒙	801	河源縣	四言雜志(字)	清	蒙館	895
汕頭市	四字雜言(四言雜字)	清民國	私塾啟蒙	7					
3.廣西省									

博白縣	四言雜字	清末	蒙館	813	富川瑤族自治縣	四言雜字	清	私塾蒙學	510
南丹縣	農庄雜字	清民國	私塾啟蒙	727					
西南地區									
4.雲南省									
巍山彝族回族自治縣	農家雜字		私塾啟蒙	679	秀山鎮	目前雜字	明末清初	私塾開蒙	195
西山區	雜字	清末	私塾	553	新平縣	目前雜字	明清	私塾啟蒙	523
通海縣	目前雜字	明清	私塾開蒙	470	建水縣	目前雜字	明清	私塾	569
元陽縣	目前雜字	清民國	私塾低級部	520	楚雄彝族自治州	雜字	清	義學蒙館	34、13
宣威市	群珠雜字	明清民國	私塾	660	潞西縣	甲子(雜字)	清末民國	私塾	327
5.貴州省									
遵義地區	四言雜字	清末民國	私塾女生	74	沿河縣	四言雜字	明清	私塾啟蒙	662
鳳岡縣	大全雜字	清民國	私塾啟蒙	618	赤水縣	雜字書	清民國	私塾	651
萬山特區	庄農雜字	民國	私塾啟蒙	526	華節地區	四言、五言、七言雜字	清民國	私塾啟蒙	20
玉屏侗族自治縣	四言雜志(字)	明	私塾初學	508	道真仡佬族、苗族自治縣	五言、六言雜志(字)	明清民國	私塾初學	558

6.四川省									
蒼溪縣	四言雜字、五言雜字		義學、私塾啟蒙	756	潼南縣	雜字	清末民初	私塾、書院初學	707
武隆縣	日用雜字	清末民初	私塾蒙養	564	巫溪縣	四言、五言、六言、七言等雜字	清末	私塾	574
大竹縣	四言雜字	清	義學、私塾	643	宣漢縣	四言雜字	民初	私塾	742
巴縣	大全雜字、傳家雜字	民初	私塾	554	平武縣	四言雜字	清民國	私塾	785
涼山彝族自治州	常用雜字	明清	私塾啟蒙	139	綿陽市	四言雜志(字)	民國	私塾啟蒙	557
廣漢縣	小菜雜志(字)		學塾訓蒙	468	銅梁縣	大全雜志(字)	清末民初	私塾	618
江津縣	大眾雜志(字)	清末民國	私塾	642	漢源縣	大全雜志(字)	清	私塾	661
武勝縣	四言雜志(字)	清末民初	私塾	469	長寧縣	雜志(字)書	舊時	私塾初學	650
岳池縣	五言雜志(字)	清末民初	私塾初學	449	納溪縣	雜志(字)書	清民國	私塾	435
遂寧縣	五言雜志(字)	明清民國	蒙館	685	渠縣	四言雜志(字)	民國	私塾	652-653
華中地區									
7.江蘇省									
睢寧縣	四言雜字	民國	私塾	524	淮陰市	雜字	明清民國	私塾初學	1735

金壇縣	雜字	清	義學、義塾	611	泰興縣	四言雜字	清	私塾	744
揚州市廣陵區	雜字	清末	私塾	631	泰縣	雜字	民國	蒙館	642
淮陰縣	七言雜志(字)	民國	私塾初學	549					
8.浙江省									
縉雲縣	四言雜字、五言雜字	清民國	私塾	474	蘭溪市	六言雜字	1902 年以前	私塾啟蒙	540
永嘉縣	雜字	宋元明以來	私塾	1023	金華縣	六言雜字	明清	蒙館	535
金華市	六言雜字	宋至清	蒙館	941					
9.安徽省									
和縣	四言雜字	清末	私塾	532	桐城縣	雜字	明清	蒙館	655
太湖縣	雜字	清民國	蒙館	560	霍山縣	四言雜字	清末民國	蒙館	652
濉溪縣	四言雜字	至民國	蒙館	504	阜南縣	四言雜志(字)	清末民國	蒙館	408
宿州市	四言雜志(字)	清末民初	私塾蒙學	384	婺源縣	甲子(雜字)	清民國	私塾初學	425
霍邱縣	四言雜志(字)	至民國	蒙館	686					
10.江西省									
弋陽縣	四言雜字、五言雜字、七言雜字	清末民初	私塾	458	廣豐縣	五言雜字	明清	私塾初學	277

于都縣	四言雜字、五言雜字	舊時	私塾蒙館	458	貢江鎮	四言雜字、五言雜字	清	學塾(私塾)蒙館	214
萬安縣	各種實用雜字	至民國	私塾	682	南豐縣	日用雜字	明	蒙館	498
浮梁縣	雜字	清民國	蒙館、農村小學	668	德安縣	四言雜字	清民國	蒙館、夜書	304
九江市	四言雜字、七言雜字	封建社會	蒙館	76	萬載縣	松軒雜字	明清	蒙館	463
安遠縣	家用雜字	清	義學	511	信豐縣	雜字	民國	補習學校	584
瑞昌縣	四言雜字	清以後	私塾蒙學	397	東鄉縣	七言雜字	明清	蒙館	395
樂安縣	七言雜字	科舉時代至民國	蒙館	347	橫峰縣	雜字	明清	私塾啟蒙	494
吉水縣	七言雜字	清民國	私塾初學	395	新干縣	五言雜字	清民國	蒙館	811
上饒地區	雜字	至民國	私塾	1226	新建縣	四言雜字	清民國	蒙館	472
撫州市	四言、五言、六言、七言雜字	封建時代	蒙館	392	臨川縣	四言雜字、七言雜字	宋至民國	蒙館	557
宜黃縣	雜字	解放前	私塾	446	靖安縣	雜字	民國	蒙館	542
奉新縣	四言雜字	清民國	私塾	507	銅鼓縣	四言、六言雜字	清民國	私塾和社學蒙館	535
餘干縣	雜字文	清民國	私塾蒙學	502	安義縣	七言雜字	清民國	蒙館	353
永修縣	四言雜字	清	蒙館	387	都昌縣	七言雜字	元明清	私塾啟蒙	368

星子縣	雜字	清末以前	私塾初學	366	宜豐縣	四言雜字	明清	私塾發蒙	576
上高縣	四言雜字	民國	蒙館	380	高安縣	四言雜字、五言雜字	民國	塾館(義學)初學	414
分宜縣	四言雜字	抗戰前	蒙館	405	崇義縣	四言雜字	清	蒙館	438
上猶縣	四言雜字	清末民國	蒙館	604	龍南縣	四言雜字	清	蒙館	667
尋烏縣	四言雜字	清	蒙館	339	銀坑鎮	四言雜字、五言雜字	舊時	蒙館	167
馬安鄉	四言雜字、五言雜字	舊時至民國	蒙塾	177	湖口縣	雜字	至民國時	蒙館	564
石城縣	四言雜字	宋至民國	蒙館	403	峽江縣	雜志(字)		蒙館	739
11.湖南省									
會同縣	四言雜字	清	私塾	31	醴陵市	雜字	明清民國	蒙館	49、694
湘潭縣	雜字	晚清民初	私塾發蒙	30	黃梅縣	四言雜字	清民國	蒙館	165
婁底地區	四言雜字	明清民國	蒙館	1216	長沙縣	包舉雜字	清末	蒙館	570
衡山縣	五言雜字、七言雜字	清末民國	蒙館	496	望城縣	各類雜字	清	蒙館	582
瀏陽縣	包舉雜字	科舉取士時代	蒙館	673	桃江縣	包舉雜字、捷徑雜字	清末民國	蒙館、成人掃盲教育	376、388

韶山市	便用雜字	清	義塾或義學蒙館	262	益陽縣竹泉山村	捷徑雜字、使用雜字、包舉雜字	1940-1949	私塾	50
漣源市	雜字	新學以前	蒙館	586	婁底市	雜字	民初	私塾	574
萊陽市	盤古雜字	清	蒙館	668	邵東縣	包舉雜字	清	蒙館	429
邵陽市	包舉雜字	清末	蒙館	11	武岡縣	包舉雜字	清	蒙館	534
湘潭縣	雜字	清	私塾	656	郴州市	居家雜字	明清	蒙館	482
祁陽縣	六言雜字	晚清民國	蒙館	511	衡陽縣	雜字	清	蒙館	471
郴縣	居家雜字	明清	私塾	597	臨湘市	雜字	清	蒙學	502
漢壽縣	雜字	清末民國	蒙館	344	津市	四言雜字	清民國	蒙館	539
沅陵縣	庄農雜字	清民國	私塾初讀	572	綏寧縣	包舉雜字	晚清民國	蒙館	566
常德縣	四言雜字	明清	蒙館	475	南縣	捷徑雜字	清	私塾蒙學	290
靖州縣	四言雜志(字)	清	私塾啟蒙	636	芷江縣	七言雜學(字)	宋元明清	義學、私塾	539
桂陽縣	四言雜志(字)	清民國	私塾初學	643	祁東縣	六言雜學(字)	清末民初	蒙館	424
會同縣	四字雜言(四言雜字)	清民國	蒙館	724					
12.湖北省									
嘉魚縣	雜字	清	蒙館	754	黃岡縣	四言雜字、七言雜字	清末民初	蒙館	467

應城縣	四言雜字、六言雜字		村塾冬學	732	恩施市	四言雜字	清	私塾啟蒙	494
新洲縣	四言、六言雜字	清	私塾啟蒙	531	應山縣	雜字	清末民國	私塾	528
隨州	四言、五言、七言雜字	清末民國	私塾啟蒙	494	黃石市	魯上潭雜字		私塾蒙館	4、5
安陸縣	雜字	清	蒙館	625	蘄春縣	四言雜字	晚清	蒙館	625
陽新縣	雜字	民國	改良蒙館	631	通山縣	雜字書	清末	成人掃盲教育	457
崇陽縣	五言、六言雜字	清民國	私塾啟蒙	519	蒲圻市	四言、五言、七言雜字	晚清	蒙館	511
松滋縣	四言雜字、六言雜字	清末民國	散館蒙生	548	枝江縣	雜字	清末民國	私塾初學	637
雲夢縣	各種雜字	清末以前	蒙館	428	五峰縣	四、五、七言雜字		私塾初學	446
京山縣	四言、六言實用雜字	晚清	蒙館	512	當陽縣	四言雜字	晚清	蒙館	639
保康縣	雜志(字)	晚清	私塾	501	丹江口市	四言雜志(字)	清末民國	私塾	501
華北地區									
13.山東省	庄農日用雜字、山西雜字	清	私塾啟蒙	29					

諸城市	日用雜字	晚清	私塾啟蒙	565	莒縣	日用雜字	清末民國	私塾	886
濰坊市	庄農日用雜字	1903 年前	識字蒙學	1364	泰安市	日常雜字	民國	成人農民教育	525
平邑縣	庄農雜字、日用雜字	清末	私塾	533	臨朐縣	庄農日用雜字	清末	私塾	598
夏津縣	農村雜字	民初	鄉村私塾	538	沂源縣	日用雜字	清末民初	私塾啟蒙	432
曲阜縣	日用雜字	清民國	私塾啟蒙	502	鄒平縣	日用雜字	清民國	私塾啟蒙	767
陽信縣	日用雜字	清民國	私塾啟蒙、義塾	440	膠南縣	日用雜字	清民國	私塾啟蒙	474
萊西縣	日用雜字	清	私塾初讀	722	莘縣	日用雜字	民國	私塾啟蒙	428
萊州市	日用雜字	封建時期	塾學	592	聊城市	日用雜字	清末民初	私塾啟蒙	514
茌平縣	山西雜字	晚清	村塾啟蒙	521	高唐縣	山西雜字	封建時代	私塾啟蒙、農民教育	416、427
滕縣	山西雜字	民國以前	私塾啟蒙	465	章丘縣	庄戶雜字	清末	私塾啟蒙	489
高密縣	日用雜字	清末民初	私塾、農民業餘教育	470、485	長清縣	農村日用雜字	清	私塾	399
青州市	日用雜字	清民國	私塾啟蒙	730	嶧城區	山西雜字	清	蒙館	432
蒙陰縣	五言雜字	清末民國	私塾啟蒙	425	棗莊市	山西雜字	清末民初	蒙館	1461
薛城區	山西雜字	清末	蒙館	536	平度縣	日用雜字	清民國	私塾	509

高青縣	日用雜字	清民國	私塾啟蒙	429	濟南市	庄戶雜字	清	私塾啟蒙	10
淄博市淄川區	日用雜字	明清	私塾	799	彭集鎮	雜字	清民國	農民教育	399
德州地區	雜字	封建時代	私塾	672	臨清市	日用雜字	清民國	私塾啟蒙	610
聊城地區	日用雜字、山西雜字	清末民國	私塾啟蒙	690	安丘縣	日用雜字	清民國	私塾初學	540
臨淄區	日用雜字	清民國	私塾	419	坊子區	日用雜字	清民初	私塾啟蒙	506
濱州地區	日用雜文(字)	清	私塾	576	棗莊市山亭區	山西雜學(字)	清末	蒙館	529
汶上縣	山西雜志(字)	清末民初	私塾啟蒙	432	德州市	日用雜文(字)	民國	私塾啟蒙	531
招遠縣	日用雜志(字)	清末民初	私塾啟蒙	674					
14.河北省									
行唐縣	四、五、六言雜字	明清民國	私塾	555	欒城縣	四言雜字	至民國	私塾初學	719
容城縣	五言雜字	清	私塾初學	350	寧河縣	四言雜字	明清	私塾	623
豐潤縣	四言雜字	封建社會	私塾	545	秦皇島市	四言雜字	清民國	私塾(義學)初學	7
灤縣	四言雜字	明清	私塾啟蒙	605	武邑縣	農用雜字	民國	農民教育	655
開平區	四言雜字	清	私塾啟蒙	475	定興縣	雜字	明清	義學	550
安新縣	五言雜字、七言雜字	民國以前	啟蒙	870	曲周縣	雜子(字)本	明清民國	村塾初學	542

唐海縣	四言雜字	20年代以前	私塾初學	611	棗強縣	七言雜字	明清民國	私塾初學	668
束鹿縣(辛集市)	農用七言雜字	清民國	村館	679	東光縣	四言雜字	清末民初	塾館初學	464
井陘縣	四言雜字	清末民初	私塾	496	豐南縣	四言雜字	明清民國	私塾初學	526
武清縣	四言雜字	明清	私塾初學	537	故城縣	四言雜字	清末	私塾	497
涿州	三、四、五、六言雜字	明清民國	私塾	584、19、36	遷西縣	四言雜字	清	私塾初學	546
吳橋縣	四言雜字	清末		394	平泉縣	農家雜字	清民國	私塾蒙學	804
大廠回族自治縣	六言雜字	清末民初	私塾	356	固安縣	雜家(字)		私塾初學	658
蔚縣	創業雜志(字)	民初	私塾初學	593	阜平縣	截近雜志(字)		私塾	669
15.河南省									
魯山縣	雜字	清民國	私塾	596、603	南召縣	四言雜字	清	私塾初學	862
義馬村	必習雜字	至民國	私塾啟蒙	195	新野縣	四言雜字	清	私塾	113、273
開封市	日用雜字	清	平民教育	131	鞏縣	必須雜字	清末民初	私塾	490
信陽縣	四言雜字	清民國	蒙館	521	商城縣	雜字文	明清	私塾	299
武陟縣	七言雜字	清民國	私塾初學	406	郾城縣	雜字本	清	私塾初學	478

許昌縣	日用雜字	民國	農民業餘教育	649	鞏義市白沙村	必須雜字	清	學塾	385
濟源市	必須雜字	清	私塾、義學	423	登封縣告城鄉	各種應事雜字	清	私塾	280
新野縣	四言雜字	清民國	私塾初學	452	大河屯鄉	油鹽雜字	清民初	私塾初學	252
欒川縣	四言雜字	清末民初	蒙館	472	沁陽市	必須雜字	清	學塾啟蒙	420
長葛縣	四言雜字	清	私塾	506	正陽縣	四言雜字	清末民初	私塾	448
內鄉縣	四言雜字	明清民國	社學、義學、私塾啟蒙	608	安陽縣	必須雜字	清末民初	私塾	755
開封縣	五、七言雜句(字)	科舉時期	私塾初學	383	項城縣	雜字本	清	私塾初學	541
原陽縣	應事雜字	封建科舉時期	各類學校初學	503	清豐縣	雜字本、山西雜字	舊時、1937年前	私塾、業餘教育	324、336
新蔡縣	四言雜字		私塾初學	593	宜陽縣	實用雜字		私塾初學	520
南樂縣	山西雜字	清	成人教育	130	柘城縣	各種實用雜學(字)	清民國	私塾	372
杞縣	各種實用雜志(字)	清	社會教育	695					
16.山西省									
陽城縣	四言雜字	明清民國	私塾	317	聞喜縣	四言雜字	清	私塾啟蒙	352

平陸縣	雜字	清	私塾初學	479	臨猗縣	雜字	明清民國	私塾	456
保德縣	雜字、日用雜字	封建社會	私塾訓蒙	322	黎城縣	必須雜字	清	私塾初學	475
長治市	必須雜字	民國	私塾啟蒙	539	平定縣	眼前雜字、必須雜字	明清	塾館蒙學	449
五寨縣	四言雜字	明清	私塾初學	305	代縣	四言雜字、七言雜字	清	私塾初學	315
鄉寧縣	四言、五言雜字、農村雜志(字)	清	私立小學、義學	374、364	河曲縣	眼前雜字	清以前	私塾	437
興縣	四言、五言、七言雜字	清	私塾、義學	353、354	嵐縣	日用雜字	明清	私塾	447
偏關縣	四言雜字、七言雜字	民國以前	私塾	583	應縣	農業雜字	封建社會	私塾	472
渾源縣	創業雜字	清	私塾	525	廣靈縣	創業雜字	清	私塾啟蒙	487
壽陽縣	四言雜字	民國前		532	盂縣	四言雜志、必須雜志(字)	清	私塾啟蒙	480
稷山縣	四言雜文(字)	明清	學塾啟蒙	422	大寧縣	四言雜志(字)	清	私塾	372
忻縣	四言雜志、七言雜志(字)	清	私塾啟蒙	445	靜樂縣	四言雜志(字)	清	私塾初學	431
東北地區									

17.遼寧省									
義縣	四言雜字	舊時	私塾	489	灤平縣	名言雜字、庄農雜志(字)	清民國	私塾	787、813
康平縣	庄農雜字		私塾啟蒙	557	大安縣	庄農雜字	清民國	私塾	612
東溝縣	庄農雜字	清	私塾	907	盤山縣	庄農雜字	明清	私塾	528
撫順縣	庄農雜字	晚清以前	私塾	707	丹東市	庄農雜字	清民國	私塾	38
沈陽市	庄農雜字		蒙館	15	甘井子區	日用雜字	清	私塾啟蒙	588
金縣	雜字本	清	私塾	623	桓仁縣	雜字本	清	私塾	683
大洼縣	庄農雜志(字)	清	私塾	532	西豐縣	庄農雜志(字)	清	私塾	483
法庫縣	庄農雜志(字)		私塾	423	鐵嶺縣	庄農雜志(字)	清	私塾初學	540
18.吉林省	庄農雜字	清	私塾	23					
通化縣	雜字	清	私塾初學	680	農安縣	庄農雜字	清民國	私塾	498
輝南縣	庄農雜字		私塾	346	通榆縣	庄農雜字	清民國	私塾	606
舒蘭縣	庄農雜字	清民國	私塾初級	642	扶餘縣	庄農雜字	清	私塾	635
通化市	庄農雜志(字)	清	私塾初學	798	長嶺縣	庄農雜志(字)	清	私塾初學	559
柳河縣	庄農雜志(字)	清	私塾初學	545	和龍縣	社會雜志(字)	清民國	私塾初期	440
方正縣	庄農雜志(字)	民國	私塾	538					
19.黑龍江省	庄農雜字	清	私塾啟蒙	59					
木蘭縣	庄農雜字	清民國	私塾	479	延壽縣	庄農雜字	清民國	私塾	517
富錦縣	庄農雜字	清民國	私塾啟蒙	535	綏化地區	庄農雜字	清民國	私塾啟蒙	1054

遜克縣	庄農雜字	民國	私塾	471	北安縣	庄農雜字	民國	私塾	598
集賢縣	庄農雜字	民國	私塾	605	肇東縣	庄農雜字	民國	私塾	420
肇源縣	庄農雜字	清	私塾啟蒙	465	納河縣	庄農雜字	清末	私塾啟蒙	502
明水縣	雜字	民國	私塾	518	慶安縣	庄農雜字(四言雜字)	清	私塾啟蒙	358
愛輝縣	四言雜字	清	私塾	619	同江縣	四言雜字	清	私塾	369
黑河地區	農雜字	清	私塾	834	甘南縣	庄農雜字	日偽	私塾	570
德都縣	庄農雜字	清末	私塾	806	勃利縣	庄農雜字		私塾	482
克山縣	庄農雜字	民國	私塾	609	蘿北縣	四言雜字	清民國	私塾	671
樺川縣	庄農雜志(字)	清末民初	私塾	576	泰來縣	庄農雜志(字)	清末民初	私塾初學	483
佳木斯市	庄農雜志(字)	清末民國	私塾	999	樺南縣	庄農雜學(字)	民國	私塾啟蒙	776
穆棱縣	庄農雜志(字)	清末民國	私塾啟蒙	614					
西北地區									
20.陝西省									
藍田縣	七言雜字	清末民初	私塾	567	興平縣	七言雜字	清末民國	私塾	661
西安市	雜字	宋以後	私塾	38-39	富縣	緊要雜字	清以前	蒙館	431
神木縣	緊要雜字	清以前	私塾	453	府谷縣	雜字	舊時	私塾(農村冬學)	591
靖邊縣	各種雜字	明清	私塾啟蒙	351	麟游縣	七言雜字	清末民國	蒙館	13
旬陽縣	雜字	清末民國	私塾	434	鎮安縣	七言雜字	清	義學	448

澄城縣	七言雜字	宋元明清	蒙館	466	華縣	四言雜字、日用雜字	清	義學	532、544
蒲城縣	七言雜字	清	私塾	487	鳳翔縣	七言雜字	清末民國	私塾	643
米脂縣	日用雜字	明清民國	冬塾(成人教育)	523	橫山縣	四言雜志、五言雜志(字)	清民初	私塾啟蒙	500
21.甘肅省	雜字書	明清	私塾	134					
門源縣	七言雜字	清	私塾	465	蘭州市	雜字書	明清	私塾	62
平涼市	四言雜字、七言雜字	民初	私塾	511	文縣	七言雜字	明清民國	私塾	786
和政縣	七言雜字	清	社學、義學、義塾、私塾	349	永昌縣	五言雜字	清末民初	私塾	676
22.內蒙古									
杭錦後旗	四言雜字、五言雜字	1925 年後	私塾初學	402	準格爾旗	雜字	清民國	私塾啟蒙	387
阿魯科爾沁旗	庄農雜字		家庭私塾	873	敖漢旗	庄農雜字	清民國	私塾啟蒙	875
松山區	庄農雜字	清民國	私塾蒙學	792	赤峰市元寶山區	庄農雜字	清民國	私塾	641

赤峰市	雜字	清民國	私塾	641、2595	喀喇沁左翼蒙古族自治縣	雜字	清末	私塾、書院	587
杜爾伯特蒙古自治縣	庄農雜字	清	漢族私塾初學	589	突泉縣	庄農雜志(字)	民初	私塾初級	703
烏拉特中旗	四言雜志(字)	清民國	私塾	579	達爾罕茂明安聯合旗	四言雜志、五言雜志、七言雜志(字)	清後期民國初	私塾	673
土默特右旗	七言雜志(字)	1949 年以前	私塾	895					
23.寧夏省									
涇源縣	五言雜字	清	小學堂	294	彭陽縣	五言雜字	昔時	私塾	377
固原縣	四言、五言、七言雜字	封建時代	私塾	749					
24 新疆省									
巴里坤縣	四言雜字、七言雜字	清末民國	私塾	437	呼圖壁縣	農用雜字	清民國	私塾	497

附錄四：明清以來識字入門（集中識字）用雜字書目錄表

書　名	版　本	書面大小（長×寬 cm）	編輯者、出版者	結　構	字數	注音	附圖
新編對相四言	明刊黑口本			四言	388 字		○
新刻四言雜字	明刊本	24×13.8	杭州徐龍峰	四言	1496 字		
魁本音訓四言雜字	明刊巾箱本	20.5×14		四言	1240 字	○	
一年使用雜字文	清乾隆年間刊本		福建林梁峰	三言、七言	4800 字		
新出對像蒙古雜字	清刊本		京都打磨廠文成堂	以一字或二字之詞為主	1000 餘字		○
居家寶要雜字集句	清咸豐 11 年（1861）手抄本	17.5×11.5	閒村野人 徐文中藏板	四言	1440 字		
捷徑雜字	清同治 10 年（1871）石印本		岳崇德（林庵）	四言	2336 字		
庄農雜字（新刻俗言雜字）	清光緒 27 年（1901）刊木刻本	18.5×11	奉天文盛書局	四言	2448 字		
繪圖莊農雜字	民國刊本	20×13.5	上海錦章書局		2400 餘字		○
俗言雜字	清光緒 17 年（1891）抄本		山西平遙	四言	4880 字		
五言雜字	清宣統元年（1909）	18.5×11.7	日新堂藏板	五言	3315 字		

莊農日用雜字	清抄本		山東馬益著	五言	2370 字		
新刻校正通用六言雜字	清抄本	25.5×15.5		三言、六言	4686 字		
包舉雜字	清木刻本			四言	2384 字		
天津地理買賣雜字	民國 18 年(1929)刊本		天津聚文山房發庄	三言、七言	2400 餘字		
中華改良雜字	民國刊本			五言	1790 字		
民國雜字	民國刊本			四言	1152 字		
四言雜字	民國石印本			四言	3500 餘字		
繪圖六言雜字	民國石印本	20×13.2	上海天寶書局	六言	2748 字		○
六言雜字	民國石印本		上海普通書局	六言	2700 餘字		○
繪圖六言雜字	民國刊本	19.8×13	上海廣益書局	六言	2556 字		○
新增繪圖必須雜字	民國石印本	19.5×12.5	上海尚古山房、昌文書局	四言	880 字		○
最新繪圖三言雜字	民國石印本	18×12.5	上海尚古山房、昌文書局	三言	1650 字		○
繪圖四言雜字	民國石印本	20.2×13	上海天寶書局	四言	1764 字		○
繪圖四言雜字	民國刊本	20×13	上海廣益書局	四言	1280 字		○
繪圖七言雜字	民國石印本	20×13	上海天寶書局	七言	2324 字		○

附錄五：明清以來載分類字詞的教科書型雜字書目錄表

分類類目／書名／類數	天地			人事		名物			
	天文	地理	歷史	工作技術	應事規矩家禮人倫	食衣住	動植物	身體醫療	器物用具
《居家必備日用雜字》23類					人物、俗務	菜蔬、菓品、茶食、魚肉、麻柴素食、衣服、綾絹、首飾珍寶、顏色、房屋	鳥獸、花木		酒筵什物、紡織、家用什物、兵樂器、米行什物、雜貨、酒作什物、漁家農具、船上什物
《新刊廣輯居家緊要日用雜字》22類					拾遺雜用	小菜、菓品、茶水、魚肉、衣服、首飾、珍寶、綾絹、顏色、房屋	鳥獸、花木		酒筵什物、紡織、家用什物、貨物、米行什物、酒作什物、田作漁具、兵樂器用、船上什物
《新刻五言雜字》33類	天文、時令	地理	原字	田庄	人倫、常談	蔬菜、珍寶、首飾、飲食、衣服、宮室	花卉、果梜、竹木、飛禽、走獸、鱗	身體、丹藥、疾病	雜貨、番貨、闥具、家生、戎器、匠器、樂器、祭器、船器、藝

							介、昆虫		餘
《新刻六言雜字》25 類	天文、時令	地理		工匠	人物、人事、詞訟、喪禮、勉學	衣服、宮室、飲饌、首飾、蔬菜、顏色	花木、鳥獸	身體、病症、藥方	器用、軍器、船器、法具、雜賣
《新刻七言雜字》9 類						五穀斛斗、綾羅綵帛	河海水族、飛禽鳥集、天下走獸	人身帶疾、人身俊貌	雜貨零碎、家使物件
《日用俗字》31 類			丹青、堪輿、賭博、術衏	庄農、養蠶、木匠、泥瓦、鐵匠、石匠、裁縫、皮匠、銀匠、氈匠、僧道	紙札、爭訟	飲食、菜蔬、果實	花草、樹木、走獸、禽鳥、鱗介、昆虫	身體、疾病	器皿、雜貨、兵器
《建新雜字》24 類	天文、時令	地理		工匠	人物、人事、詞訟、喪禮	衣服、宮室、飲饌、首飾、蔬菜、顏色	花木、鳥獸	身體、病症、藥名	器用、軍器、法具、船器、雜賣
《新增一串珠雜字	天文	山嶽	文官	讀書、僧	親戚、嫁	宮室、衣服、穀	花草、樹	身體、醫	鐵器、木器、竹

》 64類	、時候	、江河、省分、縣郡	、武官、捐納、奉神、醮會、風水	尼、生理、耕農、手動、足動、乞丐、裁縫	娶、兒童、奴婢、朋友、詔誥、處世、性情、言語、偷竊、死葬、光明、請客、禮儀、餽送、破壞	米、食用、飲酒、煎煮、貴重、金銀、瓜菜、菓木	木、虫介、走獸、飛禽、遊魚、魚鳥	藥、疾病	器、瓦器、樂器、舟器、魚器、雜器
《新刊居家緊要全備日用雜字》 22類					人物、通用雜物	蔬菜、菓品、茶食、魚肉、衣服巾帽、首飾珍寶、絲紬綾絹、染坊顏色、房屋	鳥獸、花草竹木		酒筵什物、家用什物、米行什物、酒作什物、紡織什物、田作漁具、兵械藥器、船上什物、貨物雜用
《備用雜字》 22類					拾遺雜用	小菜、菓品、茶食魚肉、衣服、首飾珠寶、綾絹	鳥獸蟲、花木		酒筵什物、家用什物、果行什物、酒作什物、紡

						、顏色、房屋			織、田作漁具、音樂器械、船上什物、貨物
《日用雜字》22類				庄家、屠戶、作房、銀匠、鐵匠、木匠、收荒、轎行	稺獎、幼學、倫常、家常、燒房	酒房、飯店、館子、京餜、乾菜、成衣、細緞、線鋪			雜貨
《雜字便用》23類			包封	裁縫、染匠、木匠、篾匠、鐵匠、錫匠、銅匠、銀匠、機匠、彈匠、皮匠、推匠、石匠、砌匠、漆匠	人倫	葷食、蔬菜	獸、禽、魚蟲	身體	
《七言雜字》					喪事	蔬菜、飲食、衣	鱗虫鳥獸		貨物、家用、農

9類						服			匠及用、文房雜用
《新增幼學雜字》21類	天文、時令	地理	文事、武備	銀色兼數目、百藝、農桑	人物、人事、婚姻兼女紅	衣冠兼靴鞋、首飾兼珍寶、布帛兼顏色、五穀兼瓜菜、飲食兼茶酒、起蓋	花木兼菓品、鳥獸兼蟲魚	身體	雜貨
《農村雜字》24類	時令、氣象	土木、交通	序言、簿記、迷信	工藝、女紅、商業	修養、農事、親屬、社會	農產、布匠	花木、禽獸、鱗介、虫	身體	農具、家具、礦物
《日用時行雜字》3類					童稺弊、幼學、倫常				
《便用雜字》24類				裁縫、染匠、木匠、篦匠、鐵匠、錫匠、銅匠、銀匠、機匠、彈	人倫	葷食、蔬菜	獸類、禽類、魚虫	身體	雜貨

				匠、皮匠、推匠、石匠、砌匠、漆匠、零工					
《時行課幼大全雜字》 24 類				耕種常業、三教九流、家居買賣	天地倫常、和睦鄉鄰、契書款式、禮儀款式、人事裳談、口噙字義	山珍貨物、茶食菓品、綢緞衣服、金銀首飾	樹木各樣、六畜牧養	身體概行	銅器物件、居家常用、動用器物、文房四寶、山糧雜用、船舟器具、手藝器用、鋪戶器物
《繪圖中西日用雜字》 37 類	天文、時令	地輿		武備	人倫	蔬菜、魚菜、米粟、果品、餅餌、茶食、肉食、宮室、顏料、冠服、珍寶、妝飾、紬絹	水族、蟲豸、獸、禽鳥、樹木、花卉、草	容體	文具、樂器、玩具、家用什物、燕居什物、田器、織具、酒具、船具、米行什物、匠作什物
《士農工商買賣雜字》			人物			雜糧、鮮菜、乾菜、葷菜、素菜	禽獸、魚蟲、雜草		銅錫、磁石、鐵器、木器、雜貨

22 類						、材料、菓品、麵食、紬緞布疋、衣服、首飾			、草器、馬鞍
《訓蒙七十二行雜字》55 類	天文			武職	喪祭、人品	佩服、絨線雜貨、珍寶、首飾、布帛、海味、餅食、葷食、菓子、宮室、果、瓜菜、穀種、食物、衣服、顏色、顏料、數目	鱗介、樹、禽獸、魚蝦、蛇虫、花草、虫蟻、走獸	身體、病證、藥材	錫器、銅器、鐵器、瓷器、木器、藤竹器、文具、軍器、農具、刑具、船具、玩器、樂器、雜貨、紙料、金銀寶具、銅鐵錫、木料、竹器、雜貨、缸瓦

附錄六：明清以來載生活知識的工具書型雜字書目錄表

書名	生活環境的認識	實用智能的學習	休閒興趣的培養	社交活動的歷鍊
《新鍥鰲頭備用雜字元龜》		吉日、忌日、忌訣、鶴神方位圖、喜神方位圖		各式稱呼
《新增幼學易知高頭雜字大全》				文公家禮親眷稱呼、各帖式、文公家禮喪祭儀式、世事請帖體式、祭文、各服制圖
《新刻訂補直音雜字世事通考》	帝王摠記、省屬衙門、都會形勢、人物土產、諸夷國名、天下路程、文武職考、文武服色、公署類、狀元題名	剋擇類、桐陵筭法、馬前課、六壬課		書啟活套、禮物稱呼、交待問答
《增補易知雜字全書》	廿八宿圖、禹書經天合地圖、孔門弟子、歷代名賢			小兒論、文公家禮親眷稱呼、書札便覽、世事請帖體式便覽、契書文約佃批呈結狀

				婚啟祝文便覽
《新鐫增補類纂摘要鼇頭雜字》	廿四孝、福建往北京路程	九鯉湖夢驗	新集百家巧對、新集通用聯句	家書式、賀儀餽送帖式、具名稱呼、新增婚書彙編、闗約式
《莆曾太史彙纂鼇頭琢玉雜字》	廿四孝、諸夷外國、國朝帝王紀年、福建往北京路程、南京往北京路程	啟蒙筭法訣式、九仙夢驗	聯句、新增百家巧對	稱呼、新增十二月啟、婚書摘錦、祭文摘錦、帖式、家書式、闗約式、契約式、小兒論
《增補素翁指掌雜字全集》	歷代帝王年紀			稱呼、契約批式、狀式、禁約、給引、執結、四言摘錦
《新鐫便蒙群珠雜字》				集寫書信、通用尺牘
《新鐫卓吾先生通考指掌雜字》				家中書札、服制門、契書式、帖式、喪服圖、婚書聘書啟
《增補幼學須知雜字大全》	歷代帝王總紀、歷代聖賢、歷代國號歌、五嶽形圖	法秤輕重命格總論、貴賤貧富八字詩訣、六壬課、算盤定式、九九八十一總讀、九	迴文讀法	小兒論、增補家禮帖式大全、文公家禮大全、長子眾子冠圖、各服制圖、契書式、

		歸歌訣、九因歌訣、混歸歌訣、歸除歌訣		家書類
《東園雜字》	廿八宿圖、地圖、孔門弟子、先賢名士類、歷代帝王總紀、歷代國號歌	九歸歌訣、九因法歌、混歸法歌訣、歸除歌訣、算盤圖、算字生男女歌訣、占燈花吉凶、法秤輕重命格之論、貧賤富貴八字詩訣、論十二生肖圖	拆字戲、寫字把筆手勢圖	小兒論、愛惜五穀、酒色財氣圖、都是命圖、往來帖式稱呼、帖式範例、入棺祭文、家書、賣契、典契、分業類書、各行領狀
《增補元龍通考雜字》	參見附錄七			
《萬寶元龍雜字》	參見附錄七			
《萬寶元龍雜字》	參見附錄七			
《增補元龍通考雜字》	參見附錄七			
《元龍通考雜字》	參見附錄七			
《新鐫眉公先生四言便讀群珠雜字》	統紀門			
《增訂日用便覽雜字》	官階品級			三父八母附錄、服制
《增訂日用便覽雜字》	官階品級			三父八母附錄、服制
《新刊正音註解日誦總				通用請書柬帖、買賣

類大全雜字》				文約、立分單合同、事門稟帖
《益幼雜字》	歷代帝王總紀			
《繪圖幼學雜字》			四季令	日言俗語童話、尺牘通用要語
《最新繪圖共和幼學雜字》			四季令	日言俗語童話、尺牘通用要語
《繪圖五言雜字》				關聖帝君覺世經
《五言雜字大全》				關聖帝君覺世經

附錄七：《萬寶元龍雜字》生活知識內容表

分類		內容
生活環境的認識	史地知識	歷代帝王總紀、先賢名士類、水陸路程便覽、天下土產、諸譯國名
	官秩律令	詳考天下各屬衙門一覽、禮部題定帽頂、歷科狀元考、大清官制總數、大清官品級數、文職公署類、武職公署類
實用智能的學習	謀生技藝	筭法類
	玄理術數	鎮怪、剋擇類、課占類、逐月風暴日期、歷代仙術類
	醫療保健	藥方類、治骨鯁神法
休閒興趣的培養	怡情養性	增類千家詩酒令
社交活動的歷鍊	人際交往	書柬活套
	關禁契約	文約類

附錄八：清版《萬寶全書》內容表

版本 內容 分類	《敬堂訂補萬寶全書》高宗乾隆11年刊本（1746）34卷	《新鐫增補萬寶全書》高宗乾隆23年序刊本（1758）32卷	《增補萬寶全書》高宗乾隆4年刊本（1739）30卷	《敬堂訂補萬寶全書》聖祖康熙年間刊本 24卷	《新增萬寶全書》穆宗同治10年刊本（1871）20卷	《增補萬寶全書》德宗光緒27年刊本（1901）20+1卷	《增補萬寶全書》德宗光緒24年刊本（1898）20+5卷	《增補萬寶全書》德宗光緒32年刊本（1906）20+6卷
生活環境的認識								
1.天文時令	01 天文 04 時令	01 天文 27 時令	01 天文 11 時令	01 天文 04 時令	01 天文 10 時令	01 天文 10 時令	01 天文 10 時令	01 天文 10 時令
2.史地知識	02 地理 07 外夷 03 人紀	02 地理 05 外夷 03 人紀	02 地理 04 諸夷 03 人紀	02 地理 07 外夷 03 人紀	02 地理 04 外夷 03 人紀	02 地理 04 外夷 03 人紀	02 地理 04 諸夷 03 人紀	02 地理 04 外夷 03 人紀
3.官秩律令	13 品級 04 法律 18 狀式	24 品級 23 法律 31 狀式	10 品級	13 品級 18 狀式	09 品級	09 品級 續 1 鼎甲錄	09 爵祿	09 品級
社交活動的歷鍊								
1 訴訟判案	11 體式	06 民用		11 體式				
2.柬帖運用	06 文翰	20 書柬	05 文翰	06 文翰	05 文翰	05 文翰	05 文翰	05 文翰

3.勸諭	12 勸諭	25 勸諭	18 勸諭	12 勸諭	15 勸諭	15 勸諭	15 勸諭	15 勸諭
實用智能的學習								
1.謀生技藝	05 農桑	12 農桑	06 農業	05 農業				
							續 4 花草鳥獸	續 4 花草鳥獸
	14 採茶		14 採茶	14 採茶				
	33 牛馬	30 牛馬	17 牛馬		14 牛馬	14 牛馬	14 馬牛	14 牛馬
	16 筭法	21 筭法	09 筭法	16 筭法	08 筭法	08 筭法	08 算法	08 筭法
							續 1 看銀	續 1 看銀
							續 2 各條約	續 2 各條約
							續 3 貿易	續 3 貿易
2.玄理術數	20 命理		20 命書	20 命理				
	22 秤命	17 秤命	22 評命	22 秤命	17 評命	17 秤命	17 數命	17 秤命
	21 相法	11 相法	21 相法	21 相法	16 相法	16 相法	16 風鑑	16 相法
	19 剋擇		19 通書	19 剋擇				
	25 營造	19 宅經	25 宅經					
	26 堪輿	22 營葬	26 堪輿					
	27 卜筮		27 卜筮					
	32 關王筶							
	17 夢解	32 解夢	16 解夢	17 夢解	13 解夢	13 夢解	13 夢解	13 夢解

3.養生保健與醫療衛生	31 養生 29 醫學 24 種子 30 祛病	04 養生 16 武備 08 種子 26 祛病	29 醫學 24 種子 30 祛病	24 種子	19 種子 20 祛病	19 種子 20 祛病	19 種子 20 祛病	19 種子 20 祛病
休閒興趣的培養								
1.怡情養性 2.娛樂活動	10 字法 08 畫譜 28 對聯 15 酒令 23 笑談 09 四譜 34 雜用	29 字法 28 畫譜 18 琴譜 07 詩對 10 侑觴 15 談笑 13 八譜 14 仙術 09 雜用	07 滿漢合書 08 字法 12 畫譜 28 對聯 15 酒令 23 談笑 13 四譜	10 字法 08 畫譜 15 酒令 23 笑談 09 四譜	06 滿漢合書 07 草法 11 畫譜 18 談笑 12 四譜	06 滿漢合書 07 字法 11 畫譜 18 笑談 12 四譜	07 字學 06 篆書 11 畫譜 12 博奕 18 笑話 續 5 戲法	06 滿漢合書 07 字法 11 畫譜 18 笑談 12 四譜 續 5 戲法 續 6 雜用

徵引書目

一、史料

㈠正史、日用類書、民間日用類書、小說、文集、叢書、回憶錄、資料集

1. 于海洲編，《最新實用萬事不求人》，臺北：玲珍出版社，民國 58 年（1969）刊本。
2. 中國人民政治協商會議山東省臨朐縣委員會編，《文史資料選輯》，4 輯，1985 年 12 月。
3. 〔清〕永瑢、紀昀等，《欽定四庫全書總目提要》，臺北：臺灣商務印書館股份有限公司，2001 年 2 月，初版 2 次印刷，卷 130。
4. 毛志成，〈也算我的自傳〉，《文學自由談》，2000 年 1 期，頁 112-119。
5. 王保定，《唐摭言》，上海：上海商務印書館，1936 年 1 月。
6. 王書良編，《萬事不求人》，北京：中國國際廣播出版社，1991 年 9 月。
7. 〔清〕王筠，《教童子法》，收入《叢書集成新編》，臺北：新文豐出版公司，1985 年 1 月。

8. 〔宋〕王讜，《唐語林》，上海：上海古籍出版社，1991 年 12 月。
9. 〔漢〕史游，《急就篇》，收入《四部叢刊續編（II-11）》，上海：上海書店，據商務印書館 1934 年版重印，1984 年 6 月。
10. 西周生輯著，《醒世姻緣傳》，上海：上海古籍出版社，1983 年。
11. 老舍，《老舍全集》，卷 4，小說 4，北京：人民文學出版社，1999 年 1 月。
12. 全寶山，〈愛留人間——緬懷恩師王靈昭先生〉，《內蒙古教育》，2000 年 11 期，頁 5-6。
13. 〔明〕余一夔輯，《增補類編音釋四民切用便讀雜字》，明末書林詹鍾瑞刻本。
14. 何祚歡，〈我叫『活著歡』（一）〉，《武漢文史資料》，2004 年 3 期，頁 28-33。
15. 宋洪、喬桑編，《蒙學全書》，長春：吉林文史出版社，1996 年 11 月，2 次印刷。
16. 辛建領，〈噩夢般的童年：重要的一課〉，《山東教育》，2000 年 28 期，頁 55。
17. 呂世盛，《新編農村日用雜字》，濟南：山東教育出版社，1986 年 3 月。
18. 李心傳，《建炎以來繫年要錄》，卷 149，收入《叢書集成續編》，臺北：新文豐出版公司，1985 年，冊 116。
19. 〔唐〕李綽，《尚書故實》，上海：上海商務印書館，1936

年 6 月。

20. 吳承恩，《西遊記》，臺北：黎明文化事業公司，1984 年 6 月。
21. 〔魏〕周成，《雜字解詁》，收入馬國翰輯，《玉函山房輯佚書》，冊 51；亦見於任大椿輯，《小學鉤沈》，卷 1，收入《叢書集成續編》，臺北：新文豐出版公司，1989 年，冊 69。
22. 來新夏主編，《雜字》，天津：南開大學出版社，1995 年 9 月。
23. 林建明供稿，〈一年使用雜字文（上杭馬林蘭藏板）〉，《三明職業大學學報》，1994 年 1 期，頁 47-59。
24. 邵儒彬，《新增一串珠雜字》，崇德堂，咸豐 11 年（1861）序刊本。
25. 長澤規矩野編，《明清俗語辭書集成》，冊 1，上海：上海古籍出版社，1989 年 11 月。
26. 〔唐〕姚思廉，《梁書》，臺北：鼎文書局，1975 年 1 月。
27. 胡振華、黃潤華整理，《高昌館雜字——明代漢文回鶻文分類詞匯》，北京：民族出版社，1984 年 5 月。
28. 〔清〕徐三省輯，黃惟質增訂，《增補元龍通考雜字》，清康熙年間刻本，敦義堂重訂。
29. 〔清〕徐三省輯，戴啟達增訂，《萬寶元龍雜字》，金閶三槐堂印行，清乾隆 30 年（1765）序刊本。
30. 〔清〕徐三省輯，戴啟達增訂，《萬寶元龍雜字》，金閶丹山堂印行，清乾隆 30 年序刊本。

31. 〔清〕徐三省輯，戴啟達增訂，《增補元龍通考雜字》，揚州轅門橋邱氏文富堂藏本，清刊本。
32. 〔清〕徐三省輯，戴啟達增訂，《元龍通考雜字》，南京李光明庄刻本。
33. 〔清〕徐松輯，《宋會要輯稿》，北京：中華書局，1957 年 11 月，冊 166。
34. 唐黎標，〈老來能不憶私塾〉，《文史雜誌》，2006 年 1 期，頁 68-69。
35. 〔後漢〕郭顯卿，《雜字指》（湘遠堂重刊），收入《玉函山房輯佚書》，冊 51。
36. 黃永武主編，《敦煌寶藏》，臺北：新文豐出版公司，1986 年，冊 37、43、44、45、129、130。
37. 〔宋〕黃震，《黃氏日抄》，收入《文淵閣四庫全書》，臺北：臺灣商務印書館，1983 年，子部，儒家類，708 冊。
38. 〔宋〕陸游著，錢仲聯校注，《劍南詩稿校注》，上海：上海古籍出版社，1985 年 9 月，冊 4。
39. 陸養濤編，《中國古代蒙學書大觀》，上海：同濟大學出版社，1995 年 12 月。
40. 〔明〕陳士元輯，《古俗字略》，收入《續修四庫全書》，上海：上海古籍出版社，1995 年，據北京大學圖書館藏明萬曆刻歸雲別集本影印，經部，小學類，冊 238；亦收入《四庫全書存目叢書》，臺南縣：莊嚴文化事業有限公司，1997 年，經部，冊 190。
41. 張秀熟，〈清末民間兒童讀物〉，收入中國人民政治協商會議全國委員會文史資料研究委員會編，《文史集萃》，1 輯，北京：新華書局，1983 年 10 月，頁 188-198。

42. 張河、牧之編，《中國古代蒙書集錦》，濟南：山東友誼書社，1990 年 6 月，2 次印刷。

43. 〔清〕張岱，《夜航船》，見《續修四庫全書》編輯委員會編，《續修四庫全書》，上海：上海古籍出版社，1997 年。

44. 張恨水，〈趕場的文章〉，收入《上下古今談》，太原：北岳文藝出版社，1993 年 1 月，頁 395。

45. 〔魏〕張揖，《雜字》，收入馬國翰輯，《玉函山房輯佚書》，冊 51；亦見於任大椿輯，《小學鉤沈》，卷 13，收入《叢書集成續編》，冊 69，臺北：新文豐出版公司，1989 年。

46. 〔明〕曾楚卿編，《莆曾太史彙纂鰲頭琢玉雜字》，明刊本。

47. 曾寶蓀，《曾寶蓀回憶錄》，香港：基督教文藝出版社，1970 年 7 月。

48. 楊家駱主編，《新校本明史并附編六種》（四），臺北：鼎文書局，1975 年 6 月。

49. 楊家駱主編，《新校本宋史附編三種》，臺北：鼎文書局，1978 年 9 月。

50. 〔明〕楊慎編，《雜字韻寶》，明萬曆年間刊本。

51. 〔清〕翟灝，《通俗編》，收入《續修四庫全書》，經部，小學類，冊 194。

52. 齊白石，《白石老人自述》，臺北：傳記文學出版社，1967 年 1 月。

53. 齊白石，〈一個窮家孩子的求學經歷〉，收入陸鴻基編，《中國近世的教育發展（1800-1949）》，香港：華風書局，1983年3月，頁80-84。
54. 魯迅，《魯迅全集》，北京：人民文學出版社，1989 年，北京第4次印刷。
55. 〔宋〕黎靖德類編，《朱子語類（五）》，濟南：山東友誼書社，1993年12月。
56. 蒲松齡，《蒲松齡集》，北京：中華書局，1962年8月。
57. 〔清〕蒲松齡編，《日用俗字》，清刊本，收入李國慶校注，《雜字·俗讀》，濟南：齊魯書社，1998年12月。
58. 戴羲，《養餘月令》，北京：中華書局，1956年10月。
59. 韓世嘉，〈民國早期漢陽私塾剪影〉，《武漢文史資料》，2003年5期，頁45-47。
60. 〔北齊〕顏之推撰，王利器集解，《顏氏家訓集解》，上海：上海古籍出版社，1980年。
61. 〔唐〕顏師古，〈急就篇注敘〉，收入《四部叢刊續編（II-11）》。
62. 顧炎武，《日知錄》，臺北：臺灣商務印書館，1946 年 4月。
63. 《一年使用雜字文》，收入《（福建）武平縣志》，北京：中國大百科全書出版社，1993年10月。
64. 《七言雜字》，廣州黃經翰堂刊，以文堂藏版。
65. 《三台萬用正宗》，明萬曆 27 年（1599）刊本，書林雙峰堂刻。

66. 《五車拔錦》，明萬曆25年（1597）序刊本。
67. 《六言雜字》，上海普通書局，民國石印本，收入李國慶校注，《雜字·俗讀》。
68. 《天津地理買賣雜字》，天津聚文山房發莊，民國 18 年（1929）刊本，收入來新夏主編，《雜字》。
69. 《方言分類簡便雜字》，1934年4月賴聲揚序刊本。
70. 《中華改良雜字》，民國刊本，收入李國慶校注，《雜字·俗讀》。
71. 《士農工商改良雜字》，不明出版項。
72. 《日用雜字》，文治堂，清宣統元年（1909）刊本。
73. 《四言雜字》，民國石印本，收入李國慶校注，《雜字·俗讀》。
74. 《民國雜字》，民國刊本，收入李國慶校注，《雜字·俗讀》。
75. 《幼學雜字》，南京李光明庄，清刊本，收入李國慶校注，《雜字·俗讀》。
76. 《包舉雜字》，清刻本，收入《捷徑雜字·包舉雜字》，長沙：岳麓書社，1989年11月。
77. 《回回館雜字》，據清初同文館抄本影印，收入北京圖書館古籍出版社編輯組編，《北京圖書館古籍珍本叢刊 6》，北京，書目文獻出版社，1988年。
78. 《多能鄙事》，明嘉靖 42 年（1563）刊本，范惟一刻，收入《四庫全書存目叢書》，臺南縣：莊嚴文化事業公司，1995年9月，子部，117冊。

79. 《庄農雜字》，奉天文盛書局，清光緒 27 年（1901）刊本。
80. 《東園雜字》，廣州以文堂，清乾隆 8 年（1743）刊本。
81. 《居家必用事類全集》，明嘉靖 39 年（1560）序刊本，京都：中文出版社，1984 年 12 月。
82. 《居家必用事類全集》，明隆慶 2 年（1568）刊本，收入《續修四庫全書》，上海：上海古籍出版社，1997 年，子部，1184 冊。
83. 《居家必備》，明末刊本，杭州讀書坊刻。
84. 《居家必備》，福州：會文堂，民國 28 年（1939）刊本。
85. 《居家必備日用雜字》，吳門四知堂梓，明刊本，江戶時小野職博錄，手抄本。
86. 《事林廣記》，元至順年間（1330-1333）刊本，建安椿莊書院刻。
87. 《事林廣記》，元至元 6 年（1340）刊本，建陽鄭氏積誠堂刻，北京：中華書局，1999 年 2 月。
88. 《事林廣記》，明洪武 25 年（1392）刊本，梅溪書院刻。
89. 《事林廣記》，明永樂 16 年（1418）刊本，建陽翠嚴精舍刻。
90. 《事林廣記》，明成化 14 年（1478）刊本，鍾景清增訂，劉廷賓、陳巨源在福建刻。
91. 《事林廣記》，明弘治 9 年（1496）刊本，詹氏進德書堂刻。
92. 《俗言雜字》（清刊本），收入史若民、牛白琳編，《平、祁、太經濟社會史料與研究》，太原：中國古籍出版社，2002 年 5 月，頁 631-640。

93. 《重刊校正居家必用事類》，明萬曆 7 年（1579）序刊本。
94. 《便用雜字》，民國刊本，收入李國慶校注，《雜字・俗讀》。
95. 《便民圖纂》，明嘉靖 23 年（1544）刊本，王貞吉在廣西潯州刻，收入《四庫全書存目叢書》，子部，118 冊。
96. 《高昌館雜字》，據清初同文館抄本影印，收入北京圖書館古籍出版社編輯組編，《北京圖書館古籍珍本叢刊 6》。
97. 《時行課幼大全雜字》，重慶古文書局，民國石印本。
98. 《益幼雜字》，南京李光明庄刻，民國刊本。
99. 《國史經籍志》，收入《粵雅堂叢書》，臺北：華聯出版社，1965 年 5 月，據清咸豐 3 年（1853）刻本景印。
100. 《捷徑雜字》，岳崇德刊，清同治 10 年（1871）石印本，收入《捷徑雜字・包舉雜字》。
101. 《通制條格》，杭州：浙江古籍出版社，1986 年 3 月。
102. 《隋書・經籍志》，收入新文豐出版公司編輯部編，《叢書集成新編》，臺北：新文豐出版股份有限公司，1985 年 1 月。
103. 《最新繪圖三言雜字》，上海尚古山房、昌文書局，民國石印本。
104. 《最新繪圖共和幼學雜字》，上海天寶書局，民國石印本。
105. 《開蒙要訓》，收入黃永武主編，《敦煌叢刊初編》，臺北：新文豐出版公司，1985 年 4 月，冊 15。
106. 《新刊廣輯居家緊要日用雜字》，萬卷樓重梓，明末書林余松軒發行。
107. 《新出對像蒙古雜字》，京都打磨廠文成堂梓行。

108.《新出萬事不求人》，上海槐陰山房榮記批發，清末民初石印本。

109.《新刻人物通考啟童雜字》，清刊本。

110.《新刻七言雜字》，杭州徐龍峰梓行，明刊本。

111.《新刻五言雜字》，杭州徐龍峰梓行，明刊本。

112.《新刻六言雜字》，杭州徐龍峰梓行，明刊本。

113.《新刻四言雜字》，杭州徐龍峰梓行，明刊本。

114.《新刻校正通用六言雜字》，清抄本。

115.《新萬事不求人》，上海劉德記書局，民初石印本。

116.《新增幼學易知高頭雜字大全》，明萬曆 44 年（1616），文萃堂梓。

117.《新增繪圖必須雜字》，上海尚古山房、昌文書局，民國石印本。

118.《新增懸金萬寶全書》，清道光 4 年（1824）刊本。

119.《新編世事不求人》，北平泰山堂，民國刊本。

120.《新編對相四言》，明刊黑口本。

121.《新編萬事不求人》，鄭州：中州古籍出版社，1995 年 1 月。

122.《新鐫增補類纂摘要鰲頭雜字》，明刊本。

123.《新鐫鰲頭備用雜字元龜》，明萬曆甲午年（22 年，1594）梓行。

124.《鼎鐫十二方家參訂萬事不求人博考全編》，明萬曆年間抄本。

125.《莊農日用雜字》，清抄本，見王爾敏，〈《莊農雜字》所反映的農民生業生活實況〉，《近代中國史研究通訊》，33期，2002年3月，頁98-105。

126.《莊農雜字》，民國刊本，收入李國慶校注，《雜字・俗讀》。

127.《魁本音訓四言雜字》，明刊巾箱本。

128.《算法雜字撮要》，廣州以文堂板，1913年。

129.《對相雜字》（又名《新增幼學雜字》），南京李光明庄，清刊本。

130.《增補易知雜字全書》，明刊本。

131.《萬書萃寶》，明萬曆24年（1596）刊本。

132.《萬事不求人》，新竹：竹林書局，民國 86 年（1997）刊本。

133.《萬寶全書》，世德堂刻，清乾隆4年（1739）刊本。

134.《萬寶全書》，清道光30年（1850）刊本。

135.《萬寶全書》，學庫山房刻，清光緒21年（1895）刊本。

136.《歷朝雜字歌》，雷陽印書局，1931年。

137.《雜字便用》，清光緒年間刊本。

138.《繪圖七言雜字》，上海天寶書局，民國石印本。

139.《繪圖五言雜字》，上海天寶書局，民國石印本。

140.《繪圖六言雜字》，上海天寶書局，民國石印本。

141.《繪圖四言雜字》，上海天寶書局，民國石印本。

142.《繪圖幼學雜字》，上海廣益書局，民國石印本。

143.《繪圖莊農雜字》，上海錦章書局，民國石印本。

㈡方志

1.福建省

《上杭縣志》，福州：福建人民出版社，1993 年 9 月。
《尤溪縣志》，福州：福建省地圖出版社，1989 年 4 月。
《永泰縣志》，北京：新華出版社，1992 年 4 月。
《仙遊縣教育志》，北京：方志出版社，1997 年 7 月。
《古田縣志》，北京：中華書局，1997 年 12 月。
《平潭縣志》，北京：方志出版社，2000 年 10 月。
《光澤縣志》，北京：群眾出版社，1994 年 9 月。
《長汀縣志》，北京：生活·讀書·新知三聯書店，1993 年 8 月。
《南平市志》，北京：中華書局，1994 年 9 月。
《南安縣志》，南昌：江西人民出版社，1993 年 10 月。
《柘榮縣志》，北京：中華書局，1995 年 5 月。
《建寧縣志》，北京：新華出版社，1995 年 4 月。
《建甌縣志》，北京：中華書局，1994 年 3 月。
《浦城縣志》，北京：中華書局，1994 年 9 月。
《涵江區志》，北京：方志出版社，1997 年 8 月。
《福建省志·教育志》，北京：方志出版社，1998 年 4 月。
《華安縣志》，廈門：廈門大學出版社，1996 年 4 月。
《寧化縣志》，福州：福建人民出版社，1992 年 9 月。
《寧德市志》，北京：中華書局，1995 年 1 月。
《漳平縣志》，北京：生活·讀書·新知三聯書店，1995 年 12 月。

《德化縣志》，北京：新華出版社，1992 年 4 月。
《壽寧縣志》，廈門：鷺江出版社，1992 年 7 月。
《龍岩地區志》，上海：上海人民出版社，1992 年 10 月。
《鯉城區志》，北京：中國社會科學出版社，1999 年 12 月。
《羅源縣志》，北京：方志出版社，1998 年 11 月。

2.廣東省

《曲江縣志》，北京：中華書局，1999 年 12 月。
《汕頭市志》，北京：新華出版社，1999 年 12 月。
《河源縣志》，韶關：廣東人民出版社，2000 年 5 月。
《徐聞縣志》，韶關：廣東人民出版社，2000 年 5 月。
《浦北縣志》，南寧：廣西人民出版社，1995 年 8 月。
《茂名市志》，北京：生活·讀書·新知三聯書店，1997 年 10 月。
《連南瑤族自治縣志》，韶關：廣東人民出版社，1996 年 8 月。
《揭西縣志》，韶關：廣東人民出版社，1994 年 3 月。
《電白縣志》，北京：中華書局，2000 年 6 月。

3.廣西省

《南丹縣志》，南寧：廣西人民出版社，1994 年 10 月。
《邕寧縣志》，北京：中國城市出版社，1995 年 12 月。
《博白縣志》，南寧：廣西人民出版社，1994 年 6 月。
《富川瑤族自治縣》，南寧：廣西人民出版社，1995 年 12 月。
《廣西通志·出版志》，南寧：廣西人民出版社，1999 年 6 月。

4.雲南省

《元陽縣志》，貴陽：貴州人民出版社，1990 年 2 月。

《西山區志》，北京：中華書局，2000年9月。
《秀山鎮志》，昆明：雲南人民出版社，1994年3月。
《宣威市志》，昆明：雲南人民出版社，1999年10月。
《建水縣志》，北京：中華書局，1994年5月。
《通海縣志》，昆明：雲南人民出版社，1992年11月。
《楚雄彝族自治州志》，北京：人民出版社，1996年10月。
《楚雄彝族自治州教育志》，昆明：雲南民族出版社，1998年10月。
《新平縣志》，北京：生活·讀書·新知三聯書店，1993年8月。
《潞西縣志》，昆明：雲南教育出版社，1993年9月。
《巍山彝族回族自治縣志》，昆明：雲南人民出版社，1993年12月。

5.貴州省

《玉屏侗族自治縣志》，貴陽：貴州人民出版社，1993年10月。
《赤水縣志》，貴陽：貴州人民出版社，1990年10月。
《沿河縣志》，貴陽：貴州人民出版社，1993年12月。
《道真仡佬族苗族自治縣志》，貴陽：貴州人民出版社，1992年10月。
《華節地區志·教育志》，貴陽：貴州人民出版社，1994年3月。
《鳳岡縣志》，貴陽：貴州人民出版社，1994年12月。
《萬山特區志》，貴陽：貴州人民出版社，1993年6月。
《遵義地區教育志》，貴陽：貴州人民出版社，1993年3月。

6.四川省

《大竹縣志》，重慶：重慶出版社，1992年9月。
《中江縣志》，成都：四川人民出版社，1994年3月。
《巴縣志》，重慶：重慶出版社，1994年5月。
《平武縣志》，成都：四川科學技術出版社，1997年12月。
《江津縣志》，成都：四川科學技術出版社，1995年6月。
《巫溪縣志》，成都：四川辭書出版社，1993年4月。
《長寧縣志》，成都：巴蜀書社，1994年7月。
《武勝縣志》，重慶：重慶出版社，1994年11月。
《武隆縣志》，成都：四川人民出版社，1994年8月。
《岳池縣志》，成都：電子科技大學出版社，1993年12月。
《宣漢縣志》，成都：西南財經大學出版社，1994年1月。
《珙縣志》，成都：四川人民出版社，1995年8月。
《納溪縣志》，成都：四川科學技術出版社，1992年11月。
《涼山彝族自治州·教育志》，成都：四川民族出版社，1997年10月。
《渠縣志》，成都：四川科學技術出版社，1991年10月。
《綿陽市志》，成都：四川辭書出版社，1999年2月。
《遂寧縣志》，成都：巴蜀書社，1993年5月。
《漢源縣志》，成都：四川科學技術出版社，1994年6月。
《銅梁縣志》，重慶：重慶大學出版社，1991年5月。
《廣漢縣志》，成都：四川人民出版社，1992年7月。
《潼南縣志》，成都：四川人民出版社，1993年12月。
《蒼溪縣志》，成都：四川人民出版社，1993年8月。

《鄰水縣志》，成都：四川科學技術出版社，1991年10月。

7.江蘇省

《金壇縣志》，南京：江蘇人民出版社，1993年10月。

《泰縣志》，南京：江蘇古籍出版社，1993年10月。

《泰興縣志》，南京：江蘇人民出版社，1993年3月。

《淮陰市志》，上海：上海社會科學院出版社，1995年6月。

《揚州市志》，上海：中國大百科全書出版社，1997年3月。

《淮陰縣志》，上海：上海社會科學院出版社，1996年2月。

《睢寧縣志》，北京：中國社會科學出版社，1994年5月。

《廣陵區志》，北京：中華書局，1993年10月。

8.浙江省

《永嘉縣志》，北京：方志出版社，2003年9月。

《金華市志》，杭州：浙江人民出版社，1992年3月。

《金華縣志》，杭州：浙江人民出版社，1992年8月。

《縉雲縣志》，杭州：浙江人民出版社，1996年4月。

《蘭溪市志》，杭州：浙江人民出版社，1988年11月。

9.安徽省

《太湖縣志》，合肥：黃山書社，1995年3月。

《阜南縣志》，合肥：黃山書社，1997年8月。

《和縣志》，合肥：黃山書社，1996年12月。

《桐城縣志》，合肥：黃山書社，1995年9月。

《宿州市志》，上海：上海古籍出版社，1991年12月。

《舒城縣志》，合肥：黃山書社，1995年5月。

《婺源縣志》，北京：檔案出版社，1993年10月。

《濉溪縣志》，上海：上海社會科學院出版社，1999年4月，2次印刷。
《霍山縣志》，合肥：黃山書社，1993年9月。
《霍邱縣志》，北京：中國廣播電視出版社，1992年3月。

10.江西省

《九江市教育志》，北京：中華書局，1996年7月。
《上高縣志》，海口：南海出版公司，1990年12月。
《上猶縣志》，不明出版社，1992年3月。
《上饒地區志》，北京：方志出版社，1997年12月。
《弋陽縣志》，海口：南海出版公司，1991年12月。
《于都縣志》，北京：新華出版社，1991年8月。
《分宜縣志》，北京：檔案出版社，1992年10月。
《永修縣志》，南昌：江西人民出版社，1987年6月。
《石城縣志》，北京：書目文獻出版社，1990年6月。
《吉水縣志》，北京：新華出版社，1989年9月。
《安義縣志》，海口：南海出版公司，1990年11月。
《安遠縣志》，北京：新華出版社，1993年2月。
《東鄉縣志》，南昌：江西人民出版社，1989年9月。
《奉新縣志》，海口：南海出版公司，1991年10月。
《信豐縣志》，南昌：江西人民出版社，1990年1月。
《南豐縣志》，北京：中共中央黨校出版社，1994年10月。
《星子縣志》，南昌：江西人民出版社，1990年4月。
《宜黃縣志》，南昌：新華出版社，1993年10月。
《宜豐縣志》，上海：中國大百科全書出版社，1989年10月。

《高安縣志》，南昌：江西人民出版社，1988 年 4 月。
《貢江鎮志》，內部發行，1995 年 3 月。
《峽江縣志》，北京：中共中央黨校出版社，1995 年 6 月。
《馬安鄉志》，寧都縣印刷廠，1995 年 7 月。
《浮梁縣志》，北京：方志出版社，1999 年 1 月。
《崇義縣志》，海口：海南人民出版社，1989 年 1 月。
《都昌縣志》，北京：新華出版社，1995 年 10 月。
《湖口縣志》，南昌：江西人民出版社，1992 年 8 月。
《尋烏縣志》，北京：新華出版社，1996 年 10 月。
《新干縣志》，北京：中國世界語出版社，1990 年 8 月。
《新建縣志》，南昌：江西人民出版社，1991 年 3 月。
《靖安縣志》，南昌：江西人民出版社，1989 年 12 月。
《瑞昌縣志》，北京：新華出版社，1990 年 3 月。
《銅鼓縣志》，海口：南海出版公司，1989 年 7 月。
《銀坑鎮志》，不明出版社，1996 年 9 月。
《廣豐縣志》，內部發行，1988 年 6 月。
《餘干縣志》，北京：新華出版社，1991 年 12 月。
《撫州市志》，北京：中共中央黨校出版社，1993 年 8 月。
《樂安縣志》，南昌：江西人民出版社，1989 年 9 月。
《橫峰縣志》，杭州：浙江人民出版社，1992 年 10 月。
《萬安縣志》，合肥：黃山書社，1996 年 2 月。
《萬載縣志》，南昌：江西人民出版社，1988 年 10 月。
《德安縣志》，上海：上海古籍出版社，1991 年 5 月。
《臨川縣志》，北京：新華出版社，1993 年 11 月。

《龍南縣志》，北京：中共中央黨校出版社，1996年9月。

11.湖南省

《沅陵縣志》，北京：中國社會出版社，1993年2月。
《祁東縣志》，北京：中國文史出版社，1992年10月。
《祁陽縣志》，北京：社會科學文獻出版社，1993年9月。
《武岡縣志》，北京：中華書局，1997年4月。
《長沙縣志》，北京：生活·讀書·新知三聯書店，1995年10月。
《邵東縣志》，北京：中國城市出版社，1993年10月。
《邵陽市志》，長沙：湖南人民出版社，1997年8月。
《南縣志》，長沙：湖南人民出版社，1988年11月。
《津市志》，北京：教育科學出版社，1993年10月。
《桃江縣志》，北京：中國社會出版社，1993年5月。
《桂陽縣志》，北京：中國文史出版社，1994年2月。
《益陽地區教育志》，北京：中國文史出版社，1991年8月。
《芷江縣志》，北京：生活·讀書·新知三聯書店，1993年12月。
《婁底市志》，北京：中國社會出版社，1997年7月。
《婁底地區志》，長沙：湖南人民出版社，1997年12月。
《望城縣志》，北京：生活·讀書·新知三聯書店，1995年7月。
《常德縣志》，北京：中國文史出版社，1992年8月。
《郴州市志》，合肥：黃山書社，1994年6月。
《郴縣志》，北京：中國社會出版社，1995年12月。

《黃梅縣志》，不明出版社，1984 年。
《湘潭縣志》，長沙：湖南人民出版社，1995 年 12 月。
《湘潭縣教育志》，湘潭人民印刷廠，不明出版時間。
《會同縣志》，北京：生活·讀書·新知三聯書店，1994 年 10 月。
《會同縣教育志》，內部發行，1990 年 11 月。
《靖州縣志》，北京：生活·讀書·新知三聯書店，1994 年 10 月。
《綏寧縣志》，北京：方志出版社，1997 年 7 月。
《鳳凰縣志》，長沙：湖南人民出版社，1988 年 12 月。
《漣源市志》，長沙：湖南人民出版社，1998 年 7 月。
《韶山志》，北京：中國大百科全書出版社，1993 年 7 月。
《萊陽市志》，北京：中國社會出版社，1993 年 2 月。
《漢壽縣志》，北京：人民出版社，1993 年 10 月。
《衡山縣志》，長沙：岳麓書社，1994 年 12 月。
《衡陽縣志》，合肥：黃山書社，1994 年 12 月。
《臨湘市志》，長沙：湖南出版社，1996 年 5 月。
《瀏陽縣志》，北京：中國城市出版社，1994 年 3 月。
《醴陵市志》，長沙：湖南出版社，1995 年 2 月。
《醴陵市教育志》，內部發行，不明出版時間。

12.湖北省

《五峰縣志》，北京：中國城市出版社，1995 年 9 月。
《丹江口市志》，北京：新華出版社，1993 年 8 月。
《安陸縣志》，武漢：武漢出版社，1996 年 3 月。

《松滋縣志》，內部發行，1986 年 7 月。
《枝江縣志》，北京：中國城市經濟社會出版社，1990 年 10 月。
《京山縣志》，武漢：湖北人民出版社，1990 年 10 月。
《保康縣志》，北京：中國世界語出版社，1991 年 11 月。
《恩施市志》，武昌：武漢工業大學出版社，1996 年 11 月。
《黃石市教育志》，不明出版社，1990 年 2 月。
《黃崗縣志》，武昌：武漢大學出版社，1990 年 11 月。
《通山縣志》，北京：中國文史出版社，1991 年 12 月。
《崇陽縣志》，武漢：武漢大學出版社，1991 年 12 月。
《雲夢縣志》，北京：生活·讀書·新知三聯書店，1994 年 6 月。
《陽新縣志》，北京：新華出版社，1993 年 8 月。
《鄖西縣志》，武漢：武漢測繪科技大學出版社，1995 年 7 月。
《新洲縣志》，武漢：武漢出版社，1992 年 11 月。
《當陽縣志》，北京：中國城市出版社，1992 年 5 月。
《嘉魚縣志》，武漢：湖北科學技術出版社，1993 年 7 月。
《蒲圻志》，深圳：海天出版社，1995 年 7 月。
《隨州志》，北京：中國城市經濟社會出版社，1988 年 6 月。
《應山縣志》，武漢：湖北科學技術出版社，1990 年 11 月。
《應城縣志》，北京：中國城市出版社，1992 年 12 月。
《蘄春縣志》，武漢：湖北科學技術出版社，1997 年 1 月。

13.山東省

周鈞英、劉仞千纂，《臨朐續志》，臺北：成文出版社，1968 年 3 月，據民國 24 年（1935）鉛印本影印。

《山東省志·出版志》，濟南：山東人民出版社，1993年12月。
《山東省志·教育志》，濟南：山東人民出版社，2003年3月。
《山亭區志》，濟南：齊魯書社，1997年10月。
《平邑縣志》，濟南：齊魯書社，1997年1月。
《平度縣志》，內部印刷，1987年6月。
《安丘縣志》，濟南：山東人民出版社，1992年11月。
《曲阜市志》，濟南：齊魯書社，1993年7月。
《沂源縣志》，濟南：齊魯書社，1996年2月。
《汶上縣志》，鄭州：中州古籍出版社，1996年9月。
《坊子區志》，濟南：山東友誼出版社，1997年9月。
《長清縣志》，濟南：濟南出版社，1992年6月。
《青州市志》，天津：南開大學出版社，1989年2月。
《招遠縣志》，北京：華齡出版社，1991年11月。
《肥城縣志》，濟南：齊魯書社，1992年4月。
《高青縣志》，北京：中國社會出版社，1991年11月。
《高唐縣志》，濟南：齊魯書社，1996年8月。
《高密縣志》，濟南：山東人民出版社，1990年10月。
《茌平縣志》，濟南：齊魯書社，1997年4月。
《泰安市志》，濟南：齊魯書社，1996年12月。
《夏津縣志》，濟南：山東人民出版社，1991年2月。
《商河縣志》，濟南：濟南出版社，1994年8月。
《章丘縣志》，濟南：濟南出版社，1992年7月。
《聊城市志》，濟南：齊魯書社，1999年3月。
《聊城地區志》，濟南：齊魯書社，1997年6月。

《淄川區志》，濟南：齊魯書社，1990年1月。

《陽信縣志》，濟南：齊魯書社，1995年12月。

《棗莊市志》，北京：中華書局，1992年12月。

《彭集鎮志》，不明出版社，2001年12月。

《鄒平縣志》，北京：中華書局，1992年10月。

《莒縣志》，北京：中華書局，1999年10月。

《莘縣志》，濟南：齊魯書社，1997年8月。

《萊西縣志》，濟南：山東人民出版社，1990年2月。

《萊州市志》，濟南：齊魯書社，1996年8月。

《膠南縣志》，北京：新華出版社，1991年6月。

《德州市志》，濟南：齊魯書社，1997年8月。

《德州地區志》，濟南：齊魯書社，1992年12月。

《滕縣志》，北京：中華書局，1990年3月。

《諸城市志》，濟南：山東人民出版社，1992年10月。

《濰坊市志》，北京：中央文獻出版社，1995年1月。

《嶧城區志》，濟南：齊魯書社，1995年9月。

《蒼山縣志》，北京：中華書局，1998年2月。

《蒙陰縣志》，濟南：齊魯書社，1992年11月。

《濟南市志》，北京：中華書局，1998年8月。

《濱州地區志》，北京：中華書局，1996年10月。

《臨朐縣志》，濟南：山東人民出版社，1991年5月。

《臨淄區志》，北京：國際文化出版公司，1989年5月。

《臨清市志》，濟南：齊魯書社，1997年8月。

《薛城區志》，北京：中華書局，1997年4月。

14.河北省

《大廠回族自治縣志》，保定：中國畫報出版社，1995 年 7 月。
《井陘縣志》，石家庄：河北人民出版社，1986 年 3 月。
《平泉縣志》，北京：作家出版社，2000 年 6 月。
《安新縣志》，北京：新華出版社，2000 年 5 月。
《曲周縣志》，北京：新華出版社，1997 年 10 月。
《行唐縣志》，北京：中國對外翻譯出版公司，1998 年 8 月。
《辛集市志》，北京：中國書籍出版社，1996 年 9 月。
《吳橋縣志》，北京：中國社會出版社，1992 年 7 月。
《河北省志·出版志》，石家庄：河北人民出版社，1996 年 8 月。
《河北省志·教育志》，北京：中華書局，1995 年 6 月。
《定興縣志》，北京：方志出版社，1997 年 6 月。
《東光縣志》，北京：方志出版社，1999 年 11 月。
《固安縣志》，北京：中國人事出版社，1998 年 8 月。
《阜平縣志》，北京：方志出版社，1999 年 5 月。
《武邑縣志》，北京：方志出版社，1998 年 1 月。
《武清縣志》，天津：天津社會科學院出版社，1991 年 12 月。
《故城縣志》，北京：中國對外翻譯出版公司，1998 年 12 月。
《唐海縣志》，天津：天津人民出版社，1997 年 12 月。
《容城縣志》，北京：方志出版社，1999 年 8 月。
《秦皇島市志》，天津：天津人民出版社，1994 年 12 月。
《涿州志》，北京：方志出版社，1996 年 5 月。
《涿州教育志》，北京：新華出版社，1992 年 1 月。

《棗強縣志》，北京：文化藝術出版社，1994年12月。
《開平區志》，天津：天津人民出版社，1998年12月。
《寧河縣志》，天津：天津社會科學院出版社，1991年12月。
《遷西縣志》，北京：中國科學技術出版社，1991年12月。
《蔚縣志》，保定：中國三峽出版社，1995年12月。
《豐南縣志》，北京：新華出版社，1990年6月。
《豐潤縣志》，北京：中國社會科學出版社，1993年10月。
《欒城縣志》，北京：新華出版社，1995年9月。
《灤縣志》，石家庄：河北人民出版社，1993年1月。

15.河南省

《大河屯鄉志》，不明出版項。
《內鄉縣志》，北京：生活·讀書·新知三聯書店，1994年10月。
《白沙志》，北京：方志出版社，1996年3月。
《正陽縣志》，北京：方志出版社，1996年10月。
《安陽縣志》，中國青年出版社，1990年12月。
《社旗縣志》，鄭州：中州古籍出版社，1997年1月。
《杞縣志》，鄭州：中州古籍出版社，1998年10月。
《沁陽市志》，北京：紅旗出版社，1993年5月。
《武陟縣志》，鄭州：中州古籍出版社，1993年9月。
《孟津縣志》，河南人民出版社，1991年12月。
《宜陽縣志》，北京：生活·讀書·新知三聯書店，1996年8月。
《長葛縣志》，北京：生活·讀書·新知三聯書店，1992年1

月。
《河南登封縣告城鄉志》，不明出版項。
《柘城縣志》，鄭州：中州古籍出版社，1991 年 4 月。
《南召縣志》，鄭州：中州古籍出版社，1995 年 9 月。
《南樂縣教育志》，合肥：黃山書社，1998 年 5 月。
《信陽縣志》，鄭州：河南人民出版社，1990 年 2 月。
《原陽縣志》，鄭州：中州古籍出版社，1995 年 11 月。
《商城縣志》，鄭州：中州古籍出版社，1991 年 3 月。
《許昌縣志》，天津：南開大學出版社，1993 年 5 月。
《清豐縣志》，濟南：山東大學出版社，1990 年 12 月。
《遂平縣志》，鄭州：中州古籍出版社，1994 年 8 月。
《項城縣志》，天津：南開大學出版社，1999 年 12 月。
《郾城縣志》，鄭州：中州古籍出版社，1993 年 6 月。
《開封市志》，北京：燕山出版社，1999 年 10 月。
《開封縣志》，鄭州：中州古籍出版社，1992 年 7 月。
《新蔡縣志》，鄭州：中州古籍出版社，1994 年 12 月。
《新野縣志》，鄭州：中州古籍出版社，1991 年 8 月。
《新野縣教育志》，鄭州：中州古籍出版社，1991 年 4 月。
《義馬村志》，鄭州：中州古籍出版社，1993 年 12 月。
《魯山縣志》，鄭州：中州古籍出版社，1994 年 9 月。
《輝縣市志》，鄭州：中州古籍出版社，1992 年 9 月。
《臨穎縣志》，鄭州：中州古籍出版社，1996 年 10 月。
《鞏縣志》，鄭州：中州古籍出版社，1991 年 12 月。
《濟源市志》，鄭州：河南人民出版社，1993 年 10 月。

《欒川縣志》，北京：生活·讀書·新知三聯書店，1994 年 11 月。

16.山西省

《大寧縣志》，北京：海潮出版社，1990 年 11 月。

《介休縣志》，清嘉慶 24 年（1819）刻本，收入北京圖書館編，《地方人物傳記資料叢刊》，冊 48，北京：北京圖書館出版社，2002 年 6 月。

《五寨縣志》，北京：人民日報出版社，1992 年 8 月。

《平定縣志》，北京：社會科學文獻出版社，1992 年 12 月。

《平陸縣志》，北京：中國地圖出版社，1992 年 10 月。

《代縣志》，北京：書目文獻出版社，1988 年 6 月。

《忻縣志》，北京：中國科學技術出版社，1993 年 4 月。

《盂縣志》，北京：方志出版社，1995 年 12 月。

《長治市志》，北京：海潮出版社，1995 年 12 月。

《河曲縣志》，太原：山西人民出版社，1989 年 4 月。

《保德縣志》，太原：山西人民出版社，1990 年 11 月。

《偏關縣志》，太原：山西經濟出版社，1994 年 8 月。

《渾源縣志》，北京：方志出版社，1999 年 8 月。

《鄉寧縣志》，北京：新華出版社，1992 年 12 月。

《陽城縣志》，北京：海潮出版社，1994 年 11 月。

《嵐縣志》，北京：中國科學技術出版社，1991 年 9 月。

《廣靈縣志》，北京：人民出版社，1993 年 11 月。

《壽陽縣志》，太原：山西人民出版社，1989 年 6 月。

《黎城縣志》，北京：中華書局，1994 年 6 月。

《聞喜縣志》，中國地圖出版社，1993年6月。
《稷山縣志》，北京：新華出版社，1994年9月。
《興縣志》，北京：中國大百科全書出版社，1993年10月。
《靜樂縣志》，北京：紅旗出版社，2000年1月。
《臨猗縣志》，北京：海潮出版社，1993年12月。
《應縣志》，太原：山西人民出版社，1992年12月。

17.遼寧省

《大安縣志》，瀋陽：遼寧人民出版社，1990年3月。
《大洼縣志》，瀋陽：瀋陽出版社，1998年5月。
《丹東市志》，瀋陽：遼寧科學技術出版社，1991年11月。
《甘井子區志》，北京：方志出版社，1995年12月。
《西豐縣志》，瀋陽：瀋陽出版社，1995年2月。
《金縣志》，大連：大連出版社，1989年5月。
《法庫縣志》，瀋陽：瀋陽出版社，1990年10月。
《東溝縣志》，瀋陽：遼寧人民出版社，1996年3月。
《桓仁縣志》，北京：方志出版社，1996年10月。
《康平縣志》，瀋陽：東北大學出版社，1995年4月。
《義縣志》，瀋陽：瀋陽出版社，1992年4月。
《撫順縣志》，瀋陽：遼寧人民出版社，1995年12月。
《盤山縣志》，瀋陽：瀋陽出版社，1996年9月。
《瀋陽市志（教育・科學技術・社會科學）》，瀋陽：瀋陽出版社，1998年12月。
《鐵嶺縣志》，瀋陽：遼瀋書社，1993年5月。
《灤平縣志》，瀋陽：遼海出版社，1997年11月。

18.吉林省

《方正縣志》，北京：中國展望出版社，1990年8月。

《白城地區志》，長春：吉林文史出版社，1992年8月。

《吉林省志·教育志》，長春：吉林人民出版社，1992年8月。

《扶餘縣志》，長春：吉林人民出版社，1993年6月。

《和龍縣志》，長春：吉林文史出版社，1992年9月。

《長嶺縣志》，北京：中華書局，1993年6月。

《柳河縣志》，長春：吉林文史出版社，1991年1月。

《通化市志》，北京：中國城市出版社，1996年5月。

《通化縣志》，長春：吉林人民出版社，1996年12月。

《通榆縣志》，長春：吉林人民出版社，1994年10月。

《舒蘭縣志》，長春：吉林人民出版社，1992年7月。

《農安縣志》，長春：吉林文史出版社，1993年2月。

《輝南縣志》，深圳：海天出版公司，1989年9月。

19.黑龍江省

《木蘭縣志》，哈爾濱：黑龍江人民出版社，1989年12月。

《北安縣志》，北安：北安報社，1993年。

《甘南縣志》，合肥：黃山書社，1992年11月。

《同江縣志》，上海：上海社會科學院出版社，1993年10月。

《克山縣志》，北京：中國經濟出版社，1992年10月。

《佳木斯市志》，北京：中華書局，1996年11月。

《延壽縣志》，中國三環出版社，1991年2月。

《明水縣志》，哈爾濱：黑龍江人民出版社，1989年8月。

《勃利縣志》，北京：中國社會出版社，1992年10月。

《泰來縣志》，哈爾濱：黑龍江人民出版社，1992 年 12 月。
《納河縣志》，哈爾濱：黑龍江人民出版社，1989 年 11 月。
《黑河地區志》，北京：生活·讀書·新知三聯書店，1996 年 12 月。
《黑龍江省志·教育志》，哈爾濱：黑龍江人民出版社，1996 年 12 月。
《集賢縣志》，內部發行，1985 年 10 月。
《富錦縣志》，中國三環出版社，1991 年 11 月。
《愛輝縣志》，哈爾濱：北方文物雜志社，1986 年 10 月。
《肇東縣志》，內部發行，1985 年 9 月。
《肇源縣志》，內部發行，1986 年 6 月。
《綏化地區志》，哈爾濱：黑龍江人民出版社，1995 年 12 月。
《遜克縣志》，哈爾濱：黑龍江人民出版社，1991 年 12 月。
《慶安縣志》，哈爾濱：黑龍江人民出版社，1995 年 12 月。
《德都縣志》，合肥：黃山書社，1994 年 11 月。
《穆棱縣志》，北京：中國文史出版社，1990 年 12 月。
《樺川縣志》，哈爾濱：黑龍江人民出版社，1991 年 1 月。
《樺南縣志》，哈爾濱：黑龍江科學技術出版社，1991 年 5 月。
《蘿北縣志》，北京：中國人事出版社，1992 年 9 月。

20.陝西省

《子洲縣志》，西安：陝西人民教育出版社，1993 年 10 月。
《米脂縣志》，西安：陝西人民出版社，1993 年 3 月。
《西安市教育志》，西安：陝西人民出版社，1995 年 9 月。
《旬陽縣志》，北京：中國和平出版社，1996 年 12 月。

《武功縣志》，西安：陝西人民出版社，2001年3月。
《府谷縣志》，西安：陝西人民出版社，1994年3月。
《神木縣志》，北京：經濟日報出版社，1990年12月。
《富縣志》，西安：陝西人民出版社，1994年6月。
《靖邊縣志》，西安：陝西人民出版社，1993年7月。
《華縣志》，西安：陝西人民出版社，1992年2月。
《鳳翔縣志》，西安：陝西人民出版社，1991年12月。
《澄城縣志》，西安：陝西人民出版社，1991年4月。
《蒲城縣志》，北京：中國人事出版社，1993年7月。
《橫山縣志》，西安：陝西人民出版社，1993年7月。
《興平縣志》，西安：陝西人民出版社，1994年8月。
《藍田縣志》，西安：陝西人民出版社，1994年7月。
《鎮安縣志》，西安：陝西人民教育出版社，1995年8月。
《麟游縣志》，不明出版社，1990年10月。

21.甘肅省

《文縣志》，蘭州：甘肅人民出版社，1997年12月。
《永昌縣志》，蘭州：甘肅人民出版社，1993年7月。
《甘肅省志·教育志》，蘭州：甘肅人民出版社，1991年6月。
《平涼市志》，北京：中華書局，1996年10月。
《和政縣志》，蘭州：蘭州大學出版社，1993年3月。
《門源縣志》，蘭州：甘肅人民出版社，1993年6月。
《張掖市志》，蘭州：甘肅人民出版社，1995年11月。
《蘭州市志·教育志》，蘭州：蘭州大學出版社，1997年12月。

22.內蒙古

《土默特右旗志》，呼和浩特：內蒙古人民出版社，1994 年 8 月。
《赤峰市元寶山區志》，呼和浩特：內蒙古人民出版社，1997 年 12 月。
《赤峰市志》，呼和浩特：內蒙古人民出版社，1996 年 12 月。
《杜爾伯特蒙古族自治縣志》，哈爾濱：黑龍江人民出版社，1996 年 8 月。
《松山區志》，瀋陽：遼寧人民出版社，1995 年 10 月。
《阿魯科爾沁旗志》，呼和浩特：內蒙古人民出版社，1994 年 10 月。
《杭錦後旗志》，北京：中國城市經濟社會出版社，1989 年 8 月。
《突泉縣志》，呼和浩特：內蒙古人民出版社，1993 年 4 月。
《烏拉特中旗志》，呼和浩特：內蒙古人民出版社，1994 年 12 月。
《敖漢旗志》，呼和浩特：內蒙古人民出版社，1991 年 8 月。
《喀喇沁左翼蒙古族自治縣志》，瀋陽：遼寧人民出版社，1998 年 7 月。
《準噶爾旗志》，呼和浩特：內蒙古人民出版社，1993 年 4 月。
《達爾罕茂明安聯合旗志》，呼和浩特：內蒙古人民出版社，1994 年 8 月。

23.寧夏省

《固原縣志》，銀川：寧夏人民出版社，1993 年 6 月。
《涇源縣志》，銀川：寧夏人民出版社，1997 年 4 月。

《彭陽縣志》，銀川：寧夏人民出版社，1996 年 9 月。

24.新疆省

《巴里坤縣志》，烏魯木齊：新疆大學出版社，1993 年 4 月。

《呼圖壁縣志》，烏魯木齊：新疆人民出版社，1992 年 5 月。

二、專書

㈠中文

1. 手家驊，《楊慎評傳》，南京：南京大學出版社，2001 年 11 月，2 次印刷。
2. 王明根，《文史工具書的源流和使用》，上海：人民出版社，1980 年 10 月。
3. 王俊奇，《中國唐宋體育史》，北京：人民體育出版社，2000 年 1 月。
4. 王振忠，《徽州社會文化史探微——新發現的 16-20 世紀民間檔案文書研究》，上海：上海社會科學院出版社，2002 年 10 月。
5. 王國維，《宋元戲曲史》，北京：東方出版社，1996 年 3 月。
6. 王鳳喈，《中國教育史》，臺北：正中書局，1959 年 11 月，臺修訂 6 版。
7. 王毓瑚，《中國農學書錄》，臺北：明文書局股份有限公司，1988 年 7 月，再版。
8. 王臨惠，《汾河流域方言的語音特點及其流變》，北京：中國社會科學出版社，2003 年 3 月。

9. 毛禮銳等編，《中國古代教育史》，北京：人民教育出版社，1995 年 2 月。
10. 〔日〕天野元之助著，彭世獎、林廣信譯，《中國古農書考》，北京：農業出版社，1992 年 7 月。
11. 史景遷（Jonathan D. Spence）著，阮淑梅譯，《大汗之國——西方眼中的中國》，臺北：臺灣商務印書館，2000 年 6 月。
12. 曲春德編，《宋代教育》，開封：河南大學出版社，1992 年 7 月。
13. 李致忠，《歷代刻書考述》，成都：巴蜀書社，1990 年 4 月。
14. 李茂增，《宋元明清的版畫藝術》，鄭州：大象出版社，2000 年 3 月。
15. 吳蕙芳，《萬寶全書：明清時期的民間生活實錄》，臺北：國立政治大學歷史學系，2001 年 7 月。
16. 吳蕙芳，《萬寶全書：明清時期的民間生活實錄（修訂版）》，收入潘美月、杜潔祥主編，《古典文獻研究輯刊（初編）》，永和：花木蘭文化工作坊，2005 年 12 月，全二冊。
17. 林治金主編，《中國小學語文教學史》，濟南：山東教育出版社，1996 年 3 月。
18. 周德昌編，《中國教育史研究（明清分卷）》，上海：華東師範大學出版社，1995 年 12 月。
19. 周愚文，《宋代兒童的生活與教育》，臺北：師大書苑有限公司，1996 年 3 月。
20. 彼得·柏克（Peter Burke）著，賈士蘅譯，《知識社會史——

從古騰堡到狄德羅》，臺北：麥田出版社，2003 年 1 月。
21. 胡道靜，《中國古代的類書》，北京：中華書局，1986 年 9 月，2 次印刷。
22. 姚福申，《中國編輯史》，上海：復旦大學出版社，1990 年 1 月。
23. 徐海榮，《中國飲食史》，北京：華夏出版社，1999 年 10 月。
24. 徐梓，《蒙學讀物的歷史透視》，武漢：湖北教育出版社，1996 年 10 月。
25. 梁其姿，《施善與教化：明清的慈善組織》，臺北：聯經出版事業公司，1998 年 3 月，初版 2 刷。
26. 陸錫興，《漢字傳播史》，北京：語文出版社，2002 年 9 月。
27. 許瀛鑑主編，《中國印刷史論叢》，臺北：中國印刷學會，1997 年 9 月。
28. 陳東原，《中國教育史》，臺北：臺灣商務印書館股份有限公司，1980 年 12 月，臺 4 版。
29. 陳直，《居延漢簡研究》，天津：天津古籍出版社，1986 年 5 月。
30. 陳學文，《明清時期商業書及商人書之研究》，臺北：洪葉文化事業有限公司，1997 年 3 月。
31. 張志公，《張志公文集（4）——傳統語文教學研究》，廣州：廣東教育出版社，1991 年 1 月。
32. 張其中、施文義，《文史工具書淺說》，成都：四川人民出版社，1980年10月，2次印刷。
33. 張隆華等編，《中國語文教育史綱》，長沙：湖南師範大學出版社，1991年8月。
34. 張璉，《明代中央政府出版與文化政策之研究》，收入潘美月、杜潔祥主編，《古典文獻研究輯刊（二編）》，永和：花木蘭文化工作坊，2006年3月。
35. 張麗生，《急就篇研究》，臺北：臺灣商務印書館，1983年6月。
36. 郭立誠，《郭立誠的學術論著》，臺北：文史哲出版社，1993年4月。
37. 郭齊家，《中國古代學校》，天津：天津教育出版社，1991年11月。
38. 彭邦炯，《百川匯海——古代類書與叢書》，臺北：萬卷樓圖書有限公司，2001年4月。
39. 勞漢生，《珠算與實用算術》，石家庄：河北科學技術出版社，2000年2月。
40. 費絲言，《由典範到規範：從明代貞節烈女的辨識與流傳看貞節觀念的嚴格化》，臺北：國立臺灣大學出版委員會，1998年6月。
41. 華印椿，《中國珠算史稿》，北京：中國財政經濟出版社，1987年12月。
42. 葉樹聲、余敏輝，《明清江南私人刻書業史略》，合肥：安徽大學出版社，2000年5月。
43. 劉葉秋，《中國字典史略》，臺北縣：漢京文化事業有限公司，1984 年 3 月。

44. 劉葉秋，《類書簡說》，臺北：萬卷樓圖書有限公司，1993 年 1 月，初版 2 刷。
45. 鄭阿財、朱鳳玉，《敦煌蒙書研究》，蘭州：甘肅教育出版社，2002 年 12 月。
46. 戴克瑜、常建華主編，《類書的沿革》，重慶：四川圖書館學會，1981 年。
47. 繆咏禾，《明代出版史稿》，南京：江蘇人民出版社，2000 年 10 月。
48. 羅正鈞，《左宗棠年譜》，長沙：岳麓書社，1983 年 12 月。
49. 羅柏·丹屯（Robert Darnton）著，呂健忠譯，《貓大屠殺——法國文化史鉤沈》，臺北：國立編譯館、聯經出版事業股份有限公司，2005 年 9 月。
50. 羅常培，《唐五代西北方音》，臺北：中央研究院歷史語言研究所，1991 年 5 月，景印臺 1 版。
51. 顧俊，《目錄學與工具書》，臺北：木鐸出版社，1987 年 7 月。
52. 闞正宗，《臺灣高僧》，臺北：菩提長青出版社，1996 年 1 月。

㈡外文

1. 小川陽一，《日用類書による明清小說の研究》，東京：研文出版，1995 年 10 月。
2. 矢島玄亮，《日本國見在書目錄—集證と研究—》，東京：汲古書院，1987 年 12 月，2 刷。

3. 西田龍雄，《西番館譯語の研究》，京都：松香堂，1970 年 3 月。
4. 西田龍雄，《緬甸館譯語の研究》，京都：松香堂，1972 年 11 月，改訂發行。
5. 西田龍雄，《倮儸譯語の研究》，京都：松香堂，1980 年 9 月，改訂發行。
6. 李範文、中嶋幹起，《電腦處理西夏文雜字研究》，東京：東京外國語大學アジア・アフリカ言語文化研究所，1997 年 7 月。
7. 《汲古》，47 號，2005 年 6 月，「中國日用類書小特集」。
8. Cynthia J. Brokaw, *The Ledgers of Merit and Demerit, Social Change and Moral Order*, Princeton University, 1991.；中譯本見〔美〕包筠雅著，杜正貞、張林譯，《功過格：明清社會的道德秩序》，杭州：浙江人民出版社，1999 年 9 月。
9. Cynthia J. Brokaw, *Commerce in Culture: The Sibao Book Trade in the Qing and Republican Period*, Cambridge, Mass.: Harvard University Asia Center, 2007.
10. Evelyn Sakakida Rawski, *Education and Popular Literacy in Ch'ing China*, Ann Arbor: The University of Michigan Press, 1979.
11. Lucille Chia, *Printing for Profit: The Commercial Publishers of Jianyang Fujian (11th-17th Centuries)*, Cambridge and London: Harvard University Press, 2002.
12. Robert Darnton, *The Kiss of Lamourette: Reflections in Cultural History*, N.Y.: W.W. Norton & Company, 1990.

13. Roger Chartier, *The Order of Books: Readers, Authors and Libraries in Europe Between the Fourteenth and Eighteenth Centuries, trans*. by Lydia G. Cochrane, Cambridge: Polity Press, 1994.

三、專文

㈠中文

1. 丁紀元，〈略論《事林廣記》音譜類中的《總敘訣》〉，《音樂研究》，1997 年 3 期，頁 80-85。
2. 小川陽一，〈明代小說與善書〉，《漢學研究》，6 卷 1 期，1988 年 6 月，頁 331-340。
3. 王正華，〈生活、知識與文化商品：晚明福建版「日用類書」與其書畫門〉，《中央研究院近代史研究所集刊》，41 期，2003 年 9 月，頁 1-85。
4. 王有英，〈宋代日常讀物與社會教化〉，《西華師範大學學報（哲社版）》，2004 年 6 期，頁 11-15。
5. 王有英，〈民間識字課本中的教化意蘊——“雜字”與社會教化〉，《西南師範大學學報》，31 卷 2 期，2005 年 3 月，頁 78-82。
6. 王克孝，〈重讀「山東雜字」憶往〉，《山東文獻》，18 卷 2 期，1992 年 9 月，頁 79-81。
7. 王其和、譚景玉，〈《莊農日用雜字》方言語詞匯釋〉，《蒲松齡研究》，2001 年 2 期，頁 110-128。
8. 王振忠，〈徽州文書所見種痘及相關習俗〉，《民俗研究》，

2000 年 1 期，頁 37-68。

9. 王振忠，〈一個徽州山村社會的生活世界——新近發現的“歙縣里東山羅氏文書”研究〉，收入張國剛編，《中國社會歷史評論》，2 卷，天津：天津古籍出版社，2000 年 4 月，頁 132-140。
10. 王振忠，〈一部徽州族譜的社會文化解讀——《績溪廟子山王氏譜》研究〉，《社會科學戰線》，2001 年 3 月，頁 216-223。
11. 王振忠，〈清代徽州民間的災害、信仰及相關習俗——以婺源縣浙源鄉孝悌里凰騰村文書《應酬便覽》為中心〉，《清史研究》，2001 年 2 期，2001 年 5 月，頁 105-119。
12. 王振忠，〈徽州人編纂的一部商業啟蒙書——《日平常》抄本〉，《史學月刊》，2002 年 2 期，頁 103-108。
13. 王振忠，〈清代前期徽州民間的日常生活——以婺源民間日用類書《目錄十六條》為例〉，收入陳鋒主編，《明清長江流域社會發展史論》，武昌：武漢大學出版社，2005 年 1 月，頁 675-726。
14. 王振忠，〈民間檔案文書與徽州社會史研究的拓展〉，《天津社會科學》，2001 年 5 期，頁 140-144。
15. 王振忠，〈收集、整理和研究徽州文書的幾點思考〉，《史學月刊》，2005 年 12 期，頁 15-16。
16. 王振忠，〈清代一個徽州小農家庭的生活狀況——對《天字號鬮書》的考察〉，《上海師範大學學報（哲學社會科會版）》，35 卷 1 期，2006 年 1 月，頁 101-109。

17. 王陽安；〈宋元蒙學新編語文教材述評〉，《山東教育科研》，1994 年 4 期，頁 73-75、36。

18. 王爾敏，〈《莊農雜字》所反映的農民生業生活實況〉，《近代中國史研究通訊》，33 期，2002 年 3 月，頁 98-105。

19. 王爾敏、吳倫霓霞，〈儒學世俗化及其對於民間風教之浸濡〉，《明清社會文化生態》，臺北：臺灣商務印書館，1997 年 7 月，頁 37-69。

20. 王廣健，〈續說「莊稼舊用雜字」〉，《山東文獻》，7 卷 1 期，1981 年 6 月，頁 69-71。

21. 王廣健，〈為曹繼曾鄉長進一解〉，《山東文獻》，8 卷 1 期，1982 年 6 月，頁 129-133。

22. 王興貴、趙雨田，〈「當代軍中花木蘭」——全國特等女戰鬥英雄郭俊卿〉，《黨史文匯》，1998 年 12 期，頁 10-14。

23. 王靜如，〈甘肅武威發現的西夏文考釋〉，《考古》，1974 年 3 期，1974 年 6 月，頁 205-207。

24. 王靜如、李範文，〈西夏文《雜字》研究〉，《西北民族研究》，1997 年 2 期，1997 年 11 月，頁 67-90。

25. 王繼如，〈高遠的學術視野、縝密的考據功夫——孫詒讓《札迻》讀後〉，《古籍整理研究學刊》，2002 年 1 期，2002 年 1 月，頁 29-32。

26. 方彥壽，〈明代刻書家熊宗立述考〉，《文獻》，1987 年 1 期，1987 年 1 月，頁 228-288。

27. 方彥壽，〈建陽劉氏刻書考（上）（下）〉，《文獻》，1988 年 2 期，1988 年 4 月，頁 196-228；1988 年 3 期，1988 年 7

月，頁 217-229。

28. 甘肅省博物館，〈甘肅武威發現一批西夏遺物〉，《考古》，1974 年 3 期，1974 年 6 月，頁 200-207。
29. 白化文，〈敦煌遺書中的類書簡述〉，《文學遺產》，2002 年 1 期，頁 50-59。
30. 史金波，〈《甘肅武威發現的西夏文考釋》質疑〉，《考古》，1974 年 6 期，1974 年 12 月，頁 394-397。
31. 史金波，〈西夏漢文本《雜字》初探〉，收入白濱等人編，《中國民族史研究》（二），北京：中央民族學院出版社，1989 年 6 月，頁 167-185。
32. 石聲漢，〈介紹「便民圖纂」〉，《西北農學院學報》，1958 年 1 期，1958 年 1 月，頁 101-102。
33. 包筠雅，〈明末清初的善書與社會意識型態變遷的關係〉，《近代中國史研究通訊》，16 期，1993 年 9 月，頁 30-40。
34. 付宏淵，〈左宗棠發展西北少數民族地區的教育思想和實踐〉，《湘潭大學學報（哲學社會科學版）》，28 卷 3 期，2004 年 5 月，頁 132-134。
35. 伏家芬，〈坎坷不墜青雲志，彩筆爭如沈鳳凰——沈從文風雅拾遺〉，《中國韻文學刊》，2004 年 1 期，頁 57-60。
36. 朱紅，〈一份清代道光年間的徽州奩譜〉，《中國典籍與文化》，2000 年 4 期，頁 30-36。
37. 朱葆華，〈漢字研究回顧與前瞻〉，《東方論壇》，2004 年 3 期，頁 63-67。
38. 朱鳳玉，〈敦煌寫本字書緒論〉，《華岡文科學報》，18

期，1991 年 11 月，頁 81-118。
39. 衣若蘭，〈史學與性別：《明史·列女傳》與明代女性史之建構〉，臺北：國立臺灣師範大學歷史研究所博士論文，2003 年 6 月。
40. 汪玉明，〈《女真館雜字》研究新探〉，《民族語文》，1994 年 5 期，頁 56-58、64。
41. 汪泛舟，〈《開蒙要訓》初探〉，《敦煌研究》，1999 年 2 期，1999 年 5 月，頁 138-145。
42. 汪燕崗，〈明代中晚期南京書坊和通俗小說〉，《南京社會科學》，2004 年 10 期，頁 55-59。
43. 沈元，〈《急就篇》研究〉，《歷史研究》，1962 年 3 期，1962 年 6 月，頁 61-87。
44. 沈津，〈明代坊刻圖書之流通與價格〉，《國家圖書館館刊》，85 卷 1 期，1996 年 6 月，頁 101-118。
45. 宋新民，〈敦煌寫本識字類蒙書研究〉，臺北：私立中國文化大學中文研究所博士論文，1990 年 6 月。
46. 李孝悌，〈評介梁其姿的《施善與教化：明清的慈善組織》〉，《臺大歷史學報》，23 期，1999 年 6 月，頁 471-480。
47. 李宏圖，〈當代西方新社會文化史論述〉，《世界歷史》，2004 年 1 期，頁 25-39。
48. 李毓珍，〈《棋經十三篇》作者考〉，《中華文史論叢》，4 輯，1980 年 10 月，頁 219-251。
49. 李萬鵬，〈《莊農雜字》與《日用俗字》〉，《蒲松齡研究》，2000 年 21 期，頁 330-336。

50. 李樹輝，〈《突厥語大詞典》詮釋四題〉，《喀什師範學院學報》，19 卷 3 期，頁 65-78。
51. 李麗中，〈漫話“雜字”〉，《津圖學刊》，1997 年 3 期，頁 72-76。
52. 何谷理（Robert E. Hegel），〈章回小說發展中涉及到的經濟技術因素〉，《漢學研究》，6 卷 1 期，1988 年 6 月，頁 191-197。
53. 何淑宜，〈明代士紳與通俗文化的關係——以喪葬禮俗為例〉，臺北：臺灣師範大學歷史研究所碩士論文，1999 年 6 月。
54. 杜建錄，〈西夏酒的生產與征榷〉，《寧夏社會科學》，2 期，2002 年 3 月，頁 83-86。
55. 吳栢青，〈明毛晉汲古閣之刻書〉，《大陸雜誌》，97 卷 1 期，1998 年 7 月，頁 27-41。
56. 吳蕙芳，〈新社會史研究：民間日用類書的應用與展望〉，《政大史粹》，2 期，2000 年 6 月，頁 1-16。
57. 吳蕙芳，〈《中國日用類書集成》及其史料價值〉，《近代中國史研究通訊》，30 期，2000 年 9 月，頁 109-117。
58. 吳蕙芳，〈民間日用類書的內容與應用——以明代『三台萬用正宗』為例〉，《明代研究通訊》，3 期，2000 年 10 月，頁 45-56。
59. 吳蕙芳，〈民間日用類書的淵源與發展〉，《政治大學歷史學報》，18 期，2001 年 5 月，頁 1-28。

60. 吳蕙芳，〈《萬寶元龍雜字》的內容與性質〉，《近代中國史研究通訊》，34 期，2002 年 9 月，頁 136-142。

61. 吳蕙芳，〈上海圖書館所藏《萬寶全書》諸本——兼論民間日用類書中的拼湊問題〉，《書目季刊》，36 卷 4 期，2003 年 3 月，頁 53-58。

62. 吳蕙芳，〈《龍頭一覽學海不求人》的版本與內容〉，《明代史研究》，34 期，2003 年 4 月，頁 5-11。

63. 吳蕙芳，〈口腹之欲：明版日用類書中的葷食〉，《中國歷史學會史學集刊》，35 期，2004 年 1 月，頁 101-130。

64. 吳蕙芳，〈日治時期臺灣的雜字書〉，《海洋文化學刊》，創刊號，2005 年 12 月，頁 87-116。

65. 吳蕙芳，〈中國雜字書的日本流傳〉，宣讀於「第十屆海洋史國際學術研討會」，臺北：中央研究院人文社會科學研究中心海洋史研究專題中心主辦，2006 年 8 月 25-26 日，29 頁。

66. 呂仁偉，〈評介羅著「清代中國的教育與大眾識字」〉，《食貨》，10 卷 4 期，1980 年 7 月，頁 43-46。

67. 林玉山，〈明清時期——中國辭書編纂進一步發展期〉，《辭書研究》，1996 年 2 期，頁 133-140。

68. 林亦，〈南北方言中的“豚”〉，《山西大學學報（哲學社會科學版）》，24 卷 5 期，2001 年 10 月，頁 74-75。

69. 林建明，〈《一年使用雜字文》注釋〉，《三明職業大學學報》，1994 年 1 期，1994 年 12 月，頁 60-66。

70. 林建明，〈林梁峰《一年使用雜字文》新《武平縣志》版與“馬林蘭藏板”的比較〉，《三明職業大學學報》，1998 年 3

期，1998年9月，頁33-37。

71. 林建明，〈《一年使用雜字文》語法初探〉，《三明職業大學學報》，1999年1期，1999年3月，頁33-35。
72. 林建明，〈林梁峰《一年使用雜字文》用韻〉，《三明職業大學學報》，2000年2期，2000年6月，頁35-36。
73. 林富士，〈Peter Burke 編 *New Perspectives On Historical Writing*〉，《新史學》，3卷2期，1992年6月，頁181-195。
74. 林麗月，〈明代禁奢令初探〉，《國立臺灣師範大學歷史學報》，22期，1994年6月，頁57-84。
75. 邵曾琪，〈《事林廣記》中賺曲的時代〉，《中華文史論叢》，3輯，1983年8月，頁189-194。
76. 邱澎生，〈明代蘇州營利出版事業及其社會效應〉，《九州學刊》，5卷2期，1992年10月，頁139-159。
77. 胡成，〈禮教下滲與鄉村社會的接受和回應——對清中期江南農村地區的觀察（1681-1853）〉，《中央研究院近代史研究所集刊》，39期，2003年3月，頁61-105。
78. 胡振華，〈珍貴的回族文獻《回回館譯語》〉，《中央民族大學學報》，1995年2期，1995年3月，頁87-90。
79. 胡振華、黃潤華，〈明代漢文回鶻文分類詞匯集《高昌館雜字》〉，《民族語文》，1983年3期，頁59-62。
80. 胡道靜，〈元至順刊本《事林廣記》解題〉，《農書·農史論集》，北京：農業出版社，1985年6月，頁236-252；又本文原載於《百科知識》，1979年5期，1979年11月。

81. 姜洪波，〈淺談赫哲族的私塾教育〉，《黑河學刊》，1996年21期，頁111-114。

82. 孫昌盛，〈西夏印刷業初探〉，《寧夏大學學報（社會科學版）》，1997年2期，頁38-43。

83. 孫星群，〈西夏漢文本《雜字》"音樂部"之剖析〉，《音樂研究》，1991年4期，頁87-95。

84. 高明士，〈唐代敦煌的教育〉，《漢學研究》，4卷2期，1986年12月，頁231-270。

85. 柴國珍，〈明清山西商業教育〉，《太原師範學院學報（社會科學版）》，3卷4期，2004年12月，頁130-134。

86. 馬孟晶，〈文人雅趣與商業書坊——十竹齋書畫譜和箋譜的刊印與胡正言的出版事業〉，《新史學》，10卷3期，1999年9月，頁1-54。

87. 烏雲高娃，〈14-18世紀東亞大陸的"譯學"機構〉，《黑龍江民族叢刊》，2003年3期，頁80-83。

88. 烏雲高娃、劉迎勝，〈明四夷館"韃靼館"研究〉，《中央民族大學學報（哲學社會科學版）》，2002年4期，頁62-68。

89. 曹繼曾，〈山東莊稼雜字釋文〉，《山東文獻》，7卷2期，1981年9月，頁93-102。

90. 曹繼曾，〈山東莊稼雜字釋文（二）〉，《山東文獻》，7卷3期，1981年12月，頁85-95。

91. 曹繼曾，〈山東莊稼雜字釋文（三）〉，《山東文獻》，7卷4期，1982年3月，頁88-99。

92. 曹繼曾，〈山東莊稼雜字釋文（四）〉，《山東文獻》，8卷

1 期，頁 117-128。

93. 曹繼曾，〈山東莊稼雜字釋文（五）〉，《山東文獻》，8 卷 3 期，1982 年 12 月，頁 82-92。
94. 麥杰安，〈明代蘇常地區出版事業之研究〉，臺北：國立臺灣大學圖書館學研究所碩士論文，1996 年 5 月。
95. 陳世明，〈新疆民族漢語互學現象的由來和發展〉，《新疆大學學報（社會科學版）》，29 卷 1 期，2001 年 3 月，頁 64-69。
96. 陳廷樂，〈簡輯楊升庵著述評選書目〉，收入林慶彰、賈順先編，《楊慎研究資料彙編（上）》，臺北：中央研究院中國文哲研究所，1992 年 10 月，頁 445-454。
97. 陳宗振，〈關於《高昌館雜字》標音問題的探討〉，《民族語文》，2003 年 1 期，頁 34-45。
98. 陳昭珍，〈明代書坊之研究〉，臺北：國立臺灣大學圖書館學研究所碩士論文，1984 年 7 月。
99. 陳昭容，〈急就篇研究〉，臺中：私立東海大學中文研究所碩士論文，1982 年 4 月。
100. 陳威志，〈Robert Darnton 的書中書——論十八世紀法國的作者、讀者及書籍〉，新莊：輔仁大學歷史研究所碩士論文，2001 年 6 月。
101. 陳曉鳴，〈漢代邊兵的日常生活和待遇問題述略〉，《江西師範大學學報（哲學社會科學版）》，29 卷 3 期，1996 年 8 月，頁 66-72。
102. 陳學文，〈明代商業契約文書考釋——以稀見文獻資料來研究明代商業〉，收入王春瑜主編，《明史論叢》，北京：中國社會科學出版社，1997 年 10 月，頁 718-727。

103. 張心愷，〈明清時代蒙學施教所啟導之文化典範與應世智能〉，臺北：國立臺灣師範大學歷史研究所碩士論文，1999 年 6 月。

104. 張存武，〈莊稼雜字箋釋（一）〉，《山東文獻》，6 卷 3 期，1980 年 12 月，頁 32-35。

105. 張志公，〈試談《新編對相四言》的來龍去脈〉，《文物》，1977 年 11 期，1977 年 11 月，頁 57-63。

106. 張志強、潘文年，〈20 世紀中國書史研究回顧〉，《漢學研究通訊》，22 卷 4 期，2003 年 11 月，頁 35-47。

107. 張朋園，〈勞著「清代教育及大眾識字能力」〉，《中央研究院近代史研究所集刊》，9 期，1980 年 7 月，頁 455-462。

108. 張春輝，〈類書的類型與編排〉，《文獻》，1987 年 2 期，1987 年 4 月，頁 266-273。

109. 張哲嘉，〈日用類書「醫學門」與傳統社會庶民醫學教育〉，收入梅家玲主編，《文化啟蒙與知識生產：跨領域的視野》，臺北：麥田出版社，2006 年 8 月，頁 175-193。

110. 張涌泉，〈從語言文字的角度看敦煌文獻的價值〉，《中國社會科學》，2001 年 2 期，頁 155-165。

111. 張清河，〈徐霞客同黃道周及其它巨卿名流〉，《貴陽師專學報（社會科學版）》，1997 年 4 期，頁 16-20。

112. 張彬、秦玉清，〈近代浙江的私塾改良〉，《浙江大學學報（人文社會科學版）》，31 卷 3 期，2001 年 5 月，頁 113-

118。
113. 張傳燧，〈西夏教育發達述略〉，《民族教育研究》，1994年4期，頁49-54。
114. 張璉，〈明代中央政府刻書研究〉，臺北：私立中國文化大學史學研究所碩士論文，1983年6月。
115. 張寶三，〈訪錢存訓教授談中國書籍史之研究及治學方法〉，《漢學研究通訊》，22卷1期，2003年2月，頁26-33。
116. 張鐵弦，〈啟蒙讀物種種〉，《光明日報》，1963年11月30日。
117. 常鏡海，〈中國私塾蒙童所用課本之研究（上）（續）〉，《新東方》，1卷8期，1940年9月，頁103-114；1卷9期，1940年10月，頁74-89。
118. 野間晃、王順隆，〈「識丁歌」與「千金譜」——兩本閩南語識字蒙書的比較〉，《臺灣風物》，45卷2期，1995年6月，頁29-82。
119. 黃新憲，〈清代和民國時期畲族教育變遷史略〉，《教育評論》，1998年3期，頁46-49。
120. 梁其姿，〈《三字經》裡歷史時間的問題〉，收入黃應貴主編，《時間、歷史與記憶》，臺北：中央研究院民族學研究所，1999年4月，頁31-74。
121. 梁容若，〈楊慎生平與著作〉，收入林慶彰、賈順先編，《楊慎研究資料彙編（上）》，頁432-444。
122. 郭立誠，〈談私塾〉，《民俗擷趣》，臺北：出版家文化事業公司，1978年4月，2版，頁171-183。

123. 郭立誠，〈保存本省民俗史料的千金譜〉，《藝術家》，10 卷 6 期，1980 年 5 月，頁 71-73。
124. 郭立誠，〈傳統童蒙教材敘錄〉，《國文天地》，2 卷 11 期，1987 年 4 月，頁 37-39。
125. 郭立誠，〈傳統童蒙教材敘錄 1〉，《國文天地》，2 卷 12 期，1987 年 5 月，頁 68-73。
126. 郭立誠，〈傳統童蒙教材敘錄二〉，《國文天地》，3 卷 3 期，1987 年 8 月，頁 62-65。
127. 郭立誠，〈傳統童蒙教材敘錄三〉，《國文天地》，3 卷 6 期，1987 年 11 月，頁 44-48。
128. 郭姿吟，〈明代書籍出版研究〉，臺南：國立成功大學歷史研究所碩士論文，2002 年 6 月。
129. 寒光，〈山東雜字〉，《山東文獻》，6 卷 1 期，1980 年 6 月，頁 10-17。
130. 寒光，〈山東雜字（又名莊稼雜字）〉，《山東文獻》，6 卷 2 期，1980 年 9 月，頁 128-132。
131. 荊貴生，〈俗文字概論〉，《河南師範大學學報（哲學社會科學版）》，22 卷 4 期，1995 年，頁 60-63。
132. 彭大成，〈左宗棠開發西北的戰略舉措與深遠影響〉，《湖南師範大學社會科學學報》，30 卷 1 期，2001 年 1 月，頁 46-57。
133. 彭年，〈北京回族教育八十年〉，《回族研究》，1997 年 1 期，頁 34-49。
134. 彭幼航，〈中國數字隱語試析〉，《廣西社會科學》，2000

年 5 期，頁 124-128。

135. 馮爾康，〈關於建設中國社會史史料學的思考〉，《漢學研究通訊》，21 卷 4 期，2002 年 11 月，頁 5-15。

136. 隋樹森，〈元人散曲概論〉，《中華文史論叢》，2 輯，1982 年 5 月，頁 1-35。

137. 〔日〕森田憲司，〈關於在日本的《事林廣記》諸本〉，收入《國際宋史研討會論文選集》，保定：河北大學出版社，1992 年 8 月，頁 266-280。

138. 森田憲司，〈作者附記〉，收入《事林廣記》，北京：中華書局，1999 年 2 月，據元惠宗至元 6 年（1340）刊本，建陽鄭氏積誠堂刻，頁 572。

139. 閔鈺、馮文全，〈析宋代商品經濟對蒙學教材平民化的影響〉，《湖南科技學院學報》，27 卷 4 期，2006 年 4 月，頁 114-115。

140. 楊正泰，〈明清商人地域編著的學術價值及其特點〉，《文博》，1994 年 2 期，1994 年 3 月，頁 94-100。

141. 道爾吉、和希格，〈女真譯語研究〉，《內蒙古大學學報（哲學社會科學版）》，1983 年增刊，頁 1-437。

142. 趙培成，〈黃埔軍校前後的徐向前〉，《文史月刊》，2004 年 1 期，頁 43-49。

143. 趙培遠，〈讀「山東莊稼雜字淺釋」後的幾點補充〉，《山東文獻》，8 卷 3 期，頁 76-81。

144. 趙啟民，〈簡論西夏文及其辭書〉，《北華大學學報（社會科學版）》，3 卷 1 期，2002 年 3 月，頁 16-19。

145. 鄭祖襄，〈《事林廣記》唱賺樂譜的音階宮調及相關問題〉，《音樂研究》，2003 年 2 期，頁 34-38。

146. 潘家懿，〈從《方言應用雜字》看乾隆時代的晉中方言〉，《山西師大學報（社會科學版）》，23 卷 2 期，1996 年 4 月，頁 88-92。

147. 劉大可，〈《年初一》所反映的閩西鄉村社會〉，《福建論壇（文史哲版）》，1999 年 1 期，頁 65-71。

148. 劉心健等，〈蒲松齡佚著《七言雜文》手抄本〉，《文物》，1983 年 8 期，1983 年 8 月，頁 89-90。

149. 劉平，〈清至民國時期政府行為在成就新疆雙語中的作用〉，《西域研究》，1997 年 2 期，頁 82-88。

150. 劉迎勝，〈《回回館雜字》與《回回館譯語》研究〉，《元史及北方民族史研究集刊》，12-13 期，1989 年 10 月、1990 年 2 月，頁 145-180。

151. 劉迎勝，〈《回回館雜字》與《回回館譯語》“方隅門”“數目門”校釋〉，《學術集林》，卷 11，上海：上海遠東出版社，1997 年 11 月，頁 321-341。

152. 劉迎勝，〈回族與其它一些西北穆斯林民族文字形成史初探——從回回字到“小經”文字〉，《回族研究》，2002 卷 1 期，頁 5-13。

153. 劉祥光，〈時文稿：科舉時代的考生必讀〉，《近代中國史研究通訊》，22 期，1996 年 9 月，頁 49-68。

154. 劉菊湘，〈西夏人的娛樂生活〉，《寧夏社會科學》，1999 年 3 期，1999 年 5 月，頁 87-91。

155. 劉德麟，〈莊稼雜字釋文疑義〉，《山東文獻》，8 卷 1 期，頁 105。

156. 劉德麟，〈為曹繼曾鄉長進一解〉，《山東文獻》，8 卷 4 期，1983 年 3 月，頁 128-133。

157. 謝國禎，〈明清野史筆記概述〉，《史學史資料》，1980 年 5 期，頁 2-11。

158. 錢曾怡，〈《汾河流域方言的語音特點及其流變》序〉，《語文研究》，2003 年 3 期，頁 36-37。

159. 盧明，〈清代刻本圖書形態論〉，《社會科學輯刊》，1995 年 1 期，頁 116-119。

160. 蒲澤，〈關于蒲松齡《日用俗字》手抄本補正二則〉，《文物》，1983 年 10 月，頁 23。

161. 蔡若蓮，〈《三字經》與漢字識字教材〉，《淮陰師範學院學報（哲學社會科學版）》，2000 年 2 期，頁 105-109。

162. 雙福，〈察哈爾八旗方言資料《蒙古雜字》語音學初探〉，《蒙古學信息》，1997 年 3 期，頁 9-18。

163. 聶鴻音，〈西夏文《天下共樂歌》《勸世歌》考釋〉，《寧夏社會科學》，2000 年 3 期，頁 101-103。

164. 聶鴻音，〈俄藏佛經 5130 號西夏文佛經題記研究〉，《中國藏學》，2002 年 1 期，頁 50-54。

165. 聶鴻音、史金波，〈西夏文《三才雜字》考〉，《中央民族大學學報》，1995 年 6 期，1995 年 11 月，頁 81-88。

166. 顏廷亮，〈關于敦煌文化中的教育〉，《蘭州教育學報》，1999 年 1 期，頁 16-28。

167. 蕭東發，〈建陽余氏刻書考略（上）（中）（下）〉，《文獻》，21 輯，1984 年 6 月，頁 230-245；22 輯，1984 年 12 月，頁 195-216；1985 年 1 期，1985 年 1 月，頁 236-250。

168. 魏德毓、李華珍，〈四堡雕板印刷與商品經濟關係初探〉，《福建商業高等專科學校學報》，2002 年 1 期，2002 年 2 月，頁 49-50。

169. 羅矛昆，〈超邁前人、兼容百家——評《夏漢字典》〉，《寧夏社會科學》，1998 年 4 期，頁 101-103。

170. 〔法〕羅杰・夏蒂埃口述，沈堅譯，〈過去的表象——羅杰・夏蒂埃訪談錄〉，收入李宏圖、王加豐選編，《表象的敘述》，上海：上海三聯書店，2003 年 12 月，頁 133-137。

171. 羅福成，〈雜字〉，《國立北平圖書館館刊》，4 卷 3 號，1932 年 1 月，頁 99-104。

172. 羅歇・夏蒂埃、達尼埃爾・羅什，〈書籍史〉，收入〔法〕雅克・勒戈夫、皮埃爾・諾拉主編，郝名瑋譯，《史學研究的新問題、新方法、新對象——法國史學發展趨勢》，北京：社會科學文獻出版社，1988 年 8 月，頁 311-333。

173. 羅歇・夏爾提埃（Roger Chartier），〈文本、印刷術、解讀〉，收入林・亨特（Lynn Hunt）編，江政寬譯，《新文化史》，臺北：麥田出版社，2002 年 4 月，頁 219-244。

174. 羅肇錦，〈清代臺灣書院童蒙教本與教學理念〉，《臺灣源流》，17 期，2000 年，春季刊，頁 115-128。

175. 譚景玉，〈《莊稼雜字》作者考辨——兼述馬益著生平及著作〉，《山東文獻》，26 卷 4 期，2001 年 3 月，頁 13-17。

176. 譚景玉，〈《莊稼雜字》流傳地域述略〉，《山東文獻》，28 卷 2 期，2001 年 9 月，頁 4-11。
177. 譚景玉，〈關於《莊農雜字》的幾個問題〉，《近代中國史研究通訊》，36 期，2003 年 12 月，頁 55-60。
178. 譚景玉，〈清前期魯中農村的日常飲食習俗〉，《民俗研究》，2005 年 1 期，頁 105-114。
179. 譚景玉、王志勝，〈《中華改良雜字》述略——兼答王克孝先生〉，《山東文獻》，28 卷 3 期，2002 年 12 月，頁 119-124。
180. 譚運湘、譚特立，〈虎嘯生風撼山林——譚震林青少年時期生活片斷〉，《湘潮》，2002 年 2 期，頁 12-16。
181. 薩伯森，〈福州清末以來書塾小史〉，收入《福建文史資料》，16 輯，1987 年 8 月，頁 173-186。
182. 鐵來提·易卜拉欣，〈試論新疆維吾爾語詞典編寫史上的三個發展階段〉，《新疆社科論壇》，2002 年 2 期，頁 74-77。
183. 顧道馨，〈傳統社會心態與天津區域文化〉，《環渤海經濟瞭望》，1998 年 4 期，頁 54-56。
184. 蘇德，〈清代達斡爾族滿文官學與私塾教育〉，《前沿》，1995 年 5 期，頁 105-110。
185. 〔美〕B.A.埃爾曼著，衛靈譯，〈明清時期科舉制度下的政治、社會與文化更新〉，《明清史》，1993 年 1 期，頁 17-21。
186. 〈王克孝劉子交先生通函談《山東雜字》〉，《山東文獻》，20 卷 4 期，1995 年 3 月，頁 159。

187.〈「便民圖纂」後記〉，見鄭振鐸編，《中國古代版畫叢刊——救荒本草、日記故事、忠義水滸傳插圖、便民圖纂》，上海：上海古籍出版社，1988 年 8 月。

㈡外文

1. 小川陽一，〈日用類書——『萬用正宗』『萬寶全書』『不求人』など〉，《月刊しにか》，1998 年 3 月，頁 60-65。
2. 小川陽一，〈『新增懸金萬寶全書』所收內容一覽—竹林書局本『萬事不求人』と比較しつつ—〉，1998 年 7 月，科研研究會における發表，5 頁。
3. 小川陽一，〈日用類書『新增懸金萬寶全書』について〉，收入《平成 8、9、10 年度文部省科學研究費補助金基盤研究成果報告書（課題番號 08309006）：久米島における東アジア諸文化の媒介究象に關する總合研究》，京都：京都大學人文研究所，1999 年 8 月，2 刷，頁 39-43。
4. 三浦國雄，〈沖縄に傳來した『萬寶全書』〉，《文藝論叢》，62 期，2004 年 3 月，頁 81-104。
5. 三浦國雄，〈論考『萬寶全書』諸夷門小論——明人の外國觀〉，《漢學會誌》，44 期，2005 年 3 月，頁 227-248。
6. 水野正明，〈「新安原板士商類要」について〉，《東方學》，60 期，1980 年 7 月，頁 96-117。
7. 天野元之助，〈「便民圖纂」について〉，《書報》，1960 年 5 月，頁 11-13。
8. 仁井田陞，〈元明時代の村の規約と小作證書など（一）—日用百科全書の類二十種の中から—〉，《中國法制史研究（奴

隸農奴法・家族村落法）》，東京：東京大學東洋文化研究所出版會，1962 年 3 月，頁 741-789。

9. 寺田隆信，〈明清時代の商業書について〉，《明代史研究》，22 期，1994 年 4 月，頁 111-126。
10. 臼井佐知子，〈徽州文書と徽州研究〉，《明清史の基本問題》，東京：汲古書院，1997 年 10 月，頁 501-530。
11. 谷井俊仁，〈路程書の時代〉，收入《明末清初の社會と文化》，京都：京都大學人文科學研究所，1996 年 3 月，頁 415-455。
12. 坂出祥伸，〈明代「日用類書」醫學門について〉，《文學論集》，47 卷 3 期，1998 年，頁 1-16。
13. 金文京，〈規範としての古典とその日常的變容——元代類書『事林廣記』所引法令考〉，《古典學の現代Ⅱ》，2001 年 2 月，頁 115-125。
14. 酒井忠夫，〈元明時代の日用類書とその教育史的意義〉，《日本の教育史學》，1 期，1958 年，頁 67-94。
15. 酒井忠夫，〈明代の日用類書と庶民教育〉，收入林友春編，《近世中國教育史研究》，東京：國土社，1958 年 3 月，頁 25-154。
16. 麥谷邦夫，〈明清時代の日用百科全書について〉，收入《昭和六〇年度科學研究費補助金一般研究成果報告書（課題番號 59450059）：十八、十九世紀節用集の政治社會學的研究》，京都：京都大學人文研究所，1988 年 8 月，頁 33-46。
17. 森田憲司，〈『事林廣記』の諸版本について—國內所藏の諸

本を中心に一〉，收入宋代史研究會編，《宋代の知識人》，東京：汲古書院，1993 年 1 月，頁 287-316。

18. 森田憲司，〈和刻本『事林廣記』について〉，收入聯合報文化基金會國學文獻館主編，《第六屆中國域外漢籍國際學術會議論文集》，臺北：聯經出版事業公司，1993 年 5 月，頁 501-520。
19. 森田憲司，〈王朝交代と出版：和刻本事林廣記から見にモンゴル支配下中國の出版〉，《奈良史學》，20 期，2002 年 12 月，頁 56-78。
20. 「元代の社會と文化」研究班，〈『事林廣記』刑法類・公理類譯注〉，《東方學報》，74 期，2002 年 3 月，頁 257-309。
21. 「元代の社會と文化」研究班，〈『事林廣記』人事類譯注〉，《東方學報》，75 期，2003 年 3 月，頁 273-393。
22. 「元代の社會と文化」研究班，〈『事林廣記』學校類譯注（一）〉，《東方學報》，76 期，2004 年 3 月，頁 85-108。
23. 「元代の社會と文化」研究班，〈『事林廣記』學校類（二）・家禮類（一）譯注〉，《東方學報》，77 期，2005 年 3 月，頁 121-158。
24. Alexander Woodside, "Real and Imagined Continuities in the Chinese Struggle for Literacy", in Ruth Hayhoe, ed., *Education and Modernization, The Chinese Experience*, Oxford, New York: Pergamon Press, 1992, pp.23-45.
25. Cynthia Brokaw, "Commercial Publishing In Late Imperial China: The Zou And Ma Family Business Of Sibao", *Late Imperial China*,

June 1996, PP.49-92.

26. Cynthia Brokaw, "Book Markets and the Circulation of Texts in Rural South China, 17th-19th Centuries（17-19 世紀中國南部鄉村的書籍及書籍流傳）"，宣讀於「中國近代知識轉型與知識傳播學術研討會」，南港：中央研究院近代史研究所主辦，2003 年 12 月 17 日，39 頁（+24 頁）。
27. Cynthia J. Brokaw, "Reading the Best-Sellers of the Nineteenth Century: Commercial Publishing in Sibao", in Cynthia J. Brokaw and Kai-wing Chow ed., *Printing and Book Culture in Late Imperial China*, Berkely and Los Angeles: University of California Press, 2005, PP.184-231.
28. Ellen Widmer, "The Huanduzhai of Hangzhou and Suzhou: A Study in Seventeenth-Century Publishing", *Harvard Journal of Asiatic Studies*, 56:1, June 1996, pp.77-122.
29. James Hayes, "Specialists and Written Materials in the Village World", in David Johnson, Andrew J. Nathan, Evelyn S. Rawski eds., *Popular Culture in Late Imperial China*，臺北：南天書局，1987 年 10 月，頁 75-111。
30. Lucille Chia, "The Development Of The Jianyang Book Trade, Song-Yuan", *Late Imperial China*, June 1996, Volume 17, No.1, PP.10-47.
31. Robert Darnton, "History of Reading" Edited by Peter Burke, *New Perspectives On Historical Writing*, University Park, Pennsylvania: The Pennsylvania State University Press, 2001, pp.157-186.

32. Sue Waterman, "Book Review: The Order of Books", *History of Reading News*, Vol.XX, No.2, 1997: Spring.
33. Wei Shang, "The Making of the Everyday World: *Jin Ping Mei Cihua* and Encyclopedias for Daily Use", in David D.W. Wang and Wei Shang ed., *Dynastic Crisis and Cultural Innovation: From the Late Ming to the Late Qing and Beyound*, Cambridge, Mass.: Harvard University Asia Center, 2005, PP.63-92.

四、工具書

1. 王重民等編，《敦煌遺書總目索引》，收入黃永武主編，《敦煌叢刊初集》，臺北：新文豐出版公司，1985 年，冊 2。
2. 孫啟治、陳建華編，《古佚書輯本目錄（附考證）》，北京：中華書局，1997 年 8 月。
3. 野口鐵郎等編，《道教事典》，東京：平河出版社，1996 年 10 月，初版 2 刷。
4. 國立國會圖書館編，《國立國會圖書館漢籍目錄》，東京：國立國會圖書館，1985 年 3 月。
5. 馮惠民等選編，《明代書目題跋叢刊》，北京：書目文獻出版社，1994 年 1 月。
6. 嚴靈峰編，《書目類編》，臺北：成文出版社，1978 年 7 月，據民國 46 年（1957）排印本影印，冊 27。
7. 鄧嗣禹編，《中國類書目錄初稿》，臺北：古亭書屋，1970 年 11 月。
8. 〔日〕藤原佐世，《日本國見在書目錄》，收入賈貴榮輯，

《日本藏漢籍善本書志書目集成》，北京：北京圖書館，2003年6月，據清光緒中遵義黎氏日本東京使署影刻本。

9. 《文淵閣四庫全書》，臺北：臺灣商務印書館，史部 409，政書類；史部 433，目錄類。

10. 《菉竹堂書目》，見《粵雅堂叢書（十五）》，臺北：華聯出版社，1965 年 5 月，據國立中央圖書館藏本清咸豐 3 年（1853）刻本影印。

從社會史到社會文化史的學習歷程
——代後記

1983 年秋，剛考進研究所碩士班的我，其實並不清楚自己的研究方向，但是那年，選修戴玄之教授的「中國社會史研究」課程啟發了我，也導引我往社會史方向，尤其是社會動亂方面的課題去努力。當時，戴老師的研究成果中以義和團、白蓮教、天地會最受學界矚目，我卻對老師的另一部著作《紅槍會》情有獨鍾，書中每每提及紅槍會的興起、發展，乃至變質，均與清末民初以來盜匪頻仍的社會現象密切相關；於是，幾經思考，我決定以民國初年華北地區的盜匪活動作為碩士論文課題，並得到老師的首肯，收為門下弟子。

從戴老師正式收我為門生開始，十年中（1985-1995），關於此一課題，我主要完成了碩士論文及由碩士論文發展而成的同名專書《民初直魯豫盜匪之研究（1912-1928）》一本，及專文〈“社會盜匪活動”的再商榷——以臨城劫車案為中心之探討〉、〈老洋人活動始末〉、〈大陸學界有關民國盜匪之研究〉三篇；然令人非常遺憾的是，除了碩士論文外，其餘成果刊出時，老師已因肺腺癌病逝，未能親眼目睹，而我也再沒機會聆聽老師的教誨了。

1993 年秋，在歷經七年的高中教書生涯後，我又重回母校當學生。此時，學界社會史研究已朝社會文化史方向發展，我仔細閱讀了王爾敏教授的大著《明清時代庶民文化生活》一書，心中頗有感觸，不時求教請益，終得老師答應，願引領深入探討，並提供新的研究目標《萬寶全書》，於是，我全心栽進新課題中，從頭開始。

十年來（1996-2006），對於《萬寶全書》此一課題，我主要完成了博士論文〈明清時期民間日用類書及其反映之生活內涵——以《萬寶全書》為例〉，及由博士論文發展而成的專書《萬寶全書：明清時期的民間生活實錄》一本（該書四年後又出修訂版），與專文〈民間日用類書的淵源與發展〉、〈清代民間生活知識的掌握——從《萬寶元龍雜字》到《萬寶全書》〉、〈口腹之欲：明版日用類書中的葷食〉、〈「日用」與「類書」的結合——從《事林廣記》到《萬事不求人》〉四篇；事實上，隨著對《萬寶全書》的深入研究，我對庶民大眾如何閱讀此種民間日用類書愈感好奇，於是再往下挖掘，才發現雜字書此種不同於一般人所熟知的「三（字經）、百（家姓）、千（字文）」教科書系統，卻普遍流通民間社會的識字教材；於是，尋著此一基本線索，陸續寫成〈識字入門——明清以來的雜字書〉、〈日治時期臺灣的雜字書〉、〈中國雜字書的日本流傳〉三篇專文，以釐清與雜字書相關的種種問題；後來，我將上述已發表的專文中取出三篇主旨密切相關，又首尾合一者，再新撰〈邁向文字世界——雜字書的淵源與發展〉一文，將四篇專論加以修改內容、增添資料，並補上數年來構思的問題意識及心得結語，終匯聚成新書《明清以來民間生活知識的建構與傳遞》。

說來新專著當是我前本書的姐妹作，只是後者強調透過明清時期廣泛流通四民大眾日常生活便用的綜合性民間日用類書，即《萬寶全書》系列之書籍發展及內容變遷，以觀察當時民間社會生活之各式面貌及其意義；而前者則關注明清以來庶民大眾文本閱讀的可能性問題，並由此探究民間日用類書的通俗化與識字教材的重要性等衍生課題，而著眼點及切入方法則在各式文本的實際掌握與意義詮釋。惟不論何者，均已屬社會文化史而非以往社會史之範疇，這才驚覺，十年來跟著王爾敏老師的學習及接受其教導，自己已不知不覺地跨入了社會文化史研究的這個新方向，只是學術研究的核心關懷對象，從以往到現今，始終在民間社會，即基層的四民大眾、庶人百姓。

回首從社會史到社會文化史的學習歷程中，深覺慶幸與感恩的是，多人對自己的協助與幫忙。這中間，最該致謝的是前後兩任指導教授，無論是碩士班的戴老師或博士班的王老師，均對我這個不甚聰慧的學生多所包容，耐性指導，用心深厚；尤其，戴老師雖早逝，戴師母的鼓勵與關懷卻持續不斷，直到四年前（2003）她亦因癌症而過世，我與戴家的緣份實是此生最難忘懷者。

其次，新著撰寫期間，為搜集資料及參加會議遠赴大陸、日本，亦獲得大陸與日本學界諸多前輩的支援，他們是北京中國社會科學院的赫治清教授、廈門大學的陳支平教授、東洋文庫的山根幸夫教授、大東文化大學的小川陽一教授與三浦國雄教授、奈良大學的森田憲司教授、京都大學的金文京教授、慶應大學的高橋智教授。其中，山根幸夫教授早於 1998 年，我還是博士生時，因立命館大學金丸裕一教授引介，赴日本東京搜集資料而結識，以後不時書信往返；畢業後三年（2003）再次赴日，他親自陪同前往東洋文庫及慶應大學圖書館找資料，令身為後生晚輩的我感動莫名，亦覺承受不起；2005 年暑假，他病逝消息由山根夫人來信告知，讓我難過不已，情緒久久未能平復。

此外，政大歷史系、所求學期間多位授課的專、兼任老師，如我明清史的啟蒙師張哲郎教授、中國近代現代史的張玉法院士（中央研究院近代史研究所）與林能士教授、城市史的劉石吉教授（中央研究院人文社會科學研究中心）、日文名著選讀的黃福慶教授（中央研究院近代史研究所）等人，在我專研此一課題時，提供了學術研究的相關知識與方法，實受益無窮；而新著內容，無論是曾發表於期刊上的數個章節，或全文結集成冊出版，乃至學校升等過程中，每一階段均經過許多我未能得知的專家、學者之審查，他們細心閱讀拙文並提供寶貴意見，讓我內心十分感激。至於任教學校國立臺灣海洋大學所給予的主客觀環境與條件，使筆者在教學之餘，仍可從事研究工作，亦必須致上誠摯謝意。

最後，本專著問世之際，欣逢恩師王爾敏教授八秩華誕，謹以此書恭賀老師，並衷心祝福老師健康、快樂！

吳蕙芳

記於基隆風雨樓

20070814

本書部分章節曾發表於學術期刊上及獲得行政院國家科學委員會計畫案的補助，茲說明如下並謹此致謝：

第一章　「日用」與「類書」的結合——從《事林廣記》到《萬事不求人》
原載於《輔仁歷史學報》，16 期，2005 年 7 月，頁 85-124。
【NSC91-2411-H-438-001-】

第二章　邁向文字世界——雜字書的淵源與發展
【NSC92-2411-H-019-004-】

第三章　識字與雜用——雜字書的入門之道
原篇名：識字入門——明清以來的雜字書
載於《興大歷史學報》，16 期，2005 年 6 月，頁 239-276。
【NSC92-2411-H-019-004-】

第四章　清代民間生活知識的掌握——從《萬寶元龍雜字》到《萬寶全書》
原載於《政治大學歷史學報》，20 期，2003 年 5 月，頁 185-211。

國家圖書館出版品預行編目資料

明清以來民間生活知識的建構與傳遞

吳蕙芳著. – 初版. – 臺北市：臺灣學生，
2007[民 96]
面；公分

ISBN 978-957-15-1321-8(精裝)
ISBN 978-957-15-1322-5(平裝)

1. 類書 – 中國 – 明（1368-1644）
2. 類書 – 中國 – 清（1644-1912）

040.8 95019425

明清以來民間生活知識的建構與傳遞(全一冊)

著作者：吳蕙芳
出版者：臺灣學生書局有限公司
發行人：盧保宏
發行所：臺灣學生書局有限公司
臺北市和平東路一段一九八號
郵政劃撥帳號：00024668
電話：(02)23634156
傳真：(02)23636334
E-mail：student.book@msa.hinet.net
http：//www.studentbooks.com.tw

本書局登記證字號：行政院新聞局局版北市業字第玖捌壹號

印刷所：長欣印刷企業社
中和市永和路三六三巷四二號
電話：(02)22268853

定價：精裝新臺幣四二〇元
平裝新臺幣三四〇元

西元二〇〇七年十月初版

04001

ISBN 978-957-15-1321-8(精裝)
ISBN 978-957-15-1322-5(平裝)